ZO GAAN WE NIET MET ELKAAR OM

Voor J. J. J.

Renske Jonkman

Zo gaan we niet met elkaar om

Nijgh & Van Ditmar
Amsterdam, 2011

'Wie bang is voor de wolven, moet uit het bos blijven.'
Jozef Stalin

MIX
Papier van
verantwoorde herkomst
FSC® C019440
FSC
www.fsc.org

www.renskejonkman.nl
www.nijghenvanditmar.nl

Copyright © Renske Jonkman 2011
Omslag Studio Jan de Boer
Omslagbeeld Jody Rogac
Foto auteur Loek Buter
NUR 301 / ISBN 978 90 388 9440 9

Ik moest weg van hier en met mijn zieke, koortsige lichaam wurmde ik me door de dansende massa. De muziek knalde naar binnen. Alle kleuren waren vlijmscherp en duidelijk omrand. Ik moest weg van de dansvloer waar alles en iedereen elkaar altijd maar aanraakte. Weg van de mensen, de krioelende lichamen die als sterrenstelsels door aantrekkingskracht tegen elkaar opbotsten en het universum imiteerden. Weg van iedereen die zich God waande, maar waar God zelf was verdwenen. Weg van de wereld.

Benauwd staarde ik om me heen en plotseling kon ik mij precies voorstellen hoe iedereen er dood uitzag; de dood was overal. Het enige wat ik zag waren dansende lijken met ingevallen gezichten, de wijd opengesperde ogen, de benige vingers die me vastgrepen en me naar beneden trokken, de diepte in sleurden. Vanuit de verte zag ik de man in het zwart op mij afkomen, hij kwam alsmaar dichterbij.

Zou hij mijn angsten voelen? Was dit echt of een illusie? Waarom bracht ik alles wat ik bedacht weer in twijfel, want als ik het dacht dan moest het toch de waarheid zijn?

Uitgeput smakte ik tegen de grond.

Ik viel voorover en kotste over mijn gympen.

Duizelig keek ik omhoog naar de benen die om mij heen stonden, bewegend in het ritme, en ik dacht terug aan hoe Job jaren geleden tijdens het schoolfeest naast mij was geknield, en had gezegd: 'Je verstaat elkaar beter als je laag bij de grond zit.'

Put me up, put me down. Put my feet back on the ground.

Hoe hij had gezegd: 'Dat komt omdat het geluid gedempt wordt, door de mensen boven ons.'

Omdat wij onder de mensen zitten, wist ik. Omdat wij onder de mensen zitten.

De man in het zwart stond voor me, knielde. Ik vroeg hem of hij wist waar Jaris was, maar hij antwoordde niet. Hij legde zijn magere hand op mijn gezicht, drukte met zijn vingers langzaam mijn ogen dicht, tot het zwart werd. Waar is Jaris, schreeuwde ik, waar is Jaris. En daarna Niets.

DEEL I

ALLE DINGEN DIE IK NU WEL LEUK VIND EN OOK ALS IK OUDER BEN

'Ik zou hem Koba noemen,' zegt Jaris. Iedereen kijkt naar het konijn dat zich als een mol onder mijn witte nachtjapon beweegt, van mijn schouder naar mijn navel en weer terug. Het beest heeft een grote strik om zijn nek, wat ik er nogal stom vind uitzien, en met gespitste oren steekt hij zijn kop boven mijn nachtjapon uit. Hij mist een stukje bij zijn linkeroor.

Het is een Vlaamse reus, maar hij is niet groter dan mijn hand.

'Groeit hij nog?' vraag ik en zet mijn bril recht op mijn neus.

Ik kijk omhoog, naar de gezichten van papa, mama en Jaris; nieuwsgierige koeien die met omgekeerde gezichten boven mij gebogen staan. Ik lig op mijn rug, op de koude marmeren keukentegels en maak zwembewegingen met mijn armen. Door de open tuindeuren valt een straal ochtendlicht naar binnen.

Vandaag vieren Jaris en ik samen onze verjaardag. Omdat het handig is volgens mama, aangezien er toch maar drie dagen tussen zitten. 'Dan zijn we er maar in één keer vanaf,' verzucht ze dan. Ik vind het raar dat mama ertegen opziet om onze verjaardag te vieren, want ze heeft toch ooit graag gewild dat we geboren zouden worden?

Zacht bewegen de snorharen langs mijn wangen.

'Ze worden vanzelf groot,' zegt papa die zijn ochtendjas vastknoopt. 'Voordat je het weet gaan ze het huis weer uit.'

Papa weet veel van dieren. Hij is een lange zwierige man die schilderijen maakt van pasgestorven dieren en soms gaat hij een middag mee met de broeders van de dierenambulance. Laatst nog kwam hij thuis met een onthoofd waterhoentje en een overreden haas. Je kon het nauwelijks nog een haas noemen. Maar wij vinden het allang niet zielig meer. 'Het is de natuur,' weet papa.

Hij staat op zijn leren sloffen en zijn haar staat in warrige plukken op zijn hoofd. Met de rug van zijn hand wrijft hij over de stoppels van zijn baard. 'Ik zou hem Bruintje noemen,' fluistert mama. Ze is gehurkt naast me komen zitten. Het knoopje van haar pyjamajasje is los waardoor haar linkerborst naar buiten steekt, alsof hij is verdwaald.

'Waarom Bruintje?' bemoeit Jaris zich ermee.

'Hij is bruin,' zegt mama.

'Dat is toch geen reden.'

Ik vind dat Jaris gelijk heeft maar dat zeg ik niet. Omdat Jaris en ik sinds vanochtend niet meer met elkaar praten. Omdat hij onze verjaardag heeft verpest. En omdat hij dat alleen maar goed kan maken door onze geheime vredescode in omgekeerde volgorde uit te spreken, zonder zijn vingers te kruisen. Maar ook dat zeg ik niet.

Boven de eettafel hangen twee slingers met daarop de letters G-E-F-E-L-I-C-I-T-E-E-R-D. Eén voor Jaris en één voor mij. Ze hangen achter elkaar waardoor er G-E-F-E-L-I-C-I-T-E-E-R-D-G-E-F-E-L-I-C-I-T-E-E-R-D staat.

Aan de andere kant van de huiskamer hoor ik de lakens op het bed van mijn zus Mensje knisperen; sinds een paar weken staat haar uit ijzer opgetrokken bed met heliumballonnen als een ruimteschip tussen de boekenkast en de tv geparkeerd. Wanneer Mensje aan haar rug is geopereerd mag ze in de huiskamer slapen. Op sommige ochtenden kruipen Jaris en ik bij haar op bed en kijken met opgetrokken benen naar de drie dikke dames op Nederland drie. Of tekenfilms op de BBC, hoewel ik die niet versta. Mensje is de oudste van ons drieën, loopt al sinds haar zesde niet meer en heeft een rolstoel waarmee ik weleens rondjes door de tuin mag rijden. Sommige mensen worden zenuwachtig als ze de rolstoel zien en behandelen ons alsof we heel bijzonder zijn en aaien Mensje over haar hoofd, hoewel dat natuurlijk nergens op slaat.

'Ik zou hem Koba noemen,' zegt Jaris opnieuw. Hij kijkt streng op mij neer.

Ik doe of ik hem niet hoor en duw de kop van het konijn weg.

'Waarom Koba?' vraagt papa.

'Koba was de bijnaam van Stalin.'

'Het beest is een Vlaamse reus,' zegt papa, 'geen Rus.'

Sinds een half jaar is Stalin de nieuwe superheld van Jaris, en bijna elke dag leest hij wel een paar bladzijden uit het boek *Het communisme als politiek-sociale wereldreligie.* Volgens hem is het communisme een geloof. Soms voert hij de eendjes om ze te leren dat ze altijd alles eerlijk moeten delen.

Ik kijk weer terug naar het konijn, de lange oren kriebelend langs mijn huid. En hoewel ik het niet wil zeggen, moet ik het toch zeggen, omdat ik ooit mijzelf beloofd heb om altijd alles te zeggen als dat van mijzelf móét, omdat ik er anders voor altijd spijt van houd.

'Ik noem hem Koba,' zeg ik zonder Jaris aan te kijken. Maar vanuit mijn ooghoek zie ik dat hij tevreden zijn schouders recht.

'Nou, Stalin zal weer trots zijn op de familie Friedland,' zucht papa die een stap achteruit zet, 'geef je zo'n kind een konijn, krijg je een communistische dictator.'

Ik zeg dat ik wel weet wat communistisch is maar niet wat een dictator is. En dat ik Koba gewoon een leuke naam vind. Ook vraag ik hoe laat ze ongeveer denken dat we taart gaan eten.

'Je verandert zijn naam toch niet?' vraagt Jaris als ik overeind ben gekomen.

Ik schud mijn hoofd. Eigenlijk wil ik hem vragen 'waarom' en 'hoezo', maar hoewel ik dat niet doe, geeft Jaris als vanzelf het antwoord: 'Als je ouder wordt zijn sommige dingen gewoon niet meer zo leuk.' Hij kijkt alsof hij het meent.

Toen ik Jaris vanochtend voor onze verjaardag wakker maakte had hij zich op zijn buik gedraaid, het dekbed over zijn hoofd getrokken en gezegd dat hij 'alleen' wilde zijn en dat hij hier 'te oud' voor was.

Ik begreep het niet.

Jaris had nog nooit alleen willen zijn op z'n verjaardag. Ik had mijn cadeau, een T-shirt dat ik van gekleurd textielverf voor hem had gemaakt, onder mijn armen geschoven. Het was een Herman Brood-shirt, omdat hij daar fan van is, en ik had Jaris in graffitistijl nageschilderd. Ik vond hem heel goed gelukt en al dagenlang had ik het in cadeaupapier verpakte shirt in een kist onder mijn bed verstopt. Zoals elk jaar kon ik niet wachten bij Jaris in bed te kruipen, met mijn hoofd tegen zijn schouder, kijkend hoe hij verrast mijn cadeau uit het papier haalde. Hoe hij daarna ook zijn verjaardagscadeau aan mij zou geven, dat hij zoals altijd uit de onderste la van zijn bureau tevoorschijn zou halen.

Maar nu moest ik zijn slaapkamer uit.

Ik dwaalde een beetje door zijn kamer, rondjes draaiend met de stof van mijn nachtjapon om mijn vinger.

Ik drukte de deurklink naar beneden en weer omhoog.

'Waar moet ik dan heen?' vroeg ik uiteindelijk, want ik wist het ook echt niet. Ik kon moeilijk bij papa en mama in bed kruipen, want die deden in het weekend altijd zo stom zenuwachtig als ik hun slaapkamer in liep, alsof ik een valse hond was. En bij Mensje was het eigenlijk ook gezelliger als we gewoon met z'n drieën op haar bed lagen. Maar in de afgelopen weken had Jaris nog maar één keer met z'n drieën op het bed van Mensje willen liggen.

'Doe eens gewoon,' zei ik. 'Je kan toch wel normaal doen.'

Hij trok het dekbed nog verder over zijn hoofd. 'Ik doe normaal.'

'Als je zo doet dan ben je nog niet jarig,' zei ik streng. Papa zegt dat ook weleens, bijvoorbeeld als ik de tijd ben vergeten omdat ik buiten in het plantsoen voor de buurtkatten een nest van kartonnen dozen zit te maken.

'Ik zou wíllen dat ik niet jarig was,' antwoordde Jaris. Zijn stem sloeg over, daar had hij wel vaker last van; dan kwam zijn hoge jonge stem zomaar piepend door zijn volwassen stem heen, als de stem van een oude bekende.

Boos draaide ik mijn gezicht van hem weg en staarde rond in zijn donkere kamer. Het rook er muf, alsof hij vannacht in één keer alle zuurstof had opgeademd. Aan de muur naast zijn kledingkast, waar zijn afgekloven knuffel Bobo bovenop stond, hing een poster van Pamela Anderson, tenminste, die naam stond in grote krulletters onder haar blote voeten geschreven. En niet alleen haar voeten waren bloot. Ik wist niet waarom Jaris een poster van een vreemde naakte vrouw in zijn kamer had opgehangen.

Op het houten bureau naast het raam lagen dikke boeken met lange titels die bijna niet op de rug pasten, zoals *De geschiedenis der menschheid van de oudste tijden tot heden*. Achter het dichtgetrokken gordijn kwam nog een stukje oud behang tevoorschijn waarop springende marsmannetjes stonden afgebeeld. Met mijn wijsvinger wilde ik op een van de marsmannetjes drukken – om te zien of hij misschien in beweging kwam – maar Jaris dacht dat ik de gordijnen wilde opentrekken en ik hoorde hem grommen vanonder zijn dekbed: 'Laat ze dicht.'

In een reflex trok ik alsnog het gordijn open.

Licht bulkte de kamer binnen.

'Sodemieter op!' riep Jaris, terwijl ik gillend zijn kamer uit vluchtte: 'Jij bent nog niet jarig! Jij bent nog lang niet jarig!'

Op blote voeten loop ik met Koba naar buiten. Mijn nachtjapon wappert in de wind en de zomertuin ruikt zoet, naar slagroomtaart. Onze hond Atlas rent voor me uit. Hij luistert alleen wanneer er in het Duits tegen hem wordt gesproken. Papa vertelde eens dat Atlas een verre afstammeling van een Duits nazinest is waarbij de bloedlijnen teruggaan tot Hitlers hond Blondi. 'Hij kan alleen Duits blaffen,' zegt papa weleens.

Ik stap door het hoge gras, voel de grassprieten tussen mijn tenen. Aan de andere kant van de schutting hangt buurman Kouwenaar in een tuigje aan een boom. In zijn ene hand houdt hij een tak vast en in zijn andere een kettingzaag. 'Wat heb jij daar nou hangen?' roept hij. 'Een konijn,' roep ik terug. 'Is 't een Vlaamse?' vraagt hij. 'Ze zeggen van wel,' antwoord ik. 'Hij moet nog groeien.' Buurman Kouwenaar trekt de kettingzaag aan en roept boven de herrie uit: 'Die ouwelui van je moet je nooit geloven.' Het is niet de eerste keer dat de buurman dat zegt. Dat komt door de duiventil van papa. Daarom horen we hem bijna wekelijks over de schutting schreeuwen: 'Die beesten schijten mijn hele tuin onder!' Er zijn maar weinig mensen die van vogels houden, of van andere beesten.

In de verste hoek van de tuin trek ik Koba van mijn schouders, zet hem in zijn nieuw getimmerde konijnenhok – er zit een deurtje in waarachter hij kan slapen en een trapje dat nergens op uitkomt – en denk aan wat Jaris zojuist in de keuken heeft gezegd: 'Als je ouder wordt zijn sommige dingen gewoon niet meer zo leuk.' Ik denk aan alle dingen die ik nu leuk vind en waarom ik die dan niet meer leuk zou vinden als ik ouder ben. Hoe kun je dingen eerst leuk vinden, om ze later alsnog te gaan haten?

Daar blijf ik een hele tijd over nadenken terwijl ik Koba mechanisch over zijn kop aai. Omdat ik er niet uitkom sluit ik het konijnenhok, loop de schuur in en pak daar achter de metalen gereedschapskist een schrijfblok en een potlood, waar papa normaal de maten mee op de houten planken schrijft, onder het stof vandaan. Ik maak een lijstje van Alle Dingen Die Ik Nu Wel Leuk Vind En Ook Als Ik Ouder Ben: omdat ik graag aan toekomstvoorspellingen doe, en je alles voor de toekomst moet vastleggen, anders weet je niet meer wat je vroeger had voorspeld.

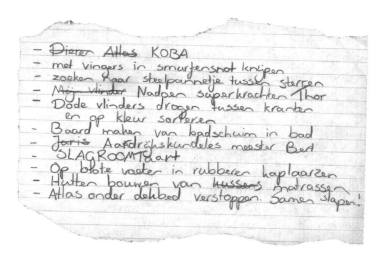

- ~~Pieter~~ Atlas KOBA
- met vingers in smurfensnot knijpen
- zoeken ~~naar~~ steelpannetje tussen sterren
- ~~Mijn vlinder~~ Nadoen superkrachten Thor
- Dode vlinders drogen tussen kranten
  en op kleur sorteren
- Baard maken van badschuim in bad
- ~~Joris~~ Aardrijkskundeles meester Bert
- SLAGROOMTaart
- Op blote voeter in rubberen laplaarzen
- Hutten bouwen van ~~kussens~~ matrassen
- Atlas onder dekbed verstoppen. Samen slapen!

Nadat ik dit heb opgeschreven kijk ik op mijn horloge – een Flik Flak-horloge met gekleurde mannetjes van staal die om elkaar heen draaien – en noteer:

Datum - 06-06-1994

Tijd - 10.40

Ik berg het potlood en het opschrijfblok weer op in de schuur, vouw het blaadje met Alle Dingen Die Ik Nu Wel Leuk Vind En Ook Als Ik Ouder Ben zo klein mogelijk op zodat het precies in mijn handpalm past. Samen met Atlas, die naast mij is komen staan, loop ik terug door de tuin.

Het briefje brandt in mijn hand.

Bij elke stap zet ik mijn voet kaarsrecht op de oneven tegel. Mijn buurmeisje van drie huizen verder heeft ooit verteld dat je voor geluk in de toekomst nooit op tegels met even getallen moet lopen maar dat je voet altijd loodrecht op de lijn van de oneven tegel moet staan. Ik houd één oog gesloten terwijl ik mij op de oneven tegel blijf concentreren. Daarna loop ik achterstevoren verder, voor wat extra geluk, en met beide ogen gesloten.

Als ik recht op de lijn stap dan vind ik alle dingen die ik nu wel leuk vind ook leuk als ik ouder ben.

Als ik niet recht op de lijn stap dan vind ik alle dingen die ik nu wel leuk vind niet meer leuk als ik ouder ben.

Na drie stappen bots ik tegen onze tuinkabouter op, die even wankelt, maar toch blijft staan. De tuinkabouter geeft mij een knipoog. Atlas begint te janken.

Naast mij lag een onbekende naakte jongen in foetushouding. Door de openstaande ramen kwamen de zure dampen van een Chinees restaurant binnen.

Daar gaan we weer, dacht ik, en terwijl ik geruisloos van het matras probeerde te kruipen, op mijn blote voeten over de verspreide kleren op de grond liep, sloeg het oog van de jongen als dat van een luipaard open. Traag en bijna onbeweeglijk schoof zijn pupil over mijn lichaam.

Twijfelend bleef ik voor hem staan. 'Hé,' zei ik ten slotte. Hij leek niet eens op Mart, mijn vriend met wie ik vier jaar samen was en die ik nu dus blijkbaar alweer had bedrogen. Ik wreef in mijn oog, mijzelf ondertussen afvragend waar ik de onbekende jongen – laat ik hem Ojee noemen – van kende.

'Je gaat toch niet weg?' klonk het kreunend vanonder de lakens.

'Natuurlijk niet,' zei ik.

'Oké, cool. Neem je ook een glas water voor mij mee?'

Gedesoriënteerd zwalkte ik door de huiskamer en uiteindelijk vond ik achter een glazen wand de badkamer waar, onder een verschimmeld douchegordijn met de afdruk van Europa, een wc-bril in een geel uitgeslagen ligbad was gesmeten. Ik draaide de kraan open, liet het koude water langs mijn polsen stromen. Mijn lenzen prikten in mijn ogen. Ik staarde in de badkamerspiegel. Een bleke huid, een zwarte laag mascara over mijn wangen, mijn bruine haar wild om mijn hoofd. De spiegel stond voor mij opgesteld als een altaar van zelfreflectie, boeten moest ik voor mijn daden. Maar in plaats van mijn kop in de wc te steken en kotsend deze kater te bezweren, liep ik met een glas water weer terug de woonkamer in.

Hij had zich naar me omgedraaid. In een straal van fel ochtendlicht werd zijn uitgestrekte lichaam gereflecteerd. De bleke huid, het pokdalige gezicht. Jezus, wat had ik toch een slechte smaak als ik te veel had gezopen.

'Ik begon je al te missen,' zei hij.

Ik trok mijn schouders op.

Kreunend kwam hij overeind en trok me naar zich toe. 'Volgens mij had je een nachtmerrie,' zei hij terwijl hij met zijn hand over mijn haar wreef. 'Je schreeuwde iets over dat je...'

Ik duwde zijn hand weg. 'Ik ben een onrustige slaper.'

Nu wist ik het weer.

Ik had hem ontmoet op die *arty farty party* waar ik halfdood tegen een muurtje had gezeten en hij nog de enig overgebleven kunstenaar was geweest. In zijn strakke witte broek had hij zich naast mij gehurkt, gevraagd of het wel goed ging. Ik had mijn hand langzaam over zijn been laten glijden, zoals aantrekkelijke vrouwen in James Bond-films doen, en niet veel later zaten we naast elkaar op de houten trap van het feestzaaltje waar hij langdurig met zijn tong in mijn nek likte, met lange hongerige halen langs mijn zweterige huid. Uit de boxen schreeuwde het nummer *The KKK took my baby away* van de Ramones.

'Volgens mij riep je iets over dat je werd verzopen.'

Zwijgend bleef ik op zijn bedrand zitten, nam een slok van het water.

In de smalle huiskamer was het een klerezooi van opeengestapelde bierkratten, lege chipszakken, schildersdoeken weggemoffeld achter een kamerscherm, een mountainbike op een ijzeren staander naast de bank en asbakken met uitgedrukte peuken op de eettafel.

De balkondeuren bewogen piepend in de wind.

Hij sloeg zijn armen rond mijn middel. 'Kom nog even bij me in bed liggen.'

'Ik geloof dat ik me niet zo lekker voel.'

'Maar jij bent wel lekker.' Met zijn voet trapte hij het laken van het bed uitnodigend naar beneden, waardoor ik mijzelf uiteindelijk terugvond op het bed, en naast mij het geslachtsdeel van Ojee dat als een dood vogeltje op zijn buik lag. Toen hij zag dat ik naar hem keek, wipte hij zijn geslachtsdeel even licht omhoog, als een majorette.

'Ik was mijn piemel nooit met zeep,' zei hij.

Ik keek van hem weg.

'Serieus, zeep is echt de pest voor je huid.'

'Hoe was je hem dan?' vroeg ik.

'Alleen met water. Het gaat echt niet zo stinken zoals sommige mensen zeggen.'

'Oké.'

'Het is pH-neutraal weet je. Zeep verstoort de zuurgraad van je huid. Was jij je met zeep?'

'Ja.'

'Moet je niet doen. Serieus, moet je echt niet doen.'

Altijd maar dat geouwehoer, mijn leven lag als een loodzware ketting aan mijn enkels gebonden, waardoor ik uiteindelijk helemaal stil zou komen te staan. Voor de buitenwereld waren mijn gebreken slechts een inspiratiebron waar iedereen naar hartenlust uit kon putten. 'Hazel, jij bent altijd zo lekker impulsief, dat kunnen we in ieder geval wél van je leren!' zei de buurvrouw van mijn ouders bijvoorbeeld. Of een kennis tijdens een feestje: 'Jij denkt nooit ergens over na, geweldig vind ik dat!' Misschien was ik er gewoon te beroerd voor om toe te geven dat ik het afgelopen jaar was geslonken tot een hardnekkig overblijfsel, een residu van wat ik ooit moet zijn geweest? Sinds die dag dat Jaris verdween heb ik mij afgevraagd waar de dingen heengaan, waarom ik als een volwassen vondeling was achtergelaten op de stoep van de wereld, en iedereen om mij heen was gevlucht in een totale leegte.

Al zeker vijf minuten lag ik doodstil op mijn rug en staarde naar de gordijnen die licht opbolden in de zomerwind. Ik voelde een hand over mijn wang glijden. Zacht en onderzoekend wreven de vingers over mijn gezicht. Ik drukte me op mijn zij, trok het witte laken hoger over mij heen, en dekte mijzelf als een stervende af, ondertussen wegdromend bij het snorrende geluid van de aluminium ventilatorbuis die uit het openstaande raam stak.

De hand trok zich weer terug.

'Waar denk je aan?' hoorde ik Ojee vragen.

Ik staarde naar het nachtkastje naast het bed, waar aan een schemerlamp een zilveren armbandje hing met hartvormige rode kralen. Er hingen nog meer armbandjes met hartjes en bloemen naast. Ik tilde het zilveren armbandje op, liet het langs mijn vingers glijden.

'Is dit van jou?' vroeg ik nadat ik het weer had teruggelegd.

'Nee, dat is van een ander meisje.'

'Wat bedoel je?' vroeg ik.

'Gewoon, wat ik zeg, die heeft een ander meisje laten liggen.'

Op de een of andere manier irriteerden de woorden 'een ander meisje' me; dat ik mezelf niet aan de regels hield hoefde nog niet te betekenen dat anderen er ook een puinzooi van konden maken. Ojee richtte zich kreunend op en liep met trage passen richting de badkamer.

Voor even bleef ik liggen, mijn armen gestrekt naast mijn lichaam, tot ik zeker wist dat hij me niet meer kon zien. Haastig schoot ik mijn kleren aan en struikelend rende ik over de trap naar beneden.

Ik trok mijn fiets van het slot, gaf mijn trapper een rotschop. Zwabberend reed ik door de zomerochtend die vochtig en nevelig was, alsof ik door een natte dweil fietste. Tegen het verkeer in reed ik door de Spuistraat, langs Italiaanse toeristen die met grote zonnebrillen op bij coffeeshop Softland hingen alsof het hier om een zonnige dag ging, en kachelde door naar de Martelaarsgracht. Van de Prins Hendrikkade stak ik over naar de Warmoesstraat.

Moest ik Mart vertellen over vannacht? Maar was het juist geen liefde om elkaar de waarheid te onthouden? Wat ging hem die werkelijkheid nou uiteindelijk aan? Misschien kon ik het maar beter verzwijgen, zoals altijd. 'Affaires worden alleen maar opgebiecht uit eigenbelang,' had mijn oom Gerbrand eens gezegd.

Ik stuurde mijn fiets langs de kroegen, tot ik het Oudekerksplein op reed. Een plek waar nog gewoon ouderwets geld wordt verdiend aan vreemdgaan. Ratelend reed ik over de grote keien door naar nummer 34, het kraakpand annex studentenhuis waar ik woonde, boven onze onderbuurvrouw Katinka – zo'n zware kortharige vrouw uit Moldavië die met een Bettie Pagepruik op haar hoofd in rode lingerie voortdurend voor haar roodverlichte raam stond te bellen. Ook nu stond ze weer te bellen terwijl ze me enthousiast gedag zwaaide, als een klein kind. Voor haar raam hingen een paar van die irritante dronken gasten. Ik zette mijn fiets tegen de kerk aan de overkant, wurmde me tussen die kerels door de voordeur naar binnen, en in gedachten verzonken liep ik de trap op. In de hoge ramen boven het trapgat zaten nog altijd kogelgaten. Volgens mijn huisgenoten, Das en Keizer, was het een overblijfsel van een akkefietje met een opstandige hoer, hoewel zij hoeren nogal snel opstandig vonden. Behalve Katinka, want dat was onze eigen huishoer.

Ons bovenhuis was voorheen een bordeel geweest, de witte tegeltjes aan de wand en de bidet die midden in onze huiskamer stond, herinnerden ons nog elke dag aan ons hoerige verleden. Maar hoewel ons huis allang geen bordeel meer was had het zijn functie nog altijd niet verloren – het was de diaspora voor de verlangende mens die een warm en draaglijk onderkomen zocht, en het interieur van onze woonkamer was niet meer dan een ranzige opslagplaats van onze liefde voor de wereld. Net als alle anderen die een onderkomen vonden op Oudekerksplein 34 was ook ik aan komen lopen met een weekendtas en een slap verhaal over Grote Persoonlijke Problemen.

Das en Keizer hadden me 'het torentje' gegeven, zoals we mijn zolderkamer noemden. Het stond volgestouwd met ordners, wasmanden, bingospellen, sjoelbakken en bedspiralen van vroegere bewoners, en had een raam dat tochtte waardoor ik chronisch verkouden was. Wel had ik een eigen douche, maar daar kwam zo'n minimaal straaltje water uit dat ik hem alleen gebruikte om slokjes water uit te drinken als ik een kater had.

Toen ik de huiskamer binnenliep zat Keizer zijn teennagels te knippen in onze Chesterfieldstoel, een geschenk van het grofvuil. Hij droeg z'n favoriete T-shirt met een afbeelding van een tractor waaronder in koeienletters 'B.V. De Groot; Gek op trekkers', dat hem in combinatie met feit dat hij op mannen valt nog tragischer maakte.

'Ben je weer vreemdgegaan?' vroeg hij zonder op te kijken.

Ik snoof en smeet mijn tas op de grond.

'Jezus, je lijkt Farrah Fawcett wel. Met al dat haar!' riep hij toen hij me zag staan.

Ik haalde een hand door mijn haar. 'Het is wat statisch misschien.'

'En was-ie weer getrouwd dit keer?'

'Nee.'

'Impotent? Kaal?'

'Nee.'

'Kleptomaan?'

'Serieus Keizer.'

'Je bent gewoon ordinair. Dat mag ik toch wel zeggen?'

Met een zwiepend gebaar veegde hij zijn teennagels van de stoel op het oosterse tapijt. 'Voor mannen ben jij net zoab, een snelweg waar iedereen overheen rijdt en het vocht in wegtrekt.'

De deur sloeg open. Ook Das kwam de huiskamer binnengelopen.

Zwijgend nam hij plaats in het bidet – we hadden er een kleed in gelegd waardoor het een soort sofa was geworden – en nadat hij me een paar seconden had aangestaard in zijn kromgebogen en gekwelde houding, vroeg hij: 'Ben je nu alweer vreemdgegaan?' Daarop blies hij zijn sigarettenrook zwaar uit, waardoor zijn gezicht verdween achter kringelende rookwolkjes en hij iets weg had van een waarzegger die mijn toekomst zou voorspellen.

'Het was meer een kwestie van onzorgvuldig handelen,' zei ik.

'JEZUS. Dat is toch geen antwoord!' schreeuwde Das.

'Maar wel de waarheid als je er goed over nadenkt,' antwoordde ik en smeet mijn jas over de stoel.

Keizer ging rechtop zitten. 'Die overspelige aard van jou komt je anders nog eens duur te staan,' zei hij. 'Dát is jouw waarheid als je het mij vraagt.'

'Misschien wil ik gewoon niemand iets onthouden. Een soort vrije liefde waar ik vooral anderen een plezier mee doe.'

'Dat klinkt heel interessant, maar het is natuurlijk vooral verveling,' antwoordde Keizer.

'Nee serieus, ik deel mijn liefde graag met anderen.'

'Nou poppedop, aan ons laat je anders nooit je tepels zien.'

Keizer – zwaarlijvig, kaal – en Das – lange benen, lang haar, langzame prater – waren op dezelfde dag geboren, in dezelfde stad, in hetzelfde ziekenhuis en met dezelfde verloskundige die in haar eentje de twee jongens aan hun nek de wereld had ingetrokken. Pas acht jaar later waren ze elkaar weer tegengekomen, tijdens een knikkerpotje in de Spoorbuurt van Anna Paulowna, waar Keizer was uitgegroeid tot een levende legende van het knikkerspel. Toen Das volgens eigen zeggen zijn hele knikkerzak aan de gezegende vingers van Keizer verloor ging hij bij Keizer in de leer. Keizer leerde Das hoe je het spel moest spelen, en Das leerde Keizer hoe je dat kon doen zonder vals spel.

Zo leek het nog steeds te werken.

Keizer leerde Das alles over mannenliefde en Das leerde Keizer dat hij daar niet van hield. Ze hadden de ware platonische liefde in elkaar gevonden. Het waren net van die matroesjkapoppetjes, waar je de een verwachtte kwam de ander alweer tevoorschijn; ze waren een andere versie van zichzelf.

'We vinden je helemaal niet mislukt hoor,' hoorde ik Keizer zeggen toen ik de kamer wilde uitlopen. Ik bleef in de deuropening staan. 'Maar?'

'Maar je blijft gewoon wat achter op ons.'

'Achter op wat?'

Zelfvoldaan streek Keizer zijn T-shirt glad over zijn buik. 'Op ons succes.'

'Noem dan eens één ding dat succesvol is geweest in jouw leven.'

'Lieverd, ik heb niet eens tíjd genoeg om je dat allemaal uit te leggen.'

'Wat wij vinden,' zei Das, 'is dat je Mark gewoon moet laten gaan.'

'Ja. Jij moet gewoon nog even uitwaaien,' vulde Keizer hem aan. 'Natuurlijk. Je bent ordinair. Zwak. Een kwelling voor elke man. Maar je bent ook een hond die nog moet worden uitgelaten.'

'Waar sláát dat op?' zei ik.

'Neem mij als voorbeeld,' zei Keizer. 'Ik doe niet aan relaties. Gewoon niet. Maar dan ook echt niet. Wat ik eventueel wel zou doen is mijzelf laten chaperonneren voor armlastige figuren.'

Ik smeet de huiskamerdeur achter me dicht.

Zuchtend liep ik de gammele zoldertrap op, en bij elke stap die ik zette kleefden mijn van bier doordrenkte schoenen vast aan de houten treden. Wat was dat voor gezeik van die gasten? Alsof overspel altijd maar voortkwam uit een soort hedonistische verveling of een opzettelijke geilheid of, wist ik veel. Met mijn schouder duwde ik mijn slaapkamerdeur open. Een sjoelbak kwam met een hoop gelazer naar beneden.

Precies op dat moment werd ik gebeld.

'Mama' stond er op het schermpje.

Mijn moeder had er een structureel genoegen in om mij op de meest ongelegen momenten te bellen, alsof ze daar een soort zesde zintuig voor had en mijn mobieltje was dan ook een cadeau van mijn ouders geweest, zodat ik altijd makkelijk bereikbaar was. Daarom nam ik meestal gewoon mijn telefoon niet op. Makkelijk zat. Maar voor deze keer maakte ik een uitzondering, ik wist ook niet waarom.

'Met je moeder.'

'Hoi mams.'

'Ik weet niet of je het weet,' stilte, 'maar jé Mart zit hier te wachten. Al ruim een uur.'

'Maak daar maar twee uur van,' hoorde ik mijn vader op de achtergrond brommen.

'Mart? Had je met hem afgesproken dan?' vroeg ik zo nonchalant mogelijk.

'Dat is niet grappig.'

'Het was ook niet grappig bedoeld.'

'Mijn gevoel zegt dat jij eens moet leren om met je verantwoordelijkheden om te gaan. Die jongen zit hier al ruim een uur op jou te wachten.'

'Maar ik wist niet dat we hadden afgesproken.'

'Ik merk dat ik je niet geloof. Wat was je eigenlijk aan het doen?'

Ik staarde naar onze goudvis Sander die in een plastic groentela zijn baantjes zwom, we hadden nooit een kom voor hem kunnen vinden.

'Ik was in het zwembad,' zei ik.

'Toch niet met die huisgenoten van je, hoe heten ze ook alweer...?'

'Das en Keizer.'

'Zo noem je je kinderen toch niet.'

'Het zijn mijn kinderen niet.'

'Nou ja, we willen gewoon dat je naar huis komt. Je vader en ik maken ons hier dodelijk ongerust. En dat je Mart ook op je laat wachten... Mijn gevoel zegt dat jij grote fouten begaat.'

'Zeg Mart maar dat ik onderweg ben,' zei ik en klapte mijn telefoon dicht.

Het was al middag toen de trein mij terug de polder in trok. Terwijl ik mijn ogen sloot, de cadans van de trein als een beat door mijn lichaam voelde trekken, gleed ik steeds verder weg van de zompige bruingroene weilanden die langs mij schoten.

Soms wist ik zeker dat Jaris zou terugkeren uit spijt van zijn impulsieve daad, dat hij op een dag weer voor mij zou staan, een hand op mijn schouder zou leggen, 'Hé Hazel, sorry, ik moest even weg', en dat we daarna eindeloos zouden discussiëren over wat 'even' was. We waren meesters in discussiëren. Altijd had ik het idee dat hij zich in mijn buurt schuilhield om plotseling tevoorschijn te komen, met een gezicht alsof er nooit iets was gebeurd, en steeds vaker zag ik hem voorbijkomen op straat. In de oude man, de jongen met het zwarte pak, de kerel in het café. Maar telkens vond ik weer iemand anders in zijn gezicht terug, als een of andere slechte grap. Oké, sinds de verdwijning van Jaris werd ik geregeerd door paniekaanvallen en existentiële angsten. Of ik was 'op de vlucht voor mijzelf', zoals een psychotherapeut mij tijdens een eenmalig consult had toevertrouwd. Wegwezen hier, had ik toen gedacht. Ik voelde me een voortvluchtige, en niet zoals normale mensen van mijn leeftijd doen, door met zo'n backpack en een wereldticket de wereld rond te reizen, nee, ik was gewoon op de vlucht voor alles. Het was alsof mijn leven in een western was veranderd waarbij de camera altijd óf extreem was ingezoomd óf extreem was uitgezoomd. Er zat niks meer tussenin. Ik kon de dingen alleen maar van dichtbij bekijken of van veraf.

Slaperig legde ik mijn hoofd tegen de leuning van de treinstoel. De rode graffitiletters – KUTHOER – op het treinraam drongen zich steeds meer aan me op. Blijkbaar was God hier met zijn eigen spuitbus aan het werk gegaan.

Op de een of andere manier zag ik in het afgelopen jaar meer, hoorde ik beter en rook de dingen scherper. Het was me gelukt om mijn eigen drug aan te maken! Elke vezel in mijn lichaam leek in een continue staat van paraatheid. Soms schrok ik te snel, echt belachelijk snel. Mijn zenuwen waren aangesloten op elektrische hoogspanningskabels, maakten kortsluiting bij elke aanraking. Een hand op mijn schouder werd een waarschuwing. Vaak lag ik hele middagen in het park en staarde naar de kinderen die daar speelden. Uren kon ik kijken naar die spelende kinderen. Ik vroeg mij af waar hun ouders bleven, waarom hun ouders niet in de buurt waren, hoe ze het in hun hoofd haalden om die kinderen daar zo alleen te laten, wisten ze wel hoe gevaarlijk het was? Maar ook eenden zag ik, altijd zag ik kleine eenden, die dan eenzaam door de vijver zwommen met zo'n opgeheven snavel en brutale ogen. Of verliefde stelletjes. Meestal telde ik af tot het moment dat verliefde stelletjes elkaars handen loslieten. Je kon wachten op het moment dat ze elkaar moesten loslaten. Er werd een stoep afgestapt, een jas dichtgeknoopt. Ik wachtte tot de duim, wijsvinger, middelvinger, ringvinger en pink zich langzaam en één voor één uit elkaar schoven. Het moment dat die handen elkaar loslieten klonk als een klap in de ruimte.

De regionale bus vervoerde ons als slachtvee diep de polder in. Ik rook de ontlasting van een regenachtige dag, de krulstaart van een dame voor mij zwiepte bij elke beweging in mijn gezicht. Opgepropt op het laatste bankje zat ik naast een man in een geel windjack die in zijn agenda aantekeningen maakte als 'Uit eten met de club!!' en 'Verjaardag mijzelf!!' Blijkbaar verheugde hij zich erg op de dingen. Ik staarde door het busraam naar buiten en ademde heftig in en uit. Ik was bang dat ik over de agenda van de kerel naast mij zou gaan kotsen terwijl de bus slingerend over de bebouwde polderwegen bewoog, de grijze vinexstraten van Heerhugowaard. Blokken beton rezen op tussen de weilanden. Ik herkende de oude schuur naast de stolpboerderij, en in gedachten kon ik de geur van stro weer ruiken, stelde me voor hoe we op handen en knieën tussen de balen stro van de oude zolder kropen, een doolhof waar je altijd in verdwaalde.

De bus stopte.

Ik gooide mijn tas over mijn schouder en sprong eruit. Ik ritste mijn leren jas dicht, probeerde een sigaret op te steken die telkens doofde, en terwijl ik daar tussen de nieuwbouwhuizen over het brede trottoir liep dacht ik na.

Over Mart bijvoorbeeld.

Steeds langzamer begon ik te lopen, tot ik bijna stilstond.

Ik werd begroet door een paar buren die hun wenkbrauwen licht optrokken of me een soort van meelijwekkende glimlach toewierpen. Ik groette terug en banjerde langs hun voortuinen waar werd geschoffeld, wortels uit de grond werden getrokken, vuilniszakken met dode takken werden gevuld. Waarom zat ik nooit meer met mijn handen in de aarde? Hoe voelde het om die natte zwarte aarde rond mijn handen te laten glijden, langs mijn nagels, om mijn polsen?

Achter het huizenblok van mijn ouders vormde een lange rij identieke schuttingen een steeg en bij het laatste tuinhek, waar een plank aan de onderkant miste, greep ik het handvat vast en toen ik het wilde openen flitsten er zoals altijd allerlei oude beelden door mijn hoofd.

Mijn vader stond achter me.

Er was koffie over de tafel gemorst.

Mijn moeder zat opgekruld op de bank en huilde zachtjes.

Ik trok aan de stof van mijn nachtjapon.

Aan de muur hing een klok die bleef haken voor de twaalf.

Ten slotte sloeg ik het houten tuinhek alsnog open en werd ik begroet door de duiventil van mijn vader, panisch drukten de witte beesten zich tegen de ijzeren tralies aan naar buiten, en uit de struiken kwam onze Atlas kwijlend aangerend die inmiddels al dik vijftien jaar oud was én blind én een beetje gek in zijn kop waardoor hij telkens tegen van alles aanbotste, de Vlaamse reus Koba draaide zenuwachtig in zijn hok heen en weer, en in de vijver zwommen de goudvissen luchthappend naar boven.

Het dierenrijk was in ieder geval wel enthousiast om mij te zien.

In de deuropening stond mijn moeder heel energiek een kleed uit te kloppen. 'Wat heb je vieze schoenen aan.'

'Hoi mams,' antwoordde ik, ondertussen de zolen van mijn All Stars gympen één voor één omdraaiend. Een plakkerige zwarte laag bier.

'Gaat het wel goed met je?' vroeg mijn moeder bezorgd en legde het kleed opzij. 'Je ziet zo bleek.'

'Om eerlijk te zeggen heb ik me nog nooit zo goed gevoeld. Vitaal bijna.'

'Hazel,' zei mijn moeder scherp. 'Als je alleen naar huis bent gekomen om de revolutionaire uit te hangen...'

'Dit gaat toch niet weer over mijn schoenen hè?'

'...want dan kun je beter vertrekken.'

'Wat is er mis met mijn schoenen?'

'Dit gaat niet meer over je schoenen maar...'

'Maar wáár hebben we het dan nog over?' en ik liep langs mijn moeder heen naar binnen, drukte terloops een kus op haar wang en duwde de schuifdeur open naar de woonkamer. Daar zat in een wereld van teakhout de tweekoppige jury al op mij te wachten.

'Ik zie een bekend gezicht,' zei mijn vader; cynisch als altijd. Mart zei helemaal niks.

Hij zat in diezelfde houding op mijn vaders grote bruine fauteuil zoals vanmorgen het geslachtsdeel van Ojee als een dood vogeltje op zijn buik had gelegen, verschrompeld en ineengedoken. Toen hij me aankeek stak ik voorzichtig mijn hand in de lucht.

'Hé Mark. Mart!'

Verdomme, op sommige momenten kon ik Das en Keizer echt vervloeken.

'Hoi,' zei hij binnensmonds. Zijn ogen neergeslagen.

'Zat je al lang te wachten?'

'Valt wel mee.'

'Hoelang dan?'

'Uurtje ofzo.'

'Sorry.'

'Maakt niet uit.'

Ik wist niet waar die vergevingsgezindheid van Mart altijd vandaan kwam, want hij had er weinig reden toe, en sinds we samen waren twijfelde ik of dat een aanleiding was om bij hem te blijven, of hem te verlaten. Jaren geleden hadden we elkaar leren kennen toen ik weer eens labiel op de vloer van een of andere Noord-Hollandse kermistent zat en hij toevallig passeerde, waarna ik had gezegd dat hij met me mocht tongen op voorwaarde dat hij bier voor me zou halen en me naar huis bracht.

'Blijven we daar staan?' vroeg mijn vader. Onderzoekend bekeek hij me over het randje van zijn brillenglazen.

'Ik geloof dat ik vieze schoenen heb,' antwoordde ik twijfelachtig.

'Begint ze nou weer over die schoenen?' hoorde ik mijn moeder vanuit de bijkeuken roepen.

'Ja, daar had je moeder het de vorige keer ook al over. Je schoenen.'

'Wat heeft mama toch met die schoenen?'

'Hazel, wat dat betreft blijft je moeder voor mij een gesloten boek.'

'Waar hebben jullie het over?' vroeg mijn moeder die kwam aangelopen met een stapel theedoeken. Blauw-wit geruit. Stippeltjes.

'Over dat mijn schoenen een indicatie zijn voor mijn welzijn in het algemeen geloof ik,' antwoordde ik.

'Sinds wanneer ben jij zo gaan praten?' vroeg mijn moeder terwijl ze de stapel theedoeken in de wasmand legde. 'Heb je dat soms geleerd van die huisgenoten van je?'

'Das en Keizer?'

'Ja, die ja.'

'Van die twee heb ik nog nooit iets geleerd.'

Vermoeid zakte ik onderuit op de ribfluwelen bank en duwde Atlas opzij – 'verschwinde!' – die onbewogen op mijn plek bleef liggen. Ik vouwde mijn handen in de vorm van een vlinder achter mijn hoofd en staarde om me heen. Voor het raam stond de houten schommelstoel nog steeds in dezelfde positie, alsof hij niet was aangeraakt maar een stilleven vormde. De schommel zou weer langzaam in beweging komen en...

'Maar waar hing je nou uit?' vroeg mijn vader. Hij sloeg zijn krant om.

'Het zwembad, geloof ik.'

'Dat geloof je?'

'Het was een mooie ochtend.'

'Het regent.'

Ik keek door het raam naar buiten. 'Ik hou van zwemmen in de regen. Dan is het water warmer.'

'Hazel, wie houden we hier nou voor de gek?' vroeg mijn moeder die haar wenkbrauwen fronste.

'Wat?'

'Lieverd, we weten allemaal dat je niet van zwemmen houdt. Was jij niet degene die begon te krijsen als je in het diepe moest bij meester Adrie? Nee, nee... wij krijgen heel sterk het gevoel dat het hier óók om iets anders gaat... het idee dat je dingen voor ons verzwíjgt.'

'Wat lopen jullie nou negatief te doen? Ik probeer het anders allemaal heel positief te benaderen hoor.'

Mijn telefoon trilde in mijn broekzak. Een sms'je van Keizer. *'Hé lieverd, vergeet je niet tegen Mark te zeggen dat het uit is? Zeg maar dat hij mijn achtertuin ook altijd nog mag aanharken. Kus!'*

'Maar moet jij niet iets tegen Mart zeggen?' vroeg mijn moeder en vouwde een handdoek op tot strakke lijnen.

Betrapt klapte ik mijn telefoon dicht. 'Wat denk je dat ik tegen Mart moet zeggen?'

'Dat hij al drie uur op je zit te wachten en jij...'

'Hij zei zelf een uurtje.'

'Die jongen is niet goed bij zijn hoofd,' bromde mijn vader.

Voor de eerste keer was ik het met hem eens, maar ik trok mijn schouders op.

'Hij zit toch lekker,' antwoordde ik, 'en hij ziet er heel erg gelukkig uit.'

Ineens had ik door dat we Mart al de hele tijd in de derde persoon bespraken, alsof hij de hoofdpersoon was uit een door ons zelf geschreven *histoire de l'homme*, een jongen was over wie je in de derde persoon enkelvoud sprak.

'Was ze nou ook al zo toen ze klein was?' richtte mijn moeder zich tot mijn vader en stelde haar vraag ook in de derde persoon, misschien was het gewoon een familietrek dat we elkaar niet rechtstreeks konden aanspreken.

'Ze denkt van wel,' antwoordde ik.

In de bijkeuken hoorde ik de wasmachine centrifugeren.

'Waarom zijn jullie altijd zo met mij bezig?' vroeg ik. 'Want als je het goed bekijkt ben ik eigenlijk veel minder met jullie bezig.'

'Ho ho, Hazel!' riep mijn vader en met een volle vuist sloeg hij op tafel. 'Jij loopt continu over onze grenzen heen!'

'De volgende keer wil ik best een paar andere schoenen...'

'Ik geef het op,' zei mijn vader en hij verdween zuchtend achter zijn krant.

'Hazel, ik heb het gevoel dat we niet meer met elkaar communiceren,' probeerde mijn moeder nog die altijd de langste adem had en soms zomaar van dat damesbladjargon als *harmonieus, gelijkwaardig,* of zoals nu, *communiceren* erin kon gooien.

'Maar we communiceren toch heel harmonieus met elkaar? Ik vind dat we een heel gelijkwaardige relatie met elkaar onderhouden.'

Mijn moeder vond van niet en terwijl ze haar hand als een natte washand tegen haar oververhitte voorhoofd drukte zei ze telkens: 'Ik kan dit niet meer aan, ik kan dit niet meer aan.'

Daarom vond ik mijzelf even later terug in mijn oude zolderkamer waar ik werd aangestaard door de dromerige ogen van Kurt Cobain, Chris Cornell en Eddie Vedder en steeds dieper wegkroop onder het paars verwassen dekbed, een overblijfsel uit mijn lila-periode. Boven de zolder tikten de vogels met hun snavels tegen de dakpannen terwijl langs de ramen dikke druppels zomerregen naar beneden traanden.

Ik begon maar mee te huilen.

Aan de andere kant van de kamer zat Mart in de rieten kamerstoel de vuile randen onder zijn nagels weg te peuteren en toen ik met een klein stemmetje zijn naam noemde keek hij op alsof alles wat hier gebeurde uiteindelijk niets met zijn leven van doen had.

Bedrukt vroeg ik hem vanonder het dekbed: 'Moet je niet vragen of ik iemand anders heb?'

'Waarom zou ik dat vragen?'

'Waarom niet?'

'Oké. Heb je iemand anders?'

'Nee, waarom zou ik iemand anders hebben?'

Stiekem genoot ik ervan om mijn vrouwelijke onredelijkheid op hem, en de rest van de mannelijke populatie, te projecteren. Jammer was wel dat Mart er nauwelijks meer op reageerde en mijn woorden net zo makkelijk naast zich neerlegde als de gekantkloste kussentjes die hij zojuist naast de rieten stoel had gesmeten. Hij zat voor het zolderraam met de scheefhangende palmboomgordijntjes. Op de kleine tafel tussen ons in stonden colablikjes in de vorm van een hond aan elkaar gelijmd – ik verzamelde altijd blikjes cola om er dieren mee na te bouwen, ik had eens een lama gemaakt die per ongeluk op een kat leek en een pony die een hamster bleek te zijn. Ik geloof dat ik het in die tijd zelfs mooi vond.

Onder mijn hoofd lagen de donzen kussens als een witte hemelpoort op elkaar gestapeld, en met mijn ene oog half toegeknepen dreef Mart in drievoud voorbij, alsof hij in al zijn eenvoud nog niet voldoende was.

- Je moet het uitmaken.

- Maar hij zou in huilen uitbarsten.

- Je kunt hem troosten.

- Maar dan zou het weer aan zijn.

Of:

- Mart zou het met je uitmaken.

- Maar dan zou ik kwaad worden.

- Hij zou in huilen uitbarsten.

- Maar dan zou het weer aan zijn.

Het maken van keuzes was net als de ladders in mijn panty, zodra er eentje zat kwam er als vanzelf weer een andere bij. 'Jezus Mart, maar we hadden toch óók mooie momenten samen?' vroeg ik omdat ik er behoefte aan had om nu al over ons in de verleden tijdsvorm te spreken, te doen alsof we geen toekomst meer hadden, iets wat het allemaal veel gemakkelijker zou maken.

'We hebben het nu toch ook goed?' antwoordde Mart.

'Meen je dat echt?'

'Ja, je gedroeg je de laatste tijd wel wat anders. Alsof je er niet helemaal bij was, wat was dat bijvoorbeeld met... die Jeroen ofzo?'

Jeroen had mij ooit eens uit mijn bloesje weten te praten. Hij had mij 'ontknoopt' op de wipkip in de achtertuin van zijn ouders, terwijl de slappe spiraal onder ons telkens heen en weer slingerde en uiteindelijk zijn zusje van vier ons had gesnapt en in lachen was uitgebarsten.

'Laten we geen oude koeien uit de sloot halen, Mart,' wuifde ik zijn twijfels weg. 'En daarbij, ik ken geen Jeroen.'

'Maar laatst zei iemand nog...'

'Wil je zeggen dat je me niet vertrouwt?'

Hij was even stil. 'Nee, maar...'

'Laten we er dan nu voor altijd over zwijgen,' zei ik op plechtige toon. Ik zwaaide het dekbed open en gebaarde dat Mart beter daar kon gaan liggen. Ik wist het allemaal niet meer. Mart kwam op mij afgelopen, trok zijn sportsokken uit en drukte zijn stijve lichaam over mij heen.

Ik kon het niet.

Ik kon hem niet laten gaan.

Het was alsof ik een klein eendje bij zijn moeder wegtrok.

Voorzichtig trok hij mijn T-shirt uit en liet zijn handen over mijn rug glijden, drukte zijn mond op mijn schilferige lippen, ritste het zwarte rokje los. En terwijl hij met een natte vinger zacht rondjes rond mijn tepel wreef, alsof het kristal was en hij wachtte tot er een fluitend geluid uit tevoorschijn kwam, liep hij met zijn andere vinger over de ladder van mijn panty omhoog.

Pas nadat Mart aan het voeteneind in slaap was gevallen, zijn regelmatige ademhaling de hele kamer vulde, stapte ik op mijn blote voeten over de koude laminaatvloer en verliet de kamer. Over de houten zoldertrap liep ik naar beneden en op het moment dat ik mij wilde omdraaien – om voor altijd te verdwijnen – zag ik de slaapkamerdeur van Jaris op een kier staan. Hoewel ik weg wilde kijken, mij wilde omdraaien, voelde ik al hoe ik met twee vingers voorzichtig de deur verder openduwde.

Alles stond nog op dezelfde plek als toen.

Er was niks veranderd.

Op zijn houten witte bureau stond de verlichte wereldbol op een stapel boeken. Links van de vensterbank leunde de grote groene plant tegen de gordijnen, die net niet helemaal gesloten waren. Zijn bed was zo strak opgemaakt alsof er nooit een mens onder had geslapen. Op het nachtkastje lag de Bijbel opengeslagen, Genesis 2:19 – 3:13, wist ik uit mijn hoofd.

Jaris zat op zijn bureaustoel met zijn rug naar mij toegekeerd. In zichzelf mompelde hij de woorden die hij uit de Bijbel voorlas. Hij tilde zijn hoofd op en draaide zijn gezicht naar mij toe. Hij keek me aan met zijn grote doordringende bruine ogen alsof hij iets wilde zeggen.

DAT BELOOF IK

In mijn eentje zit ik aan de meterslange eettafel met zeker twintig lege stoelen om mij heen.

'Denk je dat we er zo genoeg hebben?' vraagt papa. Telkens komt hij de kamer in met nog meer houten stoelen van zolder. Bedachtzaam roer ik in mijn kopje thee. 'Volgens mij hebben we er wel genoeg.'

Aan mijn stoel en de lege stoel tegenover mij, de stoel van Jaris, dansen gekleurde ballonnen aan de rugleuning. Niet de heliumballonnen die Mensje aan haar bed heeft hangen, want ik heb nog nooit een heliumballon gekregen, maar ik heb ook nog nooit in het ziekenhuis gelegen.

'Hoeveel mensen verwacht je eigenlijk, Her?' vraagt mama die met krachtige bewegingen haar dweil staat uit te wringen, haar hoofd gebogen boven de wasbak.

Mama houdt van schoon. Het liefst pulkt ze stiekem de haren van zwarte wollen truien, en als ze haar hand op je schouder legt laat ze een zweem van chloor achter. Op sommige dagen ruikt ze naar de bloemen van de parfumeriezaak waar ze drie ochtenden in de week werkt en parfumflessen leegspuit op kleine stukjes papier, om ze wapperend voor de neus van klanten te houden. Haar lievelingsgeur is Bluebell van Penhaligon's die haar doet denken aan schone witte lakens aan de waslijn.

'Ze komen overal vandaan,' antwoordt papa alsof hij het over een zwerm insecten heeft.

'Het is gewoon dezelfde club mensen als ieder jaar.' Mama is nu gehurkt op de grond gaan zitten en boent met het puntje van haar dweil een dode mug van de witmarmeren tegels.

'Je vader is altijd bang dat ze zich vermeerderen.'

'Je vader is gewoon heel redelijk,' zegt papa. Ik knik, hoewel ik niet weet wat redelijk is. 'Daar kan je moeder nog wat van leren,' fluistert hij erachteraan.

'Je moeder zit anders tot over haar oren in het werk,' zegt mama.

Papa en mama praten vaak met elkaar terwijl ze doen alsof ze tegen mij praten. Misschien praten ze gewoon niet zo graag met elkaar.

'Komt oom Gerbrand ook?' vraag ik. Oom Gerbrand maakt altijd grapjes en rookt zware Cubaanse sigaren waar ik soms stiekem trekjes van mag nemen.

'Dat moet je maar aan je vader vragen,' zegt mama, haar gezicht is inmiddels rood aangelopen. 'Die gaat over de tafelschikking.'

'Je vader gaat helemaal niet over de tafelschikking maar hij vreest dat je moeder weer die hele familie van haar heeft laten invliegen.'

'Je moeder...' begint mama en ik schuif mijn stoel naar achter, sta op van tafel en wil weglopen. Maar dan kijkt mama mij met een schuin oog aan, net zo indringend als ze naar de mug op vloer had gekeken.

'Hazel. Ga jij je eens aankleden,' zegt ze wanneer ze overeind komt.

'Ik geloof dat ik jarig ben,' zeg ik omdat ik het liefst de hele dag in mijn nachtjapon rondloop; vorig jaar wist ik het nog op te rekken tot half twee 's middags en oma had toen nog gezegd dat ze vond dat mama zo'n mooie verjaardagsjurk voor mij had gemaakt.

'Nou, dat weet ik zo net nog niet,' antwoordt papa. 'Of jij wel jarig bent. Want wij zijn allemaal niet zo blij met...'

'Maar volgens mij...' probeer ik.

'Als jij zo doorgaat ben je nog lang niet jarig!' roept papa en tussen de stoelen door schiet ik weg, de kamer uit terwijl ik het briefje met Alle Dingen Die Ik Nu Wel Leuk Vind En Ook Als Ik Ouder Ben nog altijd in mijn handpalm verborgen houd.

Met mijn hand steunend onder mijn kin staar ik uit het raam van mijn slaapkamer. Naar de hoge groene berk waar het licht in radslagen tussen de takken door beweegt. Naar de vogels die af en aan vliegen. Naar de merel die schichtig om zich heenkijkt. Doodstil blijf ik naar buiten staren, in de hoop dat de merel terugkijkt. Met snelle en korte bewegingen draait hij zijn kop, alsof hij bijna niet echt beweegt, en hinkt tot aan het einde van de tak, die doorbuigt.

Dan vliegt hij weg.

Over mijn schouder kijk ik achterom. In een hoek op mijn bed ligt het in glimmend folie verpakte cadeautje voor Jaris. De graffititekening schijnt door het papier heen: een oog van Jaris kijkt me aan. En hoewel ik nog steeds boos op hem ben, besluit ik hem het cadeau toch te geven. Anders zou het allemaal voor niks zijn geweest. En daar houd ik niet van, want dat betekent dat je er eigenlijk nooit aan had moeten beginnen.

Ik loop naar mijn bureau, pak uit de bovenste la mijn vulpen en een wit vel papier en schrijf:

'*Mehceip reih. Feeg droowtna.*'

Ik loop naar de kamer van Jaris. Alleen een dunne gipswand scheidt onze kamers zodat we altijd alles van elkaar kunnen horen, zoals de muziek van de Smashing Pumpkins of Pearl Jam die Jaris elke dag draait. Ik houd niet van de muziek van de Smashing Pumpkins of Pearl Jam omdat het mij aan de kettingzaag van onze buurman doet denken. En ik kan er niet goed door nadenken, bijvoorbeeld over de vraag waarom de blauwe vinvis van alle dieren op de wereld het hardste geluid maakt.

Gehurkt op mijn knieën ga ik op het ruwe bruine vloerkleed in de gang zitten, vouw het papiertje dubbel en schuif het briefje onder de deur zijn kamer binnen. Al zolang ik mij kan herinneren schuiven Jaris en ik briefjes onder elkaars deur door, om een geheim te delen of raadsels op te lossen, en we hebben een codetaal ontwikkeld waarbij we alle woorden in omgekeerde volgorde opschrijven, zodat niemand kan teruglezen wat we hebben geschreven en het dus voor altijd ons geheim blijft. Gespannen wacht ik op mijn knieën voor de gesloten slaapkamerdeur. Het blijft stil, totdat zijn voetstappen dichterbij komen. Dan wordt het witte dubbelgevouwen briefje weer teruggeschoven. Snel vouw ik het open:

'Kcehc. Mehceip gizewnaa.'

Met mijn tanden trek ik het dopje van de vulpen en schrijf:

'Moraaw eod ej gidraano? Ew njiz giraj.'

Ik schuif het blaadje weer onder de deur door en bijna meteen daarna schuift Jaris het weer terug.

Jaris: 'Yrros. Teh saw teh thcil.'
Ik: 'Klew thcil.'
Jaris: 'Ed noz.'
Ik: 'Uon ne.'
Jaris: 'Ki geerk re njipdfooh nav.'
Ik: 'Ej tneb giraj.'
Jaris: 'Tad si raaw.'
Ik: 'Gam ki ej teh uaedac neveg?'
Jaris: 'Ko.'

Ik loop snel terug naar mijn slaapkamer, gris met beide handen het cadeau van mijn bed, ren terug en open voorzichtig de deur. Jaris ligt op bed met zijn armen uitgestrekt naast zijn lichaam. Hij staart naar het plafond. De gordijnen heeft hij weer dichtgedaan. Op mijn tenen loop ik door de slaapkamer, kruip op bed en ga in precies dezelfde houding naast Jaris liggen.

We zeggen niks maar ademen in een gelijk tempo. Door de vloer heen horen we papa en mama schreeuwen.

'Waarom zei je dat net in de keuken?' vraag ik na een tijdje.

'Wat?'

'Dat sommige dingen niet meer zo leuk zijn als je ouder wordt.' Ik durf hem niet aan te kijken, omdat ik bang ben dat hij dan achter mijn briefje met Alle Dingen Die Ik Nu Wel Leuk Vind En Ook Als Ik Ouder Ben komt.

'Als je ouder wordt denk je meer over de wereld na,' antwoordt Jaris. Hij klinkt alsof hij liever niet wil dat ik ook over de wereld ga nadenken. 'Waarom sommige dingen bijvoorbeeld veranderen.'

'Maar je kunt toch niet altijd over de héle wereld nadenken?' vraag ik. Ik stel me voor hoe Jaris eruitziet als hij over de wereld nadenkt, een verlichte wereldbol die traag rondjes draait in zijn hoofd.

'Je moet altijd overal over de wereld blijven nadenken,' zegt Jaris. 'Anders sta je stil.'

'Maar word je daar niet moe van?' vraag ik.

'Waarvan?'

'Als de wereld de hele tijd maar rondjes in je hoofd draait?'

'Soms stopt het,' zegt Jaris en hij vouwt tevreden zijn armen achter zijn hoofd. 'Bij mensen die heel oud zijn. Of heel moe. Ik ben nog niet heel oud, of moe.'

'Ik denk niet dat ik ooit over de wereld ga nadenken,' denk ik hardop. 'Misschien wel over stukjes wereld. Over onze tuin, waar Koba in staat. Of het weiland bij boer Sjaak.'

'Jij denkt allang over de wereld na,' lacht Jaris. 'Je weet het alleen nog niet.'

'Ja,' zeg ik omdat ik het niet begrijp.

Dan zijn we alweer stil.

Stokstijf blijven we naast elkaar liggen. De gordijnen bewegen door de wind. Af en toe valt een streep licht naar binnen. Onder de vloer klinkt papa's stem zo zwaar dat er alleen maar een vreemd soort gedreun van overblijft, ongeveer zoals het hart van Atlas klinkt wanneer ik mijn oor tegen zijn slapende buik aanleg.

Zonder dat ik het wil begin ik over de wereld na te denken

en ik wil weten of er ook in míjn hoofd een wereldbol tevoorschijn komt. Of de wereld weet dat ik nu aan de wereld denk, of dat iets is wat je alleen zélf weet. Ik wil weten hoeveel rondjes de wereld in je hoofd moet draaien voordat ik begrijp hoe de wereld in elkaar zit. Ik wil weten of de wereld van Jaris dezelfde is als die van mij. Of dat die van mij misschien wel groener of blauwer is. Ik wil weten hoeveel mensen op dit moment precies tegelijkertijd aan de wereld denken.

'Wat heb je daar trouwens?' vraagt Jaris en tikt op het pakje dat ik op mijn buik heb liggen. Ik schrik op uit mijn gedachten. Ik was het cadeau helemaal vergeten.

Ik ga overeind zitten. 'Je cadeau,' zeg ik.

'O.'

'Ik geef het je nu, oké.' Ik overhandig Jaris het pakje en geef hem een hand. 'Gefeliciteerd.'

'Gaaf,' zegt Jaris als hij het Herman Brood-shirt uit het papier haalt. Hij grijnst. 'Heb je dat zelf gemaakt?'

Ik knik en zeg: 'Dat ben jij.' Jaris doet mijn shirt aan, staat op van het bed, loopt een rondje door de kamer en trekt in één beweging het gordijn open.

In de berk voor het raam zit weer de merel van vanochtend.

'Ik heb ook wat voor jou,' zegt Jaris en schuift de onderste la van zijn bureau open en haalt een klein en vierkant pakje met zilverpapier eromheen tevoorschijn. 'Omdat we vandaag samen jarig zijn.'

Het ziet eruit als een cd. Ik heb nog nooit een cd gekregen.

'Die had ik nog niet,' zeg ik als ik de cd uit de verpakking haal. Voor op het hoesje staat een vrouw met een blote knie. Sheryl Crow *All I wanna do* staat eronder.

'Gaaf,' zeg ik.

Voordat ik zijn slaapkamer uit loop draai ik me nog een keer om. 'Hou je mijn T-shirt aan?'

'De hele dag,' antwoordt hij. 'Dat beloof ik.' En hij spreekt onze geheime vredescode in omgekeerde volgorde uit zonder daarbij zijn vingers te kruisen.

Liever bewaar ik dingen die anderen alweer zijn vergeten. Misschien eet ik daarom extreem traag van mijn slagroomtaart, omdat ik weet dat ik vandaag maar één stuk zal krijgen en er daarna heel lang niks meer zal zijn. Met mijn zilveren vork schuif ik centimeter voor centimeter de stukjes taart naar binnen. In mijn hoofd hoor ik Jaris weer zeggen: 'Als je ouder wordt denk je meer over de wereld na. Waarom sommige dingen bijvoorbeeld veranderen.' Waarom had hij dat gezegd? Waarom dacht hij daarover na?

Een paar weken terug had ik met Jaris naar een natuurfilm op Discovery Channel gekeken. Het ging over continenten en dat die nooit op één plek blijven liggen, maar telkens verschuiven. Miljoenen jaren geleden zaten die continenten nog gewoon aan elkaar vastgeplakt, maar op een moment in de geschiedenis zijn ze losgebarsten. En nu schuiven ze een beetje rond over de aarde. Continentendrift heette het geloof ik, wat ik een raar woord vond, daarom had ik het onthouden. Jaris had uitgelegd dat continentendrift een beetje leek op de ijsblokjes in onze glazen cola die voor ons op de tafel stonden. Eerst was het één klont ijs geweest, maar daarna werden het losse stukjes die door het glas dreven. Misschien had Jaris vandaag ook wel aan die verschuivende continenten moeten denken. Was dat wat hem dwarszat, dat hij wist dat alles veranderde, dat de continenten uit elkaar bewegen en geen plek hetzelfde blijft? Dat je denkt dat je ergens staat, maar dat het eigenlijk vijf kilometer verderop is?

'Vreet jij eens door,' zegt oom Gerbrand die naast mij zit. Op zijn hoofd staat de nieuwe Vikinghelm van Thor die ik van hem heb gekregen, omdat het mijn favoriete superheld is. Oom Gerbrand heeft een snor die in puntjes uitloopt, zweetvlekken onder zijn overhemd en noemt zichzelf 'de Patron'. Vaak zegt hij 'de Patron lust nog wel een glaasje' of 'de Patron heeft dat zo gewild' en dan schenkt hij zichzelf nog een glaasje likeur in. Samen zitten we op de rand van het bed van Mensje, die verdwenen is achter de blauwe walm van oom Gerbrands sigarenrook.

'Roken doen we buiten, Ger,' zegt mama die met haar rood-gelakte nagels de asbak onder zijn neus vandaan haalt en snel nog even een vochtig doekje over de tafel trekt. Daarna stapt mama op hoge hakken over de berg met zout die op het witte vloerkleed ligt, omdat papa op die plek een glas rode wijn heeft omgestoten. Papa stoot elke verjaardag een glas rode wijn om, en ieder jaar zitten we weer tegen een berg zout aan te kijken. 'Je vader komt pas met het zout als het ei op is,' zegt oom Gerbrand dan altijd.

Papa mag oom Gerbrand niet.

In het verleden hebben ze weleens ruzie gehad, bijvoorbeeld die ene keer toen oom Gerbrand tijdens een verjaardag langdurig in de borsten van zijn nieuwe vriendin zat te knijpen. Iedereen had verschrikt naar de grond zitten staren, alleen ik had gekeken hoe oom Gerbrand maar in die borsten bleef knijpen, alsof het de uiers waren van een koe die gemolken moest worden.

'Neem nog een plakje worst, Ger, en ga dan even buiten staan roken,' zegt mama terwijl ze een zorgelijke blik op Mensje werpt. 'Er zíjn hier mensen die ziek zijn.'

Oom Gerbrand kijkt verstoord op en zegt dan: 'Wie op worst kauwt, of een weduwe trouwt, weet niet wat erin is gedouwd.'

Niemand begrijpt precies wat oom Gerbrand met zijn gezegdes bedoelt, en hij gooit ze als rookbommen over de muur, om daarna snel weg te rennen.

Hij staat op.

'Kom,' zegt hij. Met zijn linkerhand zet hij de Vikinghelm weer terug op mijn hoofd. 'De Patron moest maar eens een ommetje maken.'

'Gaan jullie?' hoor ik Mensje vragen. 'Maar het was net zo gezellig.'

'Mensje,' zegt oom Gerbrand. 'Hout op hout zaagt niet. Maar we zijn zo weer terug.'

Ik haal niet-begrijpend mijn schouders op naar Mensje terwijl ik word meegetrokken aan de stevige hand van oom Gerbrand. Ik moet het laatste stukje van mijn taart laten staan, maar dan heb ik straks in ieder geval nog iets om op te eten.

'Maar we zijn zo weer terug!' herhaal ik de woorden van oom Gerbrand.

Buiten op een bankje rook ik samen met oom Gerbrand van zijn sigaar. De rook snijdt door mijn keel en blijft ergens in een luchtbel onder in mijn buik hangen. Oom Gerbrand blaast de rook in ovaalvormige kringels voor zich uit en fluistert: 'Dat is een prima sigaartje.'

Ik leun tegen hem aan. 'Misschien moeten we er straks nog maar één roken.'

'Kijk maar uit dat je niet in je broek poept,' antwoordt hij. In het felle buitenlicht zie ik dat er zwarte haren uit zijn neus groeien. Ook uit zijn oren trouwens. En op zijn tenen die in bruine leren sandalen zijn gestoken.

Oom Gerbrand en ik zitten in de verste hoek van de tuin, waar niemand ons kan zien. Het is mijn lievelingsplek, maar dat heb ik nog nooit iemand verteld want ik moet het van mijzelf geheimhouden. Naast ons staat Koba die een wortel door het rooster van zijn hok naar buiten probeert te duwen. Uit de hoge iepen achter het huis dwarrelen duizenden pluisjes als sneeuw- vlokken naar beneden en verdwijnen tussen de papavers. Ook Jaris staat met zijn vrienden tussen de papavers. Ze kijken naar het nieuwe surfzeil dat hij voor zijn verjaardag heeft gekregen. Het is oranje met wit en paars en in het midden zit een door- zichtig raampje. Er staat een veel kleiner zeil naast. 'Die is voor Hazel,' had papa gezegd toen Jaris vanmiddag eindelijk het ca- deau van papa en mama had opengemaakt, 'dan kunnen jullie eens samen surfen.' Nu de zeilen naast elkaar staan zie ik dat mijn zeil nog niet eens in de helft van Jaris' zeil past.

Jaris pakt zijn zeil, plaatst zijn handen om de giek, zet zijn voeten stevig tegen de grond en doet alsof hij aan het surfen is. Het zeil komt niet in beweging, maar blijft gewoon op dezelfde plaats staan. De vrienden van Jaris staan er nieuwsgierig omheen. Ze zijn vijf jaar ouder dan ik en hebben grote broeken en stoere gympen aan.

Ik ben verliefd op alle vrienden van Jaris, maar dat vertel ik ze niet, ik ben niet gek. Er is trouwens toch nog nooit iemand verliefd op mij geweest. Nou ja, misschien ook wel, maar dan weet ik toch niet wie dat was, omdat niemand het ooit tegen mij zou zeggen, áls ze dus al verliefd op mij zijn. Ik heb ook weleens geprobeerd hoe je moet zoenen, met mijn mond tegen de spiegel, maar daar vond ik niks aan.

Ik kijk weg van Jaris. Met een takje peuter ik een kiezelsteen tussen de zool van mijn sandaal vandaan. Ik denk eraan hoe het zou zijn als iemand verliefd op mij was.

'Oom Gerbrand,' zeg ik en kijk omhoog naar het zwetende gezicht van oom Gerbrand.

'Ja,' zegt hij met fronsende wenkbrauwen. Hij kijkt alsof hij plotseling niet meer weet wie ik ben.

'Vind je mij lelijk?'

'Je bent een *femme fatale*,' antwoordt oom Gerbrand.

Ik denk aan de poster die bij Jaris op zijn kamer hangt. 'Ik wil op Pamela Anderson lijken,' zeg ik.

'Op zo'n lelijk mokkel?'

Ik knik.

'Pamela Anderson zou er een moord voor doen om op jou te mogen lijken.'

'Dat meen je niet.'

'Je weet dat ik over alles lieg behalve over Pamela Anderson.'

Daar heeft hij misschien wel gelijk in, maar toch blijf ik erover nadenken hoe het zou zijn als ik iemand anders was, of dat misschien beter zou zijn. Ten slotte staan oom Gerbrand en ik op van het bankje en lopen terug naar de visite. Oom Gerbrand loopt traag voor me uit.

In het midden van de tuin blijven we even stilstaan bij Jaris en zijn vrienden. Iedereen kijkt ons aan.

'Hoi,' zegt Willem, de oudste en de knapste. 'Ik hoorde dat jij ook jarig was.'

Ik zeg niks maar bloos.

'Gefeliciteerd dan maar hè?' zegt hij en draait zich lachend om naar de andere jongens.

Jaris kijkt me vragend aan, door het doorzichtige raampje van zijn surfzeil. Maar als ik naar hem toeloop, achter het zeil langs, valt mij ineens op dat hij mijn T-shirt niet aanheeft.

'Je hebt je shirt niet aan,' zeg ik.

Jaris laat het zeil los en kijkt omlaag, alsof hij zelf ook niet doorheeft dat hij het shirt niet draagt. Ik ruik de sigaar van oom Gerbrand hoewel die al lang uit is.

'Waarom heb je hem niet aan?' vraag ik hem. 'Je had het beloofd.'

'Vergeten,' zegt hij.

Het is niks voor Jaris om een belofte te breken, en de laatste keer dat hij een belofte brak was toen hij had doorverteld dat ik van balletles was weggelopen, maar toen hadden mijn balletschoenen ook onder de modder gezeten omdat ik ermee door het grasland was gerend, dus het was hoe dan ook toch wel uitgekomen.

'Ik had het shirt speciaal voor je verjaardag gemaakt,' zeg ik. 'Het is een Herman Brood-shirt.'

Jaris begint te lachen, of eerder te giechelen. Ook de andere jongens giechelen. Ze giechelen hoog, als meisjes. Dan zie ik dat Willem een sigaret achter zijn rug houdt. Hij ruikt zoet, net zo zoet als de zomertuin, en de slagroomtaart die ik net binnen heb laten staan.

Achter hun rug geven ze de sigaret aan elkaar door, totdat hij bij oom Gerbrand uitkomt, die hem aanneemt en er hard aan begint te zuigen met zijn ogen dicht. Als hij de rook uitblaast verschijnt er een glimlach op zijn gezicht.

'Wat is dat?' vraag ik aan de jongens. Ik bloos niet meer als ik Willem aankijk.

'Een vredespijpje,' lacht Willem en ze beginnen weer te giechelen. Maar nu nog harder en hoger.

Ik wil hier weg.

Ik wil in mijn bed gaan liggen, met mijn kussen over mijn hoofd, de wind die tegen mijn raam kleppert en Atlas die naast mij komt liggen, zijn hoofd tegen mijn schouder legt en met zijn vieze stinkende tong over mijn wang likt. Ik wil alleen zijn.

Dan kijk ik Jaris aan, maar hij kijkt weg.

'Ik zou willen dat je nooit meer jarig was!' zeg ik.

Hij zegt: 'Dat meen je niet, dat neem je terug.'

Ik schop tegen het surfzeil aan, ren de tuin uit, langs de neerdwarrelende pluisjes van de iepen en over de papavers. Ik trek de tuindeuren open en storm de huiskamer binnen. Daar zit de visite in een kring tegenover elkaar koffie te drinken; oom Theo met de sik, buurvrouw Marieke met haar twee keeshondjes op schoot en vegetarische tante Marga met haar ingevallen gezicht.

Iedereen kijkt me aan.

'Je taart staat er nog, lieverd,' zegt mama die met een natte lap Mensjes voorhoofd staat te deppen. Ik zeg niks en ren naar boven, de trap op, nog een trap op, de hoek om en langs de kamer van Jaris.

Netjes uitgevouwen zie ik het shirt over zijn stoel hangen, alsof hij het elk moment kan aantrekken.

Ik wrijf de tranen uit mijn ogen, loop mijn slaapkamer in, ga op bed liggen en trek het donkere warme dekbed over mij heen. Onder het dekbed vandaan grijp ik met mijn linkerhand naar de onderste la van mijn nachtkastje en haal daar het briefje met Alle Dingen Die Ik Nu Wel Leuk Vind En Ook Als Ik Ouder Ben uit tevoorschijn.

Met een potlood kras ik 'slagroomtaart' door.

FLADDER

We lagen in het Vondelpark waar het naar hotdogs rook. De zon stond recht boven ons. 'Het stinkt hier naar rotte vis,' zei Das, waarop ik als in een reflex mijn benen sloot. 'De vijver,' benadrukte hij en wees naar de plas die voor ons lag, waar een fontein met pompende bewegingen water uitspuwde.

'Mijn erecties zijn nooit zo indrukwekkend als de druk toeneemt,' zei Keizer.

Hij lag naast mij in het gras en keek met half toegeknepen ogen naar de fontein. Blijkbaar bestond er een verband tussen een toenemende druk en een goede prestatie.

Bij ons nam de druk alleen maar af. Ik wist niet of we überhaupt ooit enige druk hadden gevoeld, of het gevoel van spanning hadden gekend. Voor zover ik wist was dat nog niet gebeurd. Al zeker vijf uur lagen we languit in het gras op gebatikte Indiase doeken, aten likeurbonbons en dronken wodka. Keizer had altijd likeurbonbons bij zich. Hij droeg ze mee in de binnenzak van zijn lange regenjas en toverde ze op de meest onwaarschijnlijke momenten tevoorschijn. Dan zei hij: 'Wie wil er een appeltje voor de dorst?' en hield de zak met likeurbonbons omhoog. Keizer heeft veel appeltjes voor de dorst, meestal kerels in leer die hij laat in de avond oppikt in de Reguliersdwarsstraat. Soms noemt hij ons ook wel zijn appeltjes voor de dorst, maar dan is hij dronken, wat trouwens geregeld voorkomt.

'Die lucht is niet te harden,' zei Das. Dat zei hij al de hele middag, vol verwijt naar de vijver kijkend die volgens hem 'een broeiende bron van legionella' was. Hij schoof de mouw van zijn sweater als een koker om zijn neus. Die sweater droeg hij trouwens ook al de hele middag, hoewel het bijna dertig graden was en er zweetvlekken onder zijn oksels waren komen te staan. Das was sacherijnig en dat ging bij hem samen met het dragen van te warme kleding; op sombere dagen was zijn lichaamstemperatuur volgens eigen zeggen 'beduidend lager dan normaal' en droeg hij dikke truien en badstof trainingsbroeken die te ruim om zijn smalle benen vielen. We zeiden daar niks over omdat je sacherijnige mensen nu eenmaal niet met hun eigen sacherijnigheid moet confronteren en daarbij trad bij Das vrijwel altijd het pavloveffect op; de ene gebeurtenis verbond hij onlosmakelijk met het optreden van een andere, vele malen tragischere, gebeurtenis.

'Als ik hier dood zou gaan dan zou ik daar weinig op tegen hebben,' prevelde Das voor zich uit.

Voor ons schopten drie mannen met lang rastahaar een slappe stoffen zak gevuld met bonen naar elkaar over. Er klonk reggaemuziek uit de gettoblaster die ze midden op een houten bankje hadden gezet.

'Als ik hier dood zou gaan dan zou ik daar weinig op tegen hebben,' herhaalde Das nog maar eens.

'Misschien moet jij gewoon eens wat vaker met andere mensen praten,' zei Keizer. Hij draaide zijn zware lijf op zijn zij en keek Das doordringend aan. Keizer had zelf bijna de hele dag nog niks gezegd, laat staan iets tegen andere mensen, en het enige wat hij deed was de inmiddels gesmolten likeurbonbons uit hun folie halen. Of hij sloeg met zijn tennisracket naar de strontvliegen die in cirkels om hem heen vlogen. Ik wist niet waarom hij een tennisracket had meegenomen, want tennissen deed hij nooit. Of waarom hij een kort wit tennisbroekje droeg dat knelde om zijn dikke blanke dijen. 'Misschien ga ik zo even een balletje slaan,' had hij gezegd toen hij aan het begin van de ochtend aan was komen fietsen, met piepende remmen was gestopt en het tennisracket triomfantelijk in de lucht had gehouden. Hij droeg zijn lange regenjas over het korte witte tennisbroekje waardoor hij meer weg had van een kruising tussen een potloodventer en The Dude uit *The Big Lebowski* dan van een tennisser.

'Een balletje slaan is goed voor lichaam en geest!' riep hij uitgelaten over het veld. Daarna was hij zuchtend naast ons op het kleed gaan liggen. Waar hij nu nog steeds lag.

Keizer zocht wel vaker zijn geluk in de sport; hij had zelfs zijn eigen sportarts, dokter Korskofar, een kalende tengere man die op orthopedagogische schoenen liep. Ook Keizer had voor een tijdje orthopedagogische schoenen gedragen, omdat dokter Korskofar hem op het hart had gedrukt dat zijn wreef te hoog was en de bal van zijn voet niet mooi afliep. Hij was zelfs een keer op die orthopedagogische schoenen gaan hardlopen. Het was geen gezicht geweest.

'Jij zou trouwens ook eens wat vaker met andere mensen moeten praten,' zei Keizer en hij draaide zich nu om naar mij.

'Ik had gehoopt dat ik hier buiten gelaten kon worden,' verzuchtte ik. Geconcentreerd schoof ik een krans van madeliefjes om mijn enkel, die afbrak. Overal was ik op dit moment liever dan hier, op deze zomerse dag in het park. Ik wilde alleen zijn, in het donker in mijn bed. Desnoods onder Mart.

'Over Mark gesproken,' zei Keizer, die er prat op ging dat hij mijn gedachten kon lezen, wat hem ook vrijwel altijd lukte hoewel ik dat nooit toe zou geven; om onze vriendschap in stand te houden gunden we elkaar alleen maar de halve waarheid. 'Das en ik hadden het er al over gehad maar we wilden het toch van jou horen. Hoe reageerde hij?'

'Wie?' vroeg ik.

'Mark.'

'Wanneer heb jij het met Das over Mart gehad?'

'Wij hebben het áltijd over Mark.'

Ik trok mijn wenkbrauwen op, draaide me op mijn buik en rolde mijzelf in een hoek van het kleed, ver weg van de overdaad aan zonlicht. Ik sloot mijn ogen en terwijl ik me op mijn linkeroogbal concentreerde en mijn hoofd probeerde leeg te maken, schoten er in mijn rechteroogbal allerlei gedachten voorbij. Ik dacht aan Mart en hoe hij nu waarschijnlijk op de manege de stallen stond uit te mesten. Mart was samen met zijn vader mede-eigenaar van een grote stal.

'Je kunt je ogen er wel voor sluiten,' hoorde ik Keizer verder praten, 'maar wij vinden dat Mark dit niet verdient. Volgens ons heb jij hem niks verteld. Of wel soms? Terwijl hij recht heeft op de waarheid. Het is een goeie jongen.'

'Jullie kennen hem niet eens,' antwoordde ik.

'Als hij het met jou uithoudt is het een goeie jongen. Net zo goed als dat wij ook goeie jongens zijn omdat we het met jou uithouden. Eigenlijk heeft iedereen die het met jou uithoudt iets goeds in zich, als je het goed en wel bekijkt.'

'Dus je wilt zeggen dat ik slecht ben?'

'Niet zozeer slecht. Maar beperkt.'

'Beperkt in wat?' Het begon te broeien onder het kleed.

'Het is niet aan mij om je dat te vertellen,' antwoordde hij. Ik merkte dat hij het antwoord niet wist, dus het leek me zaak hierover door te vragen.

'Hoe bedoel je?'

Das trok zijn sweater uit en toen weer aan. We waren continu getuige van zijn *moodswings*, zijn op- en neergaande gevoelsleven wat zich vertaalde in het herhaaldelijke aan- dan wel uittrekken van zijn kleding.

'De enige aan wie jij trouw bent is jezelf,' ging Keizer verder. 'Hoezeer we ook dát betwijfelen.'

'We?'

'Das en ik.'

'Wat heeft Das ermee te maken?'

'Je weet dat ik nooit iets alleen beslis. Daar zou jij iets van kunnen leren, dingen in een ander perspectief bekijken.'

'Ik ben wel wat gebalanceerder nu,' mompelde ik vanonder het kleed.

'De wens is de vader van de gedachte,' zei Keizer op geheimzinnige toon. Daarop trok hij het kleed van mij af en staarde ik recht in zijn korte witte tennisbroekje.

'Laat me toch met rust,' zei ik terwijl ik mijn hand voor mijn gezicht sloeg. Maar Keizer knielde naast mij neer en met zijn hand begon hij over mijn hoofd te aaien, misschien wel een minuut lang.

Ik duwde zijn hand weg. 'Zo is het wel genoeg,' zei ik. Maar Keizer ging gewoon door, alsof ik een kind was dat hij moest troosten, en vreemd genoeg had ik ineens heel erg de behoefte om iemands kind te zijn. Maar in plaats daarvan zei ik: 'Mag ik de wodka?' en greep naar de plastic colafles die we vanochtend in de keuken met wodka en cola hadden gevuld.

'Volgens mij drink je meer,' zei Keizer die nog steeds over mijn hoofd aaide.

'Alleen in het openbaar,' antwoordde ik en nam gulzige slokken van de lauwe wodka.

Keizer zei: 'Beloof je dat je Mark de waarheid vertelt?'

Moeizaam kwam ik onder het kleed vandaan en zei, toen ik eenmaal overeind stond: 'Lenin heeft ooit gezegd: "Als je een leugen maar vaak genoeg vertelt, wordt het vanzelf waarheid."'

Ik merkte dat ik mijn stem begon te verheffen.

'Hazelnootje van me, moeten we hier nu gelijk weer Lenin bijhalen?'

Ik ging weer zitten en liet een klein boertje. 'Hij heeft iets aantrekkelijks.'

'Elke man heeft voor jou iets aantrekkelijks. Zelfs Lenin.'

Ik zei dat elke man per definitie inderdaad iets aantrekkelijks kan hebben, behalve als er een bepaalde hulpeloosheid aan ten grondslag lag maar dat mijn vrijgevigheid met liefde *an sich* en de aantrekkingskracht die ik voelde voor anderen geen weerslag had op mijn directe handelen met...

'Je bent zo passief als de pest!' schreeuwde Das vanuit het niets. Hij had de hele tijd niks gezegd. En nu dit weer.

'Wat bedoel je daarmee, Das?' vroeg ik zo geïnteresseerd mogelijk.

'Tut tut,' zei Keizer bemoederend.

Das stond op van het kleed, stroopte zijn broekspijpen op en liep in een scheve lijn in de richting van de vijver. Even was ik bang dat hij in de vijver zou springen: dat had hij ook al eens geflikt tijdens een uitwisselingsproject in Rome – in die tijd volgde hij nog drie studies tegelijkertijd, waarvan hij er trouwens nooit één heeft afgerond – en nadat hij zijn hele reisvoorraad wiet er in één avond doorheen had gerookt omdat hij de volgende dag weer naar huis moest, was hij de Trevifontein ingelopen. Terwijl het water van de fontein over hem heen gutste had hij geroepen: 'Ik ben de grote geile neukbeer. Ik ben de grote geile neukbeer.' Daarna had hij een minuutlang baantjes getrokken in de fontein, tot passerende toeristen hem uit medelijden munten begonnen toe te werpen.

Ook vandaag vreesde ik dat Das weer munten toegeworpen zou krijgen. In feite vreesden we altíjd dat Das iets toegeworpen zou krijgen, omdat hij daar een soort aantrekkingskracht voor bezat.

'Doe het niet!' riepen we naar Das. 'Dit is niet de oplossing!'

Maar Das liep verder met een concentratie in die maniakaal scherpe ogen van hem alsof hij op het punt stond het water van de vijver in tweeën te doen splijten en er tussendoor te lopen. Zijn trui wapperde omhoog, bollend in de zomerwind. Zo in de verte had hij wel wat weg van de illusionist Hans Klok. Das was gek op hem. 'Een tovenaar,' noemde hij hem weleens.

Op de rand van de vijver bleef Das staan, draaide zich om en riep: 'De lucht is niet te harden!' Hij stroopte de mouw van zijn sweater omhoog, stak zijn vinger in de vijver en likte eraan. Hij zei: 'Dit is vergif.'

'Soms denk ik weleens, waar doe ik het allemaal voor?' fluisterde Keizer in mijn oor.

Toen Das weer naast ons kwam liggen en driftig in de zak met likeurbonbons begon te graaien, zeiden we tegen hem: 'Het geeft niks, Das.'

Met z'n drieën bleven we doodstil naast elkaar liggen totdat we hoorden hoe de man van de hotdogkar zich klaarmaakte om naar huis te gaan.

We gingen naar café Mister Coco's aan het Thorbeckeplein, het enige café waar je in de middag in het donker bier kon drinken. Binnen was het aardedonker en op de tast baanden we ons een weg door de zwetende en krioelende lichamen die zich als zuignappen aan ons vastklampten.

'Mag ik weg?' vroeg Das toen een broodmagere man kwijlend tegen zijn schouder opbotste. Achter de bar gooide een blonde kerel flessen als kegels in de lucht. Hij had zware armen waar roosjes op getatoeëerd stonden. Af en toe zong hij mee door de microfoon, waarna de echo van zijn zware stem iedereen bleef achtervolgen.

'Wat een mooie man,' mompelde Keizer terwijl hij ingespannen naar de bicepsen van de barman staarde, die opbolden zodra hij de trekker van de tap overhaalde. 'Wil je wat drinken?' vroeg Keizer.

Ik leunde achterover, bietste een sigaret en nam een glas bier aan. De discolampen gingen aan en uit op de pompende maat van de muziek 'It's fun to stay at the YMCA', het waren waarschuwingssignalen die op mijn gezicht reflecteerden, maar ik moest ze negeren. Ik draaide me om en zag bij de ingang van de ruimte, bij de zwartgeverfde muren, meisjes met korte naveltruitjes op tafels zitten en om de haverklap omhelsden ze elkaar alsof ze elkaar al heel lang niet hadden gezien. Een soort prostitutie van vriendschap.

'Dus jij bent Vledder?' hoorde ik Das zeggen. De kwijlende man hing nog steeds over zijn schouder. 'Ik dacht dat jij bij de politie zat.'

Overal stonden mensen met elkaar te praten en ik verbaasde mij over het gemak waarmee mensen contact met elkaar legden, alsof er nooit een gesprek pijnlijk doodbloedde of er een worsteling was met ongemakkelijke stiltes.

'Bent u Mister Coco's?' vroeg Keizer en hij wreef liefdevol over de biceps van de barman.

'Nee, maar ik zóú Mister Coco's wel kúnnen zijn.'

'En wie zou jij willen dat ík was?'

Duizelig van de drukte en de mensen liep ik de trap op. Bovenaan zat een toiletjuffrouw. Ze telde haar munten op een klein wit porseleinen schoteltje. Ik ging zitten op de bovenste traptree en probeerde te denken aan het Niets, waarmee ik automatisch dacht aan Heidegger en het magnum opus van Heidegger, *Zijn en tijd*. De afgelopen maanden was ik eraan verknocht geraakt: met een licht gevoel van opwinding las ik 's nachts op mijn romantisch verlichte zolderkamer over het Niets, en of je over het Niets eigenlijk wel iets kunt zeggen. Soms dronk ik er een glas jonge jenever bij, dat had ik van oom Gerbrand geleerd. 'Geen goede gedachte zonder een jonkie!' riep hij dan. Volgens Heidegger kon je het Niets alleen bereiken door je onder te dompelen in pure verveling óf door doodsangsten uit te staan. Daarom lag ik, om het ultieme Niets te bereiken, de laatste weken vaak urenlang met een glas jenever in een kokendheet bad terwijl ik verveeld de ene sigaret na de andere opstak en mijn doodsangsten overdacht.

'Wat ben je aan het doen?' vroeg Keizer die me passeerde op de trap.

'Niets,' zei ik omdat ik niet helemaal wilde liegen en ook Heidegger nog een laatste eer gunde. 'Ik ben bezig met niets.'

Keizer haalde zijn schouders op en ging naar de wc. Wezenloos staarde ik naar het gekrioel van lichamen onder mij, de handen die op schouders werden gelegd, het geestelijke overspel tussen vreemden, en ergens tussen al die mensen zag ik Das staan.

Ik stak mijn hand naar hem op en voor zijn doen zwaaide hij opmerkelijk enthousiast terug. Hij kwam de trap opgelopen, op de voet gevolgd door Vledder. Toen Das voor mij stond, bukte hij zich en begon langdurig de veter van zijn linkerschoen te strikken, en daarna de veter van zijn rechterschoen. Zijn lange haar hing warrig in zijn verhitte gezicht nadat hij overeind kwam. Hij had de sweater om zijn nek geknoopt, waardoor hij eruitzag als een hockeymeisje.

Hij was duidelijk in de war.

'Ik heb het gevoel dat bepaalde verbanden mij ontgaan,' zei Das langs zijn sigaret die scheef in zijn mondhoek bungelde.

'Heb je weer aan de XTC gezeten?' zei ik. 'Je weet dat je jezelf die vrijheid niet kunt veroorloven.'

Dat was ook écht zo. Bij Das leverden geestverruimende middelen alleen maar een vernauwing op; vaak eindigde het erin dat hij urenlang zijn eigen spiegelbeeld zat te zoenen.

'Je moeder zou zich omdraaien in haar graf als ze je zo zou zien,' zei Keizer die mij voor de tweede keer passeerde en Das onderzoekend bekeek.

'Mijn moeder leeft nog.'

'Nou ja, bij wijze van spreken dan.'

Ik keek om naar Keizer en zijn openvallende regenjas met daaronder het witte tennisbroekje. Daarna keek ik nog eens naar de hockeytrui van Das. Het leek hier verdomme wel een sportpaleis.

'Ik vind het een heel gezellige middag, jongens,' zei ik.

Ik wilde hier niet blijven, er waren nog zoveel dingen die ik moest doen. Ik sloeg de deur van Mister Coco's open, zette mijn zonnebril op, hoewel het buiten inmiddels donker was, en drukte mijn iPod op shuffle. Het toeval kon wel wat muziek gebruiken.

De Arctic Monkeys *When the sun goes down.*

Ik stapte op mijn fiets en begon steeds harder te trappen, 'Who's that girl there? I wonder what went wrong, so that she had to roam the street', langs de neon verlichte gebouwen van het Rokin, langs de Pizza-Hut en de schreeuwerige gokhallen, langs de rondvaartboten en hun toeristen. Mijn benen werden steeds sterker, alsof een vreemd soort kracht zich van mij meester maakte en ik suisde door de drukte van het verkeer dat om mij heen bleef cirkelen. In Amsterdam draaide alles altijd maar door.

Misschien werd het weleens tijd om stil te staan, om bepaalde dingen terug te draaien?

In plaats daarvan trapte ik nog wat harder en aan mijn rechterhand zag ik in de verte de eerste gevels van de Wallen verschijnen, mijn buurt, en vreemd genoeg werd ik vervuld met een licht gevoel van trots, als een besef dat daar een deel van mijzelf terug te vinden was, hoewel ik er nog geen half jaar woonde. Bij sommige ramen brandden de rode lampen en waren de gordijnen opzij geschoven. Het had iets gezelligs, dat werk achter de ramen. Ik kon er niet omheen, net zomin als die mannen ook niet om hun gevoelens heen konden.

Uiteindelijk rotzooit iedereen maar wat aan.

Ik trok de zonnebril van mijn hoofd en keek in het donker om mij heen. Het moest al nacht zijn. Ik begaf me in de richting van het station. Ik moest weg van hier, weg van de stad. Voor mij doemde de grote ijzeren fietsenstalling van het Centraal Station op, een piramide van metaal, en met een dreun reed ik de stoep op. Ik reed drie verdiepingen omhoog waar ik uiteindelijk tussen twee bakfietsen mijn fiets stevig aan een ketting vastlegde. Tevreden gaf ik mijn fiets een klopje op zijn zadel. Alles wat bestáát kan op mijn onverdeelde aandacht rekenen.

Ik stak een sigaret op, liep op mijn hoge zwarte schoenen tussen de mensen door die voor het station waren blijven hangen. Een oude man met een vilten hoed plukte in zijn baard. Op de hoek bij de ingang borgen een paar muzikanten hun instrumenten op in vaalbruine koffers. Aan het einde van de lange stoep deelden jongens met baseballpetjes een joint. Ze zaten in kleermakerszit en staarden naar de grond. Niemand keek op toen ik langsliep. Ik gaf de zwerver met de baard een muntje. Razendsnel propte hij het in zijn broekzak, alsof ik het alsnog van hem zou willen afpakken. Daarna aaide hij de hond over zijn kop, die voor zijn voeten lag te slapen. Ik zag dat de zwerver bruine ogen had en zijn wenkbrauwen borstelig en zwaar waren.

In iedere zwerver zag ik Jaris terug, onder elke baard zou zijn gezicht verstopt kunnen zitten. Elke jas zou zijn lichaam kunnen verbergen.

Nog eens keek ik naar het gezicht van de man, maar hij keek weg. Hij moest het doorhebben dat er iets was wat ik in zijn gezicht zocht. Hoeveel vergeten gezichten zouden er in de zwerver zijn teruggevonden? Diep inhaleerde ik de rook van mijn sigaret en staarde naar de stationsklok die in een merkwaardig oranje schijnsel tegen de verder pikzwarte hemel afstak. Vijf over één. Als ik zou opschieten kon ik nog net de laatste nachttrein halen en binnen anderhalf uur bij Mart zijn. Ik liep de stationshal binnen en zocht naar de kaartjesautomaat, totdat ik merkte dat de zwevershond met mij was opgelopen. Speurend liep hij voor mij uit alsof hij mij ergens heen wilde leiden, met zijn snuit vegend over de vloer. Zijn vacht had dezelfde grauwe kleur als de baard van zijn baasje. Toen keek de hond me langdurig aan, alsof hij me voor eeuwig in zichzelf wilde opnemen, wat ik een merkwaardig idee vond. Hoe zag ik eruit in de geest van een hondenkop?

Toen hoorde ik de zwerver roepen: 'Hond!' Een andere zwerver, die in een vuilnisbak stond te graaien, riep met volle mond: 'Kijk naar jezelf!' Met de staart tussen de benen rende de hond weer naar buiten, terug naar zijn baasje. Ik keek weg van de hond, weg van de zwerver, weg van de enkeling die hier nog ronddoolde en liep naar het einde van de lege stationshal. Ik liep graag over verlaten treinstations, het was zo'n plek waar je nog gewoon jezelf kon zijn.

Ik trok een kaartje uit de automaat, sjokte over de stilstaande roltrap naar boven (waarom staan roltrappen 's nachts altijd stil?) en door mijn iPod, die nog steeds op shuffle stond, klonk *Steady as she goes* van de The Raconteurs.

01.16 stond er op het scherm. Perron 8 A.

Er was hier niemand, alleen een duif met een verbrijzelde poot die hinkend over het spoor scharrelde, zoekend naar resten eten tussen de bielzen. Boven de duif dwarrelde een plastic zak die in een luchtstroom was geraakt en telkens van boven naar beneden cirkelde, heen en weer. 'Action' stond er op de zak.

Verder was er niets.

Ik trok het treinkaartje uit mijn broekzak en keek naar de bestemming. Amsterdam Centraal – Heerhugowaard. Ik legde mijn pink tussen de twee plaatsnamen in en zag dat de afstand nog geen halve centimeter was. Daar was het dus, tijd en ruimte, een pink breed. En ik stond er middenin.

Toen ik over mijn schouder keek, om te zien of de trein er al aankwam, zag ik een figuur op mij aflopen, iemand die ik uit duizenden zou herkennen. Een figuur die ik nooit zou vergeten.

De trein kwam traag op gang, we waren tegenover elkaar gaan zitten. Onze knieën raakten elkaar; warm en bekend. Aan het einde van het lange gangpad sprong de tl-lamp telkens aan en uit. De stad lieten we vuil en donker achter ons liggen, er was niks meer om voor te blijven.

'Het gaat harder waaien,' zei hij.

'Ik zie dat nooit aankomen,' antwoordde ik.

Achteloos duwde ik met mijn knie tegen de kleine prullenbak die tussen de twee treinstoelen was opgehangen. Er zat een patatbakje klem waardoor de prullenbak op een kier bleef staan. Elk moment kon hij openvallen en het vuil tussen ons in storten.

Job heette hij.

'Hoelang hebben we elkaar nou al niet gezien? Zes jaar?' vroeg ik. 'Dit is zo vreemd.'

'Je bent niks veranderd.'

'De laatste keer dat ik je zag,' – hij ging verzitten en veinsde een blik in de verte –, 'was je behoorlijk de weg kwijt.'

'Dat weet ik niet meer.'

Natuurlijk wist ik dat nog wél maar ik was nog niet aan echte antwoorden toe. Ook nog niet aan echte vragen, trouwens. Nu ik erbij stilstond was ik eigenlijk nooit aan iets échts toe, iets naar waarheid, wat dat ook moge zijn. Wat zou het toch mooi zijn als de realiteit een prentenboek bleef waarin je tot je dood maar kon blijven rondbladeren.

'Maar wat doe je?' vroeg hij. 'Studeer je?'
'Ja, filosofie.'
'Gaat dat een beetje?'
'Het levert veel stof tot nadenken op.' Ik leunde met mijn elleboog op mijn knieën. 'Wat deed jij ook alweer?' vroeg ik. Ik probeerde geïnteresseerd te kijken. Ik merkte dat ik nog steeds dronken was en mijn arm gleed telkens weg van mijn knie. 'Bouwkunde,' zei hij. 'Mooi. Dat vind ik mooi.'
'Waarom mooi?'
'Gewoon. Ik hou van gebouwen, je kunt erin wonen.'
'Wonen?'
'Ja, toch?'

Ik had geen flauw idee meer waar dit gesprek over ging en terwijl ik mij probeerde te hernemen werd ik afgeleid door het perfect gevormde gezicht van Job waar die tl-lampen telkens harde strepen in sloegen, dat akelig kille licht dat je alleen terugvindt in publieke ruimtes. Waarom moeten mensen elkaar altijd in dat meedogenloze licht ontmoeten?

Ik dacht aan de trein die nu als een lichtkoepel door het landschap moest schieten, met twee mensen erin. Wij. Zittend tegenover elkaar.

Hij keek naar waar we naartoe gingen – Heerhugowaard – en ik keek waar we vandaan kwamen – Amsterdam. We hadden van plek moeten wisselen toen het nog kon, dacht ik. Want ik dacht te veel aan wat we hadden achtergelaten, terwijl ik mij beter kon bezighouden met waar we heen zouden gaan.

'Heb je een vriend?' vroeg hij.
'Min of meer,' zei ik.
'Ja, dat zal ook wel.'
'Hoezo, dat zal ook wel?'
'Jij had altijd jongens om je heen. Ik was allang blij dat ik een keer ertussendoor mocht. Niet dat dát voor blijvend was...'
'Ertussendoor? Wat bedoel je daarmee?'
'Ach laat maar, dat doet er ook niet toe.'

'Maar je begint er wel over.'

'Ik weet het.'

'Bedoel je dat jij een tussendoortje was? Omdat ik tijd óver had?'

'Nee. Nou. Misschien.'

Hadden we nu al ruzie? Dat zou wel verbijsterend snel zijn na een pauze van zeker zes jaar. En ik wilde geen ruzie met hem. Misschien had ik ook nooit ruzie met hem wíllen krijgen maar er leek nog maar zo weinig terug te draaien, zo vervreemd zaten we nu tegenover elkaar, alsof het moment dat we elkaar jaren geleden de liefde hadden verklaard compleet door de tijd was vervaagd. Zie ons dan zitten, wilde ik tegen hem zeggen, als ruïnes tegenover elkaar. Want ik geloofde alleen nog maar in puinhopen, misschien zelfs nog in minder dan dat. Maar ik zei: 'Je vindt me zeker een trut. Een trut uit Amsterdam.'

Hij leunde achterover in zijn stoel. 'Ja, dat klopt wel,' zei hij glimlachend. We bleven elkaar aankijken tot Job zei: 'Ik denk nog vaak aan wat er toen met Jaris is...'

Ik keek van hem weg, alsof ik daarmee het onderwerp kon vermijden. Ik had de opmerking niet zien aankomen – 'Ik denk nog vaak aan wat er toen met Jaris is...' – zoals ik haar nooit zag aankomen. Ik bleef naar buiten staren.

'Nou,' drong hij aan.

Ik zei niets.

'Je wilt er niet over praten,' zei hij.

Ik schudde van nee.

'Nog steeds niet.'

Star bleef ik van hem wegkijken terwijl ik beelden van Jaris voor mij zag. Hoe hij van me wegliep door de glazen deur. Zijn trage voetstappen over het zeil, het zachte namiddaglicht door de vitrage.

'Verdomme,' zei Job, 'ik had gehoopt... nou ja, laat maar.'

Hoewel ik voelde dat ik moest huilen, wist ik dat het niet kon. Ik was dronken, dat sloeg nergens op.

De trein moest nu tussen de weilanden door rijden want de wereld om ons heen werd steeds donkerder, en groter. Ergens in de verte glom een lamp, wat betekende dat daar een huis stond. Je kon je soms niet voorstellen dat Noord-Holland zo was volgebouwd met wegen en rotondes en nieuwbouwwijken en fabrieken, want als je door die eindeloze lege donkere ruimte van dat kaalgeslagen landschap reed, leek er geen mens meer te wonen. Ik keek in het bolle treinraam dat als een lachspiegel werkte. Mijn hoofd was buitenproportioneel groot en langwerpig en mijn onderlichaam had het formaat van een kleuter aangenomen.

In een rotvaart denderden we aan de karikatuur van onszelf voorbij.

'De enige keer dat je over Jaris vertelde –' zei Job en hij keek naar zijn schoenen, '– wist ik helemaal niet dat...'

'Kunnen we het niet ergens anders over hebben?' vroeg ik.

We zeiden niks meer tegen elkaar. Job schraapte met zijn nagels over zijn gebleekte spijkerbroek en ik inspecteerde mijn mobiel op ongelezen sms-berichten. De duivel moest ermee spelen want mijn telefoon ging over.

Keizer.

'Ik móét hem opnemen,' zei ik verontschuldigend tegen Job. 'Misschien is het belangrijk.'

Ik drukte de telefoon tegen mijn oor. 'Ja?'

'Er zijn problemen,' zei Keizer. Hij klonk serieus.

'Moet je mij daarvoor wakker bellen?' vroeg ik. 'Want het zou zomaar kunnen dat je mij op dit moment ruw uit mijn slaap verstoort. Je weet dat ik mijn slaap nodig heb.'

'Lag je te slapen dan?'

'Nee. Dit was een gewetensvraag.'

'Lieve schat, jij hebt niet eens een geweten,' antwoordde Keizer. 'Over je geweten gesproken; waar was je vanavond nou weer heen? Je was zomaar weg. Je bent toch niet weer op weg naar Mark, hè?'

Ik onderbrak hem: 'Dus je hebt problemen zei je.'

'Ja. Ja. O ja,' en ik hoorde hem weer overgaan op zijn serieuze toon, 'grote gróte problemen.'

'Wat is er dan?'

'Vledder is hier. Die man van de politie, weet je wel.'

'Wat doet hij bij ons thuis?'

'Vledder wilde met Das mee, hij liep de hele tijd achter hem aan. Maar goed, die Vledder, is hij niet een rechercheur, weet jij dat toevallig?'

'Hij is een acteur. Vledder is een acteur.'

'O, hij kwam mij al zo bekend voor. Denk je serieus dat hij een acteur is? Hij wist wel veel van moordzaken af, hij had ook een notitieboekje met namen van...'

'Wat is je punt?' zei ik en krabde ongeduldig aan mijn door de henna schilferig geworden hoofdhuid, vlokjes roos dwarrelden door de ruimte. 'Want ik heb hier geen tijd voor.'

'Ik denk dat hij niet meer leeft.'

'Wie?'

'Vledder.'

'Waar slaat dat nou op?' zei ik. 'Hoezo denk je dat hij niet meer leeft?'

'Hij heeft allemaal schuim op zijn mond staan. Das probeert hem nu te reanimeren.'

'Je haalt Das daar nu onmiddellijk weg! Zijn jullie wel helemaal goed bij je hoofd?'

Ik hoorde dat Keizer de telefoon van zijn oor hield en iets onverstaanbaars naar Das schreeuwde. Iets met veel keelklanken.

'Wat hebben jullie hem gegeven?' vroeg ik.

'Niet zoveel, Das had nog een beetje coke over, en in een kast lag nog wat MDMA. Alleen had Vledder ook nog een buisje.' Hij was even stil. 'Das! Wat voor buisje had Fladder ook alweer genomen?'

Fladder. Ze hadden blijkbaar nu alweer een bijnaam voor hem verzonnen.

'GHB!' hoorde ik Das overstuur gillen. 'Een heel buisje!'

Ik vroeg me af of Das zijn sweater nog steeds als een hockeymeisje om zijn nek had geknoopt en zo boven het schuimbekkende hoofd van Vledder gebogen stond.

'GHB, een heel buisje,' herhaalde Keizer.

'Misschien moet je gewoon een vinger in zijn keel stoppen?' probeerde ik te helpen. 'Dan kotst hij het vanzelf wel uit.'

'O, dat doe ik niet hoor. Gatver,' zei Keizer. 'Je weet het: ik stop mijn vingers overal in. Maar niet in de keel van een of andere C-artiest.'

'Je dacht net nog dat het een rechercheur was.'

'Hazellotje, ik leef alleen volgens de feiten die ik op dat moment voorhanden heb. Ik ben geen connaisseur van de Nederlandse artiestenwereld.'

Het was even stil aan de andere kant van de lijn.

'Das,' hoorde ik uiteindelijk Keizer uiterst kalm vragen, 'Hazel vraagt of jij jouw vinger in de keel van Fladder kunt stoppen.'

'Ik vertik het!' hoorde ik Das roepen. Zijn stem sloeg over.

'Dan bel je toch een ambulance?' stelde ik voor.

'Een ambulance?' zei Keizer. 'Geen sprake van.'

'En de gewone man maar weer betalen,' bromde Das op de achtergrond.

'Ja, hoor eens,' zei ik, 'dan zoeken jullie het maar uit. Maar als zo'n artiest bij ons op het tapijt sterft komen er hoe dan ook vragen. Vroeg of laat komen ze erachter dat jullie hem die troep hebben gegeven.'

Keizer zei: 'Ik geloof dat Das nú zijn vinger in de keel van Fladder steekt.'

'Vledder,' verbeterde ik en klapte mijn telefoon dicht.

Job richtte zich op: 'Wat was dat?'

'O, dat was mijn moeder,' antwoordde ik. 'Onze hond heeft last van suiker.'

De trein trok zich slepend voort van het ene lelijke station – Krommenie-Assendelft – naar het andere lelijke station – Uitgeest – en kotste er bij elk perron nog een passagier uit, schichtig met de vouwfiets onder de ene arm en een aktetas onder de andere ervandoor.

'Denk jij dat die mensen óók gelukkig zijn?' vroeg ik Job, daarbij mij tegelijk afvragend waar ik het woordje 'óók' vandaan haalde.

Job zei: 'Wat bedoel je met gelukkig? Want geluk kan in meerdere opzichten...'

Ik vreesde een evenwichtig antwoord, dus ik onderbrak hem. 'Ben jíj bijvoorbeeld gelukkig?'

'Bedoel je nou mij in vergelijking met die mensen' – hij wees naar buiten – 'of gewoon mijzelf?'

'Aan jou de keuze,' zei ik ruimhartig. Mijn humeur begon steeds beter te worden, wat de misselijkheid van al die tussenstops verdrong.

'In vergelijking met anderen voel ik mij wel gelukkig, ja. Ik heb een leuke vriendin, een goede...'

'Genoeg,' zei ik. Waarom begon iedereen toch altijd maar over zijn vriendin in mijn bijzijn? Hield dan niemand rekening met mijn gevoelens?

'Maar ben jij wel gelukkig?' zei hij en boog zich onderzoekend naar voren. 'En wat is dat toch met je háár?'

'Het is henna,' verduidelijkte ik geïrriteerd. 'Het is henna, dat is een natuurlijk product dat mijn huisgenoot heeft aangebracht op...'

'Ja ja, dat zal wel, ik werd er gewoon door afgeleid. Ik heb die kleur nog nooit gezien.' Hij ging rechtop zitten. 'Vertel, ben jij gelukkig?'

'Daar zijn misschien andere woorden voor,' antwoordde ik afwezig. Ik probeerde zijn ogen te ontwijken, die donkere ogen die me zo doordringend konden aanstaren.

'Gelukkig zou ik het niet specifiek willen noemen,' zei ik en trok een stukje loszittend leer van mijn jas. 'Wel monter, of fortuinlijk.'

'Sinds wanneer ben jij zo cynisch geworden?'

'Ik ben in mijn hele leven nog nooit cynisch geweest.'

'Serieus, wanneer ben jij zo geworden?'

'Dat weet ik niet,' zei ik peinzend. 'Ik weet niet wanneer ik zo geworden ben.'

Het kon niet lang meer duren of we waren in Heerhugowaard. Ik sloot mijn ogen en luisterde naar het scherpe geluid van de trein. Ook zonder op te kijken wist ik wel dat we de ijzeren spoorbrug passeerden; eerst kwam de ijzeren spoorbrug, dan de molen links, de vervallen boerderij rechts, en later – als de trein vaart minderde – dan kwamen de bouwmarkten, die met hun grote lichtgevende letters aan het spoor grensden, hun stalen ruggen naar ons toegekeerd. Langs het spoor stond alles met zijn rug naar ons toegekeerd, het was een wereld die voor niemand was bedoeld; de lange achtertuinen met vervallen kinderspeeltoestellen, de opbergplaatsen van de oude loodsen, de schuttingen die op instorten stonden.

De trein minderde vaart.

'Bij welk station moet je eruit?' vroeg ik.

'De volgende.'

Het was nu een kwestie van aftellen voordat de trein met piepende remmen het station zou binnenrijden en ik Job misschien nooit meer terug zou zien. Ik begon steeds minder de noodzaak in te zien van het idee om naar Mart te gaan. Grappig toch, hoe die drang om goed te doen vanzelf weer naar de achtergrond verdween als het doel dichterbij kwam. En terwijl ik mijn rugtas met tegenzin van de treinbank oppakte, me het mooie gezicht van Job inprentte – de hoekige kaken, bruine ogen, halflang haar – en zorgvuldig opsloeg in mijn hoofd, hoorde ik mijzelf zeggen: 'Misschien rij ik nog een stukje met je mee.'

Nonchalant sloeg hij zijn ene been over zijn andere. 'Dat moet je zelf weten,' zei hij. Misschien was dat wel wat mij het meest in hem aantrok; die nonchalante onaantastbaarheid, dat schild waar ik telkens weer op stuksloeg.

Ik hoorde hoe de deuren zich openden, hoe het conducteursfluitje schel over het perron klonk, hoe de deuren zich weer sloten en de trein in beweging kwam. De bomen achter het kleine station zwaaiden naar ons in het licht van de straatlantaarns. Het was dus toch gaan waaien.

Er was nog maar één halte te gaan voordat Job moest uitstappen. We deelden een sigaret. Ik proefde zijn speeksel vanaf de vloei. In gedachten verzonken blies ik de rook uit.

Het was niet de eerste keer dat we samen een sigaret deelden. Tijdens het schoolfeest, vlak voordat Jaris verdween, hadden we samen sigaretten gerookt in de schooltuin. We lagen in het hoge gras dat nat geworden was van de avonddauw en keken naar de heldere hemel waar sterren in merkwaardige figuren naar elkaar waren toe gezwommen. Vanuit de verte hadden we de harde muziek gehoord. Toen had Job een sigaret tevoorschijn gehaald en gevraagd: 'Wil je?' Ik had ja geknikt en was verliefd op hem geworden. Of misschien was ik altijd al verliefd op hem geweest, dat wist ik niet. Waarschijnlijk is het niet de vraag wanneer iets ontstaat, maar waaróm iets is ontstaan, en het zich blijft herhalen. Want ik was altijd verliefd op hem gebleven. Dat wist hij niet, omdat we elkaar nooit durfden te vertellen wat ertoe deed: ik geloof dat we sinds die avond voor altijd zeventien zijn gebleven.

Job keek onbeweeglijk voor zich uit en zei: 'Bij het volgende station moet ik eruit.'

Rookkringels stegen op en bleven stilhangen voor de tl-lampen, het maakte het licht op een bepaalde manier zachter, alsof de tijd voor even bleef stilstaan.

'Bij het volgende station moet ik eruit,' zei hij opnieuw. Maar toen zat er al twijfel in zijn stem.

Precies zeven sigaretten hadden we gedeeld en bij elk station bleek de ene sigaret na de andere nog niet te zijn gedoofd. We bleven zitten. We keken naar de stations die aan ons voorbijgingen. We keken naar de mensen die uit de trein stapten en op hun fietsen naar huis reden. We bleven gewoon maar zitten, tot het eindstation Den Helder. De lampen in de trein gingen uit. De conducteur trok de schuifdeur open en liep met zware stappen onze coupé binnen.

Met West-Fries accent zei hij: 'Noh jongens, 't zit erop denk.'

'Gaat deze trein niet meer terug?' vroeg ik.

'Nee, we benne d'er. We motten een keer naar bed.' Hij maakte een wapperbeweging met zijn hand richting het afvalbakje. 'Maken jullie dat ook effe skoon?'

Het begon al weer te schemeren toen we samen over het spoor liepen, de kant uit waar we met de trein vandaan waren gekomen. Boven de weilanden hing een oranjerode gloed. In het kleine slootje naast ons klonk het oorverdovende gekwaak van padden. Ik rook de geur van bloembollen en het hoge sappige bermgras. Zwaluwen vlogen hoog door de lucht. Het zou een warme dag worden.

DEEL II

HET DIEPSTE VAN HET DIEPSTE

Hit it!
This ain't no disco
It ain't no country club either
This is L.A.!
(Kant A)

Hoe vaak kun je naar iets luisteren zonder dat het voorspelbaar wordt? Zonder dat je weet wat er daarna komt en daarna en daarna? Waarom klinkt iets vijf minuten later altijd anders dan vijf minuten daarvoor?

All I wanna do is have some fun
I got a feeling I'm not the only one
All I wanna do is have some fun
I got a feeling I'm not the only one
All I wanna do is have some fun
(Kant B)

Al zeker acht keer heb ik vandaag het cassettebandje van A naar B omgedraaid.

Een groot donker meer ligt voor mij.

Grijze luchten drijven in spiegelbeeld over het water.

Jaris is er nog steeds niet.

Ik geloof niet in wezens die onder water leven en je zomaar opslokken, maar de laatste tien minuten heb ik er al drie hun kop boven het water zien uitsteken. In mijn surfpak zit ik op een houten vlonder en zing mee met Sheryl Crow op mijn walkman. Ver voorbij de houten vlonder drijft nog een laatste rest blauwalg voorbij. Elke zomer, als het water bijna warm genoeg is om in te zwemmen, komt die blauwalg vanuit het niets opzetten en verspreidt zich als een virus over het meer 't Geestmerambacht. De zomer is een vreemde gast in de polder; we zien ernaar uit, maar als hij er eenmaal is weet niemand meer wat we ermee aan moeten. Ik kijk nog eens op mijn waterdichte horloge. Drieëndertig minuten zijn voorbij sinds Jaris het water is opgegaan. Volgens oom Gerbrand verveelt de tijd zich nooit, tenminste, dat zegt hij soms als ik weer eens zit te niksen of de harde randjes van mijn teennagels pulk. 'Maar de tijd verveelt mij wel!' heb ik eens teruggeroepen. Trouwens, wat weet oom Gerbrand er nou van, die heeft ook nog nooit in een stom surfpak eindeloos op Jaris zitten wachten. Met een ruk trek ik mijn rechter surfschoen uit die, tot de rand gevuld met water, dezelfde temperatuur heeft aangenomen als mijn huid. Zou ik ook blauwalg in mijn schoen kunnen krijgen als ik het water maar lang genoeg laat staan? Geconcentreerd kieper ik de rubberen surfschoen leeg en kijk hoe het opgewarmde water onherkenbaar in het koele meer verdwijnt. Jaris had eens uit een biologieboek voorgelezen dat de mens voor vijfenzestig procent uit water bestaat en de overige vijfendertig procent ervoor zorgt dat wij er niet als water uitzien. Als Jaris nu in het water zou liggen zou ik hem dus nog moeten herkennen.

Ik kijk nog eens over het meer.

Niemand.

Mama zegt dat als je het 't minst verwacht, het vanzelf komt. Het was die keer toen ik haar vroeg wanneer ik nou eindelijk borsten kreeg. Al zeker de helft van de meisjes uit mijn klas heeft borsten, vreemde bobbels die ze in het donker van de schooltoiletten aan elkaar laten zien, en één meisje heeft zelfs al een bh – weliswaar van stijf gestreken katoen en met vreemd doorgestikte kanten bloemen – maar ik schaamde me in mijn hemd. Peinzend over mijn toekomstige borsten en de onherkenbaarheid van water zie ik in de verte het oranje, paarse en witte surfzeil van Jaris opdoemen. Het is mijn beurt.

'Je moet weten waar de wind vandaan komt,' zegt Jaris als ik naast hem klim. Samen drijven we in het water, op het uiteinde van de meterslange surfplank.

'Ik kan het niet zien,' antwoord ik.

'De wind zie je nooit. Je moet kijken naar de andere dingen, die door de wind bewegen. Zie je die bomen achter de snackbar?'

'Ja.'

'Die takken waaien naar het zuidwesten.'

'Waar is het zuidwesten?'

'Zeeland ofzo. Of Mexico.'

'Dat is ver weg.'

'Maar de wind zelf zie je dus alleen door de andere dingen die bewegen, begrepen?'

'Begrepen.'

We liggen in een ondiep baaitje van het grote meer. De vlonder waar ik net nog op heb gezeten is leeg. Voor ons drijft de surfplank met het rode driehoekszeil dat ik voor mijn verjaardag heb gekregen. Ben ik wel sterk genoeg om hem straks uit het water te tillen? Waarom zeg ik Jaris niet dat ik liever iets doe wat ik wel goed kan, zoals de handstandoverslag met doorbuiging op het grasveld achter ons huis of het perfectioneren van mijn geheimschrift met onzichtbare inkt? Waarom moet ik iets doen als ik daar geen zin in heb?

Ik klim op de plank.

Jaris slaat zijn beide handen als boeien om mijn enkels. 'Let erop dat je stevig staat.'

Op het rode T-shirt dat Jaris vanochtend had aangetrokken stond 'Don't let your fears stand in the way of your dreams.' Ik had ernaar staan kijken alsof er een geheime boodschap stond. 'Er staat dat je niet bang moet zijn,' had Jaris gezegd toen hij me had zien kijken. Hij had zijn hoofd voorovergebogen en de tekst opnieuw voorgelezen.

Ik zet mijn voeten recht naast elkaar.

'Het gaat erom dat je het evenwicht vindt,' zegt Jaris kalm.

'Pas dan ben je klaar voor de wind.'

Ik kijk naar de dingen die door de wind moeten bewegen, maar het enige wat ik zie is een zwarte meerkoet met een wit puntje op zijn voorhoofd die zwoegend en nors aan ons voorbij zwemt, alsof hij het helemaal heeft gehad voor vandaag. Voor de rest is er niemand op het water, behalve Jaris en ik.

'Ik wil nog wat bij de snackbar halen,' zeg ik. In mijn geborduurde portemonnee heb ik precies genoeg geld voor één patje mét.

'Dat kan ook later,' antwoordt Jaris.

We zwijgen. Als ik weer rechtop probeer te staan glippen mijn voeten telkens weg, als vissen uit een mensenhand.

'Hoe diep denk je dat het hier is?' vraag ik, gewoon om maar iets te vragen.

'Hier is het niet diep. Maar verderop wel.' Fronsend kijkt Jaris in de verte en neemt met zijn ogen een duik in het water. Hij zegt: 'Daar is het diepste punt geloof ik, veertien meter.'

'Wat is het diepste van het diepste punt?'

'Waarom wil je dat weten?' vraagt Jaris.

'Misschien is het belangrijk.'

'Het diepste van het diepste punt is,' – en hij denkt even na – 'is waar je niks meer ziet.'

Ik probeer me voor te stellen hoe het diepste van zo'n diepste punt eruit moet zien, of het een afgrond onder water is waar vissen levenloos op de bodem drijven, waar kleurloze onderwaterplanten zonder bloemen naar adem snakken en waar het water niet meer op water lijkt. Ik stel me voor hoe een plek eruitziet waar al het licht is verdwenen.

Met één hand tilt Jaris het zeil naar mij toe terwijl hij met zijn andere hand mijn enkel blijft vasthouden. En hoewel de plank aan één stuk door wiebelt zegt Jaris: 'Nu sta je stevig' en ik trek het zeil met een ruk omhoog. Met het koord dat in mijn handen snijdt moet ik het zeil steeds dichter naar mij toetrekken, tot het rechtop staat en als een vlag voor mij uitwappert. Jaris lacht tevreden. Met twee handen grijp ik de giek, wacht tot de wind in het zeil zakt. Maar dan voel ik hoe zwaar de wind eigenlijk is, dat niemand de wind ooit met twee handen kan vasthouden. Niemand, behalve Jaris.

Ik val achterover. En al het geluid en al het licht verdwijnt in iets waar niks meer is. Ik houd mijn ogen open en blaas waterbellen uit mijn mond die omhoog cirkelen. Het water is bruin en modderig.

Het liefst was ik aan de waterkant een potje gaan zitten janken met mijn gezicht verborgen in Jaris' verbleekte Lucky Luke-handdoek. Maar Jaris droogde mijn gezicht ruw af met zijn handdoek en trok me mee naar snackbar de Zuidpunt, waar een houten bordje klepperend boven de ingang hing. Met onze surfpakken aan zitten we aan een grote picknicktafel op een uitgestorven terras. Alleen de duiven houden ons gezelschap. Met hun snavels pikken ze patatresten van de grindtegels. Soms kijken ze verschrikt op van een leeg blikje cola dat door de wind heen en weer wordt gejaagd. Met mijn vinger strijk ik over de picknicktafel. In het verweerde hout staat 'Minne voor altijd de mijne' gekerfd.

'Je moet iets fout hebben gedaan,' zegt Jaris.

Ik wil er niet meer over praten – ik wil er zelfs niet eens meer over nadenken hoe ik in dat water verdween en voor even in het diepste van het diepste terechtkwam – maar ik kijk alleen de andere kant uit en zeg: 'Ik heb helemaal niks fout gedaan.'

Onder de tafel open ik een boterhamzakje waar de duffe geur van boterhammen met kaas mij tegemoet komt. Mama heeft ze vanochtend voor ons in de keuken gesmeerd, op hetzelfde moment dat papa onze surfplank op een karretje vastmaakte. Met dat surfkarretje achter Jaris' fiets zijn we naar het meer gereden, zoals alle surfers hier doen.

Ik neem een hap van mijn boterham en kauw onzichtbaar. Als geen ander kan ik eten zonder mijn mond te bewegen omdat we altijd stiekem in restaurants onze eigen boterhammen opeten, want volgens papa kan het lelijk oplopen als we voor ieder van ons apart een gerecht bestellen. Daarom bestellen we alleen een kop koffie of thee en openen onder tafel onze plastic boterhamzakjes. Soms zijn we net van die honden die onder tafel om voedsel bietsen, met als enig verschil dat we onszelf voeren.

'Wil je misschien ook een boterham?' vraag ik. Ik duw het zakje onder tafel naar Jaris toe, ook al is er niemand in de buurt.

Jaris zegt niks maar kijkt van me weg.

Dwars door het glazen windscherm, beplakt met verweerde stickers van vogels met uitslaande vleugels, kijkt hij naar de naderende regenwolken boven het meer. Hij heeft dezelfde donkere wolken in zijn ogen, die niet horen bij een zomerdag. De laatste tijd komen die wolken steeds vaker zijn ogen binnendrijven, en ik begrijp niet waar ze vandaan komen, of waar ze naartoe gaan.

Het zijn wolken die ik niet ken.

Ik zie er zelfs geen dieren in – een tweekoppige giraffe, de geit met kromme hoeven – terwijl ik die altijd in wolken terugvind.

Dan kijkt hij me aan en zegt: 'Ken je de film *Lord of the flies*? Over die groep jongens die aandrijven op een eiland en daar moeten zien te overleven?'

Opgelucht omdat Jaris weer iets zegt knik ik enthousiast en zeg van ja, zo'n film vergeet je niet zomaar. Al komt alleen de titel mij vaag bekend voor. Maar ik weet dat je niet altijd helemaal eerlijk hoeft te zijn, dat je gewoon moet doen alsof je elkaar begrijpt, en dan loop je soms zomaar het hoofd van de ander binnen.

Jaris buigt zich voorover. 'Er zijn twee groepen mensen,' zegt hij. 'De mensen met macht en mensen zonder macht, die daar het slachtoffer van worden.'

Niet-begrijpend kijk ik hem aan. 'Zoals wanneer je twee reuen bij elkaar zet met een teefje erbij?'

'Zoiets.'

Ik knik.

'Jij hoort ook bij een groep,' zegt hij.

'Bij welke groep dan?'

'Dat hangt ervan af. In elk mens leeft een beest. En in machtige mensen zitten de grootste beesten.'

'Waarom zijn wij beesten?'

'Waarom heet jij Hazel?'

'Dat is flauw.'

'Wat ik wil zeggen is,' hij kijkt weer peinzend in de verte, 'nou ja, dat ons hele leven erom draait bij welke groep we horen.'

'Net zoals bij de bolsjewieken en de mensjewieken?' probeer ik. Jaris had mij eens uitgelegd dat er twee groepen waren in communistisch Rusland, namelijk de bolsjewieken en de mensjewieken. Ze maakten elkaar het leven zuur, maar uiteindelijk wonnen de bolsjewieken. Dat is het enige wat ik er nog van weet.

'Om te voorkomen dat je de macht over de ander neemt moet je leren het beest in jou te temmen.'

'Ik ben goed met beesten.'

'Bij welke groep wil je dan horen? De mensen met macht of zonder macht?'

'Ik denk bij de mensen met macht.'

'In *Lord of the flies* wordt een jongen met een bril vermoord door de mensen met macht.'

'Oeps.'

'Ze hebben zijn brillenglazen nodig om vuur te maken. Ze denken dat ze het nodig hebben om te overleven.'

'Dus mensen met een bril zijn de mensen zonder macht? Dus dan zou ik nooit bij de mensen mét macht kunnen horen?' vraag ik en met mijn hand voel ik aan mijn bril.

'Misschien. Maar waar het om gaat is dat je juist níét bij de mach...'

'En nu wil ik het er niet meer over hebben,' zeg ik en neem nog een hap van mijn boterham.

In de weerspiegeling van de glazen windschermen zie ik hoe we tegenover elkaar zitten. Jaris, zeker een kop groter dan ik, met zijn baseballpetje achterstevoren op zijn hoofd, zijn schouders voorovergebogen. Mijn paardenstaart staat recht boven op mijn hoofd, mijn schouders naar achter.

Ik kijk graag naar mijzelf in de spiegel. Maar toch zijn er maar weinig mensen die graag naar hun eigen spiegelbeeld kijken, waarschijnlijk omdat iedereen er liever heel anders uit had willen zien. Mama zegt vaak: 'Catherine Deneuve, dat vind ik zo'n prachtige vrouw. Ik zou eruit willen zien als Catherine Deneuve,' maar als papa ons filmt tijdens verjaardagen dan kijkt mama altijd weg van de camera of ze zegt niks meer. Omdat ze haar stem lelijk vindt. 'Praat ik zo?' vraagt mama als we de filmpjes terugkijken en ze toch per ongeluk weer iets heeft gezegd, 'wat een vreselijke stem.' Ik vind de stem van mama helemaal niet vreselijk en ik vind haar ook verschrikkelijk mooi, maar ze gelooft me nooit als ik dat tegen haar zeg. Misschien omdat mama niet graag naar zichzelf kijkt, bestudeer ik mijzelf wel urenlang in de spiegel, en ik vind het grappig om te zien dat je er altijd anders uitziet dan je had gedacht. Op sommige dagen kijk ik weleens samen met Atlas in de spiegel maar die kijkt meestal na een paar seconden verveeld de andere kant uit.

Ik kijk nog eens in het spiegelende glas en zie dan een donkere gestalte met haastige passen op ons aflopen. Het is de baas van de snackbar. Ik herken de baard die in plukken uiteen steekt. Als ik me omdraai zie ik dat hij voor ons blijft staan.

'Nog even en de pleuris breekt los,' zegt hij en kijkt zorgelijk omhoog naar de modderbruine hemel die bijna net zo donker is als het diepste van het diepe van het meer. 'Als ik jullie was zou ik als de sodemieter naar binnen gaan.'

In de snackbar is de lucht kleverig en dik van gebakken vet. Overal staan witte plastic tuinmeubels. Een man met een bruin kaal hoofd zit alleen aan een tafel. Met een potlood vult hij op de achterkant van een krant een kruiswoordpuzzel in. Naast hem zit een vrouw in een zuurstokroze trainingspak. Met ingevallen wangen inhaleert ze diep de rook van haar sigaret. Verveeld kijkt ze uit het raam, naar buiten.

'Zie je, ik zei toch dat de pleuris zou uitbreken,' lacht de baas en vervolgens kijkt hij op zijn horloge alsof hij zelf heeft uitgerekend wanneer de eerste regen zou vallen. Ik weet dat de baas niets liever doet dan rekenen want bij elke bestelling weet hij binnen een seconde het eindbedrag uit te rekenen, met zijn ogen dicht en alleen zijn lippen zacht bewegend.

'Heeft hij het weer over die pleuriszooi aan de overkant?' bemoeit de vrouw in het trainingspak zich ermee. Haar stem komt nauwelijks boven de muziek van de radio en het gepiep van de frituurbakken uit.

'Dit gaat niet over jou!' schreeuwt de baas terug.

Ze steekt hoofdschuddend een nieuwe sigaret op. 'Ik snap gewoon niet waarom die mensen hun zooi niet opruimen,' zegt ze meer in zichzelf dan tegen ons.

'Lijp wijf,' mompelt de baas en buigt zich voorover, 'gewoon negeren.'

Daarna rekt de baas zich geeuwend uit, alsof hij net wakker is geworden en loopt weg, de keuken in. Zijn benen zijn zo lang dat ze bijna tot zijn oksels reiken. Als je je ogen half dichtknijpt heeft hij wel iets weg van een paard. Vanuit de keuken horen we hem roepen: 'Eén berenhap, twee bamischijven, drie patatten oorlog, een broodje kaassoufflé mét mayonaise, twee kroketjes, twee frikandelletjes speciaal en een grote milkshake!'

''t Is voor meenemen graag!' roept de vrouw met het zuurstokroze trainingspak. Traag dooft ze haar sigaret, staat op van haar stoel en zegt tegen niemand in het bijzonder: 'We zitten op de camping hierachter.'

Als de baas weer voor Jaris en mij staat geeft hij ons een knipoog en zegt nadrukkelijk: 'Want-ze-zitten-op-de-camping-hierachter.'

Ik voel dat ik bloos en kijk naar de lichtgrijze vloer. Automatisch speur ik tussen de tegels naar kleingeld. Mensen verliezen van alles uit hun portemonnee maar niemand heeft dat door, dus als je erop let dan verbaas je je erover hoeveel je vindt. Vooral in de zomer bij de houten palen onder de strandtenten glinstert het zand van het kleingeld.

'Wat mag het zijn?' vraagt de baas.

Ik schrik op.

'Twee patat mét,' zegt Jaris, 'en een pakje sigaretten. Marlboro. Light.'

Ik kijk Jaris aan. 'Rook jij?'

'Niet tegen papa en mama zeggen,' fluistert hij snel.

Maar voordat ik tegen Jaris kan zeggen dat je van roken doodgaat, dat je er dezelfde meurende adem van krijgt als mijn bijlesjuffrouw Anika en dezelfde vieze bruine vingertoppen als oom Gerbrand, slaat de deur open. Een man met een spits gezicht en een wielrenbroek waait naar binnen.

'Kunnen we hier schuilen?' vraagt hij. Hij schudt de regen als een hond van zich af. 'We zijn zeiknat.'

'Welja,' zegt de baas en maakt een weids gebaar, 'doe maar alsof je thuis bent.'

'Okidoki!' antwoordt de man en roept iets onverstaanbaars naar buiten. Een groep wielrenners die met de fiets in hun hand buiten staan te wachten komt één voor één de snackbar binnen. Hun wielrenschoenen tikken als tapdansschoenen op de gladde tegels. Ze ruiken naar buiten en zweet, als de geur van jassen aan de lange rij kapstokken in school op een regenachtige dag.

Er komen steeds meer mannen binnen.

We komen steeds dichter op elkaar te staan.

De lucht wordt nog dikker en benauwder.

Jaris slaat een arm om mijn schouder, zoals hij wel vaker doet wanneer we samen als een eiland tussen de mensen staan, grote groepen mensen waar we niet van houden, en we elkaar moeten beschermen tegen de wereld van buitenaf. Ik moet weer denken aan het verhaal van Jaris, over de continentendrift en dat continenten nooit op één plek blijven liggen, maar op een gegeven moment losraken en over de aarde gaan schuiven. En terwijl ik de warmte van Jaris' arm om mijn schouder voel denk ik zomaar dat wij ook een continent zijn. Maar dan bedenk ik tegelijkertijd dat wij ooit op een dag losraken, misschien wel duizenden kilometers van elkaar wegdrijven, en dat we in ons eentje over aarde blijven schuiven zonder dat we weten waar de ander is. Van die gedachte raak ik zo somber dat ik snel aan iets anders probeer te denken, zoals aan onze geheime vredescode die we in omgekeerde volgorde moeten uitspreken of dat we als piechems de capuchons van onze T-shirts strak over ons hoofd trekken en onze lippen als paarden omhoog krullen.

Jaris' arm laat mijn schouder los.

Voorzichtig kijk ik opzij en zie dat hij onrustig om zich heenkijkt. Zijn gezicht is spierwit en er drijven weer van die wolken in zijn ogen, maar deze keer zo donker dat ze zijn ogen veranderen in die van iemand anders, van iemand die ik niet ken.

'Kan je even doorlopen met je zussie?' zegt een wielrenner met fluorescerende letters op zijn strakke T-shirt. Hij legt zijn hand op Jaris' petje. Ik weet dat Jaris daar een hekel aan heeft. Onder zijn petje lopen zweetdruppeltjes naar beneden.

'Kunnen die kinderen niet aan de kant?' roept een andere man vanuit de deuropening. 'Wij moeten er ook nog bij.'

'Kom, even aan de kant met je zussie,' zegt de man die nog steeds zijn hand op Jaris' petje houdt en hem voorzichtig aan zijn hoofd opzij duwt. Jaris ademt schokkerig, alsof zijn keel vol frituurvet zit. Zijn hand trilt.

Dan begint hij achteruit te lopen.

De mannen die achter hem staan duwen hem lachend terug.

Jaris loopt nog een keer achteruit.

De mannen laten hem er niet langs.

'Wat is er?' vraag ik Jaris, maar de arm die net nog over mijn schouders had gelegen duwt mij nu ruw weg.

'Ik moet hier weg,' zegt hij. Met de rug van zijn hand wrijft hij het zweet van zijn voorhoofd. 'Ik moet hier weg. Het zijn de mannen met macht.'

Ik snap niet wat Jaris bedoelt maar dat maakt niet uit, want hij loopt al weg, de mannen wild van zich af duwend. Iedereen deinst achteruit. Jaris rent de deur uit en slaat hem achter zich dicht.

De baas vraagt of we de patat hier willen opeten of meenemen.

'Kunt u het misschien bewaren?' vraag ik zacht, 'want mijn broer die... hij heeft...'

'Kom het zo maar halen,' zegt de baas en hij schuift het pakje sigaretten naar voren, 'neem deze alvast maar voor je broer mee.'

'Bedankt,' zeg ik en gris het pakje sigaretten van de toonbank, raap de Lucky Luke-handdoek die van Jaris' schouders is gegleden van de grond en ren tussen de benen van de mannen door naar buiten.

Als je je voeten heel snel beweegt dan zie je bijna niet meer dat ze bewegen. Volgens Jaris heeft dat te maken met de verwerkingssnelheid van onze hersenen; soms lopen ze achter en kun je niet meer zien of iets beweegt of stilstaat, net als bij de merel die in de berk voor ons huis zo vreselijk snel en schichtig om zich heenkijkt dat het lijkt of hij stilzit.

Ook nu zie ik mijn voeten niet bewegen.

Op mijn surfschoenen schiet ik – ratatatatat – door het hoge gras. De regen slaat koud in mijn gezicht en mijn hand knijpt steeds steviger om het pakje sigaretten. Jaris moet hier ergens zijn. Maar de surfplank die we vanmiddag nog samen op de waterkant hadden geschoven, is verdwenen. Ik voel een steek in mijn zij en loop steeds trager, tot mijn voeten zo langzaam bewegen dat ik ze weer kan zien.

Boven het meer schiet het onweer los.

Ik kijk uit over het water en ergens in de verte zie ik het oranje, paarse en witte surfzeil van Jaris. Rillend ga ik zitten, schuilend onder mijn rode driehoekszeiltje, de Lucky Luke-handdoek om mij heen. Pas na een tijdje haal ik mijn walkman uit mijn rugtas en draai het cassettebandje om van B naar A. Nog even kijk ik in de verte, naar Jaris. Maar hij is niet meer dan een zich verplaatsend stipje aan de horizon.

De wind komt overal vandaan.

Eén voor één steek ik de sigaretten diep in het modderige gras.

TWEE NUL VOOR CRUNCHY

De deur sloeg open. Het was Keizer. Verward graaide ik wat lakens bijeen, sloeg ze als een jurk om mijn naakte lichaam, terwijl ik mompelde 'Hier ben ik nog niet klaar voor'. In de gauwigheid controleerde ik of er niemand in mijn bed verborgen lag, maar gelukkig was ik deze keer alleen. Buiten was het donker en boven de zolderdaken balanceerde een kogelronde maan, wat betekende dat ook deze dag alweer voorbij was.

Met zware stappen liep Keizer mijn kamer binnen en plofte met zijn volle gewicht op het bed. 'Het lijkt me beter als ik je de waarheid vertel.'

'Nu al?' vroeg ik geeuwend en probeerde de lakens onder zijn billen vandaan te trekken. Keizer kroop wel vaker bij mij in bed. Hij had er het onredelijke patent op mij zoveel mogelijk deelgenoot te maken van zijn geestelijk leven.

'Laat ik het maar meteen zeggen,' zuchtte Keizer. 'Ik zit in een achtbaan van geluk.'

'Ik mag hopen dat dit niks met Vledder te maken heeft,' zei ik.

'Laten we aan Fladder alsjeblieft geen woorden meer vuil maken,' antwoordde Keizer met een vies gezicht, waarna hij zijn felgekleurde trainingsjasje losritste en zichzelf zacht over zijn vlezige buik streelde. Hij kon er soms zo verschrikkelijk tevreden met zichzelf uitzien, alsof wij slechts de figuranten waren van zijn geluk. Misschien waren we dat ook wel.

'Laten we het hierop houden,' vervolgde Keizer, 'mócht hij nog leven, dan heeft hij dat te danken aan ons zorgvuldige optreden.'

Op de trap hoorde ik het onvaste gestommel van voetstappen richting mijn torentje en voor de tweede keer die avond sloeg de deur met een knal open.

Das.

'Daar hebben we onze zwarte weduwe!' riep Keizer. Op zwarte sokken en in zwarte onderbroek leunde Das vermoeid in de deurpost. Zijn lichaam was lang en wit en ergens in zijn onderbroek schemerde nog iets van een verloren erectie door. Onder zijn arm droeg hij Jack Kerouacs *On the road*. De laatste maanden betrapten we hem steeds vaker met die intellectuele bagage op zak, en hij hield er een merkwaardige leeswijze op na waarbij hij al lopend of vanuit kleermakerszit in onze bidet het boek op een willekeurige pagina opensloeg om er op luide toon uit voor te lezen. Volgens Das was dit avantgardistisch. Volgens Keizer was het een schreeuw om aandacht.

'Das, mag ik jou een hele gekke vraag stellen?' vroeg Keizer en veinsde een geïnteresseerde blik. 'Vind jij jezelf aantrekkelijk?'

Als antwoord trok Das zijn zwarte onderbroek nog hoger rond zijn middel, ongeveer op de hoogte waarop mijn opa zijn herenpantalon droeg, en inhaleerde diep de rook van zijn sigaret. Na bijna een halve minuut vroeg Das: 'Hazel, mag ik jouw douche gebruiken? Die van ons is al de hele ochtend bezet.'

'Door wie?' vroeg ik. 'Trouwens, mijn douche is alleen maar om water uit te drinken.'

'Vind jij Das aantrekkelijk?' onderbrak Keizer ons. 'Ik bedoel, als je hem zo ziet staan.'

'Waarom moet ik daar een mening over hebben?' kuchte ik.

Das zei: 'Schoonheid heeft alles te maken met zorgvuldigheid,' en sloeg daarop zijn boek open, misschien om er een passend citaat bij te vissen.

'Als ik zo naar Das kijk,' zei Keizer, 'dan doet hij mij denken aan zo'n pedofiele priester.'

Das trok zijn zwarte sokken uit, hield ze voor zijn gezicht en rook er even aan.

Met de lakens nog altijd om mijn lichaam gewikkeld opende

ik ondertussen mijn kantelraam. Frisse lucht steeg naar mijn hoofd. 'Waarom is jullie douche bezet, Das?' vroeg ik.

In de gang sloeg een deur open, gevolgd door het geluid van een douche, voetstappen en dezelfde deur die weer dichtsloeg. 'O ja, daar wilde ik het even met je over hebben,' zei Keizer en ritste zijn trainingsjasje weer dicht.

Nadat ik mijn kleren had aangeschoten liep ik naar de keuken. Daar stond Sander, zoals hij zichzelf voorstelde; een grote neger met hoekige schouders en kroeshaar dat nog nat was van het douchen. Toen hij ons zag staan zei hij: 'Jullie douche heeft een lekkere harde straal.' Daarop sloeg Keizer hem hard op zijn rug, als een paard dat belonend op de flanken moet worden geslagen.

'Hazel. Das,' zei Keizer op gedragen toon, 'mag ik jullie voorstellen aan DJ Paralysed; de liefde van mijn leven.'

'Dan ga ik maar eens douchen,' zei Das en drukte zijn sigaret uit in een uitgedroogde plant, stak zijn hand in zijn onderbroek, krabde langdurig aan zijn ballen en liep mompelend de keuken uit. Ik knikte Sander gedag en trok een keukenkastje open, vulde de percolator op het gasfornuis en staarde onder het kalmerende geluid van het opborrelende water uit het raam.

- Waarom wilde ik niet meer naar Mart zijn huis?
- Waarom wilde Job vanochtend niet met mij mee naar huis?
- Waarom wonen Das en Keizer eigenlijk bij mij in huis?

Er was iets in de houding van Job geweest zoals hij vanochtend tijdens het afscheid op Amsterdam Centraal voor me had gestaan. Met gespreide benen, zijn grove handen leunend op het stuur van mijn fiets en zijn hoofd voorovergebogen. Hij had voor mij gestaan alsof hij mij om vergeving vroeg, alsof hij niet wilde dat ik bij hem wegging.

'Ik moet gaan,' had ik gezegd.

Job liet het stuur van mijn fiets los en deed een paar stappen achteruit. Om ons heen volgden de mensen hun alledaagse routes. Ze roken naar werk en liepen voorbij zonder op te kijken, starend in hun kranten om te weten wat er in de wereld gebeurde. In de verte klonk het ronkende geluid van de schoonmaakwagen en de zwervers die gisteravond nog voor de stationshal hadden gezeten werden al mopperend van de stoep geveegd. In de groep herkende ik de zwervershond die met mij was opgelopen. Hij hinkte en er kleefde bloed aan zijn harige voorpoot. Uiteindelijk bleef de hond staan, met zijn kop voorovergebogen, precies zoals Job net voor mij had gestaan. Waarom had ik hem niet durven vragen of hij met mij mee naar huis wilde? Ik plaatste mijn voet op de trapper van mijn fiets, wilde nog iets zeggen maar bedacht me, zwaaide mijn rugtas over mijn schouder en zette mijn zonnebril op.

'Wie weet zien we elkaar nog eens in de trein op weg naar huis,' zei Job.

'Welk huis?' vroeg ik.

'Schagen,' antwoordde hij. 'En jij Heerhugowaard.'

'Maar daar ben ik geboren,' zei ik, 'dat telt niet mee.'

'Ik moest ook maar eens gaan.'

'Oké.'

Ik draaide mijn hoofd weg omdat ik wist dat het er toch wel aankwam. Het afscheid. Nog altijd kon ik het niet aanzien hoe de ogen die mij net nog hadden aangestaard zich van me wegdraaiden tot zijn hoofd een lichte knik in de nek maakte, de schouderpartij steeds verder indraaide, de ene voet horizontaal opzij werd geplaatst en de andere voet daar weer overheen stapte, zijn schouders nog verder indraaiden tot de rest wel moest volgen en tot slot zijn hele lichaam zich definitief van mij afkeerde om zonder achterom te kijken van mij vandaan te lopen. Hij zou over bruggen, langs huizen, door straten lopen en daar iets van vinden, en spugen op stoeptegels die ik nooit zou kennen. En al die tijd dat ik hem niet zag kon ik mij alleen maar voorstellen dat hij ergens verder leefde, terwijl ik vastzat in het hier en nu: dat zijn Zijn alleen voorstelbaar was vanuit mijn Zijn, maar dat je nooit met zekerheid kon zeggen of hij er nog echt was of alleen verder leefde in mijn idee van zijn leven. Bestond hij wel?

Snel gaf ik Job een kus op zijn wang en hij gaf een kus op mijn wang en ik gaf een kus op zijn wang en hij gaf weer een kus op mijn wang en ik draaide mij als eerste om.

'Maar wat vind je van hem?' vroeg Keizer. Ik schrok op uit mijn overpeinzingen en zag dat Keizer door het kralengordijn in de keuken naar Sander stond te gluren, die in de huiskamer zat.

'Het is niet helemaal mijn type,' zei ik, 'maar ik ben gelukkig als jij er gelukkig mee bent.'

Keizer trok zijn hoofd terug uit het kralengordijn.'Waarom betrek jij het geluk van anderen altijd zo op jezelf?' antwoordde hij giftig.

De verhouding van Keizer ten opzichte van de liefde was volgens Das gebaseerd op een 'neurologisch defect': door een oplopend aantal beschadigingen op relationeel vlak waren zijn reflexen en reactievermogens dusdanig aangetast dat hij niet meer in staat was verstandig te handelen waardoor hij zijn toevlucht zocht in gemakkelijke alternatieven en... – Das vond dus dat Keizer zich als een hoer gedroeg. Ik kon hem geen ongelijk geven, want de laatste keer dat ik Keizer alleen thuis aantrof had hij zichzelf met een ontbloot bovenlijf en in een pastelkleurige panty voor de webcam geïnstalleerd voor een internetdate. 'Maar hij heeft een hele grote piemel,' had hij nog als excuus uitgebracht.

Geconcentreerd schonk ik de hete, zwarte koffie van de percolator in mijn *Ik heb recht op recht*-koffiemok die ik ooit gratis had meegekregen tijdens een studieoriëntatie van de rechtenfaculteit. In die tijd dacht ik nog dat mijn toekomst in de rechten lag, of in de antropologie, of in de Friese letterkunde.

'Waar heb je Sander eigenlijk ontmoet?' vroeg ik terwijl ik een slok nam.

Verveeld trok Keizer een stukje van zijn nagel. 'Wie heb ik waar ontmoet?'

'De liefde van je leven.' Ik wees naar Sander die op de gitaar van Das zat te tokkelen. Het klonk als een ingewikkeld inheems lied.

'DJ Paralysed, bedoel je,' antwoordde Keizer. 'Ik heb hem ontmoet bij de eerste hulp. Toen we Fladder wegbrachten zag ik hem staan. Ik moest op dat moment geestelijk gereanimeerd worden. Echt waar, Hazelnootje, het was verschrikkelijk.'

In de gang werd de badkamerdeur van het slot gedraaid en met een sporthanddoek om zijn nek en haar dat in lange natte slierten langs zijn gezicht hing, liep Das de keuken in. Alles wees erop dat hij gedoucht had, maar hij droeg nog altijd dezelfde zwarte onderbroek met de drie kleine gaatjes in zijn rechterbroekspijp en de rafelige zwarte sokken.

'Lekker opgefrist, Das?' vroeg ik en schoof het gordijn voor het keukenraam dicht.

'De douche was koud en er kwam bijna geen water uit,' zei Das en hij wierp een pissige blik richting Keizer. 'Die Sander van jou heeft het er goed van genomen.'

'Ik gun mijn gasten alleen het allerbeste,' antwoordde Keizer. 'Daar kun jij nog wat van leren.' Hij stak een sigaret op en keek enkele seconden loensend naar een punt ergens tussen Das en mij in.

'Wat deed Sander bij de eerste hulp?' vroeg ik uiteindelijk.

'O, daar werkt hij,' zei Keizer en schoot de gang in. Ik keek naar Das, maar die trok alleen zijn schouders op. In de hoop het een en ander opgehelderd te krijgen liep ik achter Keizer aan en plofte op het minst vuile stukje van de bank. Das volgde ons en ging in kleermakerszit op zijn vertrouwde plek in de bidet zitten, waar hij met chirurgische precisie een joint begon te draaien. Met vaste hand streek hij het vloeitje glad en de tip (waar Das altijd mijn oude treinkaartjes voor gebruikte) legde hij links, waarna hij de tabak van zijn blauwe *Gauloises* sigaret over de vloei verspreidde. Met de aansteker verhitte hij het hasjblokje tot het in stukjes afbrokkelde, draaide de vloei dicht en scheurde na het dichtlikken nog het laatste randje papier weg. Met het pootje van mijn oude bril stampte hij de joint goed aan, brandde nog een uitstekend randje bij de tip weg en stak hem aan.

Diep en tevreden inhaleerde Das de rook, precies zoals oom Gerbrand.

Ik trok mijn knieën op, leunde achterover op de bank, pakte de joint van Das aan en nam een paar flinke halen. Daarna draaide ik mij om en wreef met de achterkant van mijn hand de dauw voor het raam weg. Het rode licht van de straat scheen onze huiskamer binnen. Aan het einde van de straat schoven de hoerenlopers aan de huizen voorbij, zwarte schimmen in de avond. In een hoek van de kamer stond de tv op BBC's *Gardeners' World* – vaste prik op vrijdagavond – en tuinman Monty Don was zojuist begonnen met de sperziebonentest. Elke sperzieboon kon gecategoriseerd worden als 'crunchy', 'sweet' en 'spicy'. Hierna zou de *Antiques roadshow* beginnen. Tegenover mij had Keizer een kleffe hand op de knie van Sander gelegd. Als je niet beter wist dan zou je denken dat we een gezin waren.

Onder het traag uitblazen van de rook keek Das wazig in de verte en mompelde toen 'Sander.' Dat herhaalde hij nog een paar keer, 'Sander', alsof hij de naam voor de eerste keer hoorde. Daarna zei hij: 'Sander. Dat is toch gewoon een Nederlandse naam?'

Sander stopte met het tokkelen op zijn gitaar. 'Ik ben geadopteerd,' zei hij. 'Mijn ouders zijn Nederlands.'

Monty Don gaf een sperzieboon door aan een jurylid. Twee nul voor Crunchy.

'Sander vonden ze een mooie naam.'

'Maar het ís ook een mooie naam,' zei Keizer alsof hij het tegen een klein kind had. Hij aaide over het been van Sander.

'Vertel ons anders eens iets over je biologische ouders, Sander,' hoorde ik mijzelf zeggen.

Sander zette zijn gitaar naast de bank, staarde naar het plafond en zei: 'Mijn biologische ouders komen uit Nigeria.'

'Ik had ooit een Foster Parents-kindje uit Nigeria,' zei Keizer, 'maar ik heb hem opgezegd omdat hij zulke lelijke tekeningen maakte.'

Daar moesten we allemaal om lachen, behalve Sander. Hij pakte de gitaar van de grond en ging weer verder met tokkelen.

'Adoptie kwam al voor bij de Romeinen,' zei ik, 'dat was om de erfopvolging te regelen bij adoptiekeizers.'

'Wil je nou zeggen dat ik óók geadopteerd ben?' vroeg Keizer.

'Ik zeg toch niet dat jij een adoptiekeizer bent,' zei ik. 'Hazel het hertenjong. Of je haalt Stalin erbij. Of de Romeinen. Maar eigenlijk gaat dit allemaal over míj,' meende Keizer.

'Het gaat helemaal niet over jou. Wat ik wilde zeggen is, tenminste, dat ik eens op Wikipedia heb gelezen dat er in het Romeinse rijk niet genoeg nakomelingen waren waardoor vijf keizers achter elkaar zonen moesten adopteren. Die adoptiekeizers...'

'Praat je ook zo tegen Mark?' onderbrak Keizer me en hij stootte Sander aan. 'Dat is haar vriend. Hij doet iets met paarden.'

'Wás mijn vriend,' mompelde ik binnensmonds.

'Als je op deze manier tegen Mark praat dan snap ik heel goed dat hij bij je wil blijven,' zei Keizer, 'zelfs ik vind je zo aantrekkelijk.'

Das sloeg zijn boek open op een willekeurige bladzijde en zei: 'Adoptie is een interessante overweging.'

Met mijn beker koffie liep ik de keuken in. Ik had geen zin meer om over Mart te praten. Of aan hem te denken. Of op welke manier dan ook bij hem stil te staan. Maar Keizer leek over niets liever te praten. Met een ruk trok ik een broodje bapao kip-saté uit de koelkast, smeet het in de magnetron en draaide de knop op duizend watt en honderdtwintig seconden. Te lang en te heet, wist ik, maar ik wilde weleens kijken hoe ver ik kon gaan. In het met pizzaresten besmeurde magnetronraampje zag ik mijzelf weerspiegeld en daarachter, het steeds verder opbollende plastic zakje van de bapao. Snel draaide ik de knop op nul en nam het zakje uit de magnetron, dat opgelucht ineenzakte. Schrokkerig nam ik een hap van de bapao tot ik Keizer met een zalvende stem vanuit de woonkamer hoorde roepen: 'Poppedop! Kom je nog even op audiëntie bij de Keizer?'

Toen ik weer de huiskamer binnenliep hoorde ik Keizer zeggen: 'Mensen uit Afrika zijn heel ritmisch.' Hij legde zijn hand op de schouder van Sander. 'Ik had meteen door dat je het in je had toen ik je voor de eerste keer zag.'

'Je bedoelt op de eerste hulp?' informeerde ik terwijl ik nog een paar flinke halen van de joint nam.

Das keek op van zijn boek en vroeg: 'Maar Sander, je bent toch ook dj? Hoe combineer je dat?' Das kon soms ontzettend scherp zijn.

'Ik werk wat extra in de avonduurtjes,' antwoordde Sander.

'Ach lieverd, dat doen we hier toch allemaal,' zei Keizer en keek me strak aan. Ik blies de rook van de joint uit en propte het laatste restje bapao in mijn mond. Het zou niet lang duren voordat de begintune van de *Antiques roadshow* door onze huiskamer zou klinken.

'Ik moet gaan,' zei ik voor de tweede keer die dag. Ik trok mijn slippers en een capuchontrui aan, griste mijn portemonnee van tafel.

'Waar ga je heen?' riep Keizer mij na toen ik de trap afliep.

'Ik heb geen idee!' riep ik terug. Ik trok de voordeur open en liep de avond in.

Op de hoek van het Oudekerksplein hield ik stil en keek onder mijn capuchon omhoog. Verdoofd staarde ik naar de regendruppels die in het licht van de lantaarn naar beneden suisden. Eén voor één vielen ze kapot in mijn gezicht.

Sinds ik wakker was geworden kon ik die droom niet vergeten.

Al mijn dromen hadden de laatste tijd telkens hetzelfde patroon. Ik drijf in een zwemvest op mijn rug in het midden van een groot meer, mijn armen en benen gespreid en het begint te regenen. Vanaf de waterkant zwaait Jaris naar mij. Ik draai me om en zie op de bodem van het meer mijn ouders en Mensje in een roeibootje zitten. Ze gebaren me naar beneden te komen. Ik probeer de diepte in te zwemmen maar mijn zwemvest trekt me telkens weer omhoog. Dan duikt Jaris het water in, zwemt naar me toe, trekt de gespen van mijn zwemvest los en gebaart me hem te volgen naar de bodem van het meer. Naarmate we verder naar beneden zwemmen vervagen het roeibootje, mijn ouders en Mensje. Als Jaris en ik op de bodem staan zijn ze weg. We beginnen in de modder te graven. Er komt steeds meer aarde in mijn mond. De modder wordt almaar zwaarder. Dan kruipt Jaris in de bodem en verdwijnt in de grond. Ook ik zak weg in de bodem en mijn mond stroomt vol modder. Ik krijg bijna geen adem, en steeds haastiger zwem ik omhoog. Boven water spuug ik de aarde uit mijn mond. Aan de waterkant zie ik Jaris weer staan, hij zwaait naar me.

Hij heeft geen gezicht meer.

De droom deed me denken aan een tv-serie die Jaris en ik vroeger op zaterdagochtend hadden gekeken, *Under the mountain*. De serie draaide om een helderziende tweeling, een broer en een zus die precies wisten hoe je de binnenkant van de aarde moest bereiken. Die binnenkant bestond uit modder en slijm en de enige manier om eruit te ontsnappen was via de zeebodem omhoog te kruipen en door het water naar boven te zwemmen.

Ik kon me alleen nog maar flarden van die serie herinneren. Wekenlang hadden we er niet van kunnen slapen.

Rillend trok ik de capuchon strakker over mijn hoofd en liep richting Oudezijds Voorburgwal. Het begon harder te regenen. Toch ademden ook op deze koele dinsdagavond de kroegen en hoerenkasten met hun opengeslagen deuren die warme atmosfeer van gastvrijheid uit, en de stad gaf je altijd het gevoel dat je welkom was, zonder dat je er ook maar iets voor hoefde te doen. Ik trok een pakje sigaretten tevoorschijn, stak een sigaret op en liep richting de Stoofsteeg. Mijn hoofd was licht van de joint. Achter mij hoorde ik zware voetstappen en toen ik me omdraaide zag ik dat een man, gekleed in een zwart pak, achter mij liep. Toen hij zag dat ik naar hem keek bleef hij stilstaan. Het leek alsof de man mij volgde. Ik draaide me weer om en begon sneller te lopen. Toen ik de hoek om liep en de man niet meer zag haalde ik mijn telefoon uit mijn broekzak. Hij had uitgestaan sinds ik was gaan slapen en nu ik hem aanzette zag ik dat ik zeven gemiste oproepen had. Zes van Mart, één van mijn ouders en nul gemiste oproepen van Job. Daarop begon mijn telefoon zo hard te trillen dat ik hem bijna uit mijn handen liet vallen.

Mart.

Ik had Mart altijd op trilstand staan. Soms stopte ik de telefoon diep in mijn broekzak en dan gaf hij zo'n aangenaam tintelend gevoel tussen mijn benen dat ik de teleurstelling nauwelijks kon onderdrukken als ik die verwachtingsvolle stem van Mart aan de andere kant van de lijn hoorde. Zo ook nu.

'Ik was nét van plan je te bellen,' zei ik.

'Hoi,' zei Mart zacht. 'Hoe is het?'

Ik keek achterom of de man in het zwarte pak weer terug was, maar ik zag alleen maar een vrouw die achter het raam haar borsten met twee handen omhoog duwde.

'Het kan altijd beter,' antwoordde ik.

'Je nam de hele dag je telefoon niet op.'

'Dat zou kunnen.'

'Zet ze maar op stal,' riep Mart plotseling.

'Wat?' vroeg ik nog altijd half stoned van de joint.

'Ik had het tegen mijn vader,' fluisterde Mart, 'hij vroeg of ik de tuigpaarden...'

'Ja zeg, met wie praat je hier nou helemaal?' zei ik veel harder dan de bedoeling was. 'Sorry Mart,' zei ik er daarom meteen verontschuldigend achteraan.

Ik hoorde Mart kuchen, dat deed hij wel vaker als hij meerdere beslissingen tegelijkertijd moest nemen. 'Je had mij vannacht acht keer dezelfde sms gestuurd,' zei hij ten slotte, 'iets over de EHBO en dat ik een vinger in zijn keel moest stoppen.'

Ik bleef even stilstaan. 'Die sms had ik naar mijn moeder willen sturen.'

'Moest je moeder naar de EHBO?'

'Nee. Het ging over onze hond. Die heeft suiker.'

'Heeft Atlas suiker?'

'Daar gaat het nu niet om, Mart,' zei ik en liep richting de Live Porn Show Theatre. De uitbater leunde in de deuropening en staarde verveeld voor zich uit.

'Maar je begint er zelf over...'

Mart kon soms zo doorzeuren over futiliteiten. Ik wilde hem voorleggen of we niet beter uit elkaar konden gaan.

'Ik zie je bijna nooit meer,' zei Mart en ik hoorde hoe zijn stem brak.

Ik stak een sigaret op en knikte naar de uitbater: samen met Das en Keizer hadden we met hem een keer tomatensoep gegeten in de kroeg bij ons om de hoek. Sinds die tijd groetten we elkaar. Soms wist ik niet of hij mij nou groette omdat hij nog wist wie ik was of omdat ik hem aan tomatensoep deed denken.

'Je zegt niks,' zei Mart.

'Ik ben aan het nadenken,' zei ik en inhaleerde de rook van mijn sigaret, 'en ik kwam mijn buurman tegen. Hij vroeg of ik tomatensoep wilde.'

'Vind je het leuk als ik je eens kom opzoeken?' vroeg Mart. 'In Amsterdam. Na al die maanden heb ik nog steeds niet gezien hoe je daar woont.'

Geschrokken kuchte ik de rook van mijn sigaret uit en zei: 'Nee Mart, dat wil je niet.'

'Maar je hebt toch niks te verbergen?'

'Voor jou heb ik nog nooit iets verborgen gehouden. Maar het lijkt me gewoon niet...' Precies op dat moment kreeg ik een wisselgesprek. Job. Ik kon niet meer nadenken, áls ik al kon nadenken na die joint. Wat voor troep had Das er in godsnaam allemaal ingestopt?

'Het lijkt me gewoon geen goed idee,' zei ik harder tegen Mart. 'En ik heb een wissel. Het is mijn vader.'

'Denk er nog eens over na.'

'Doe ik,' zei ik en drukte snel het groen oplichtende knopje onder Job zijn naam in.

'Hé,' zei ik.

'Met Job,' hoorde ik een zware stem zeggen. 'Dus toch het goede nummer.' Ik voelde hoe mijn adem in mijn keel stokte, misschien maar voor een paar seconden. Ik dacht weer terug aan het moment dat Job vanochtend voor mij had gestaan, zijn hoofd voorovergebogen, de handen leunend op het stuur van mijn fiets, de vraag om vergeving die ik in zijn gezicht dacht te zien. Het leek alweer zo lang geleden, dat we samen waren geweest.

'Had je mijn nummer nog in je telefoon staan?' vroeg ik.

'Ja. Jij niet dan?'

'Nee, gewist,' loog ik. Ik wist niet waarom ik daarover loog. Het nummer van Job was zo ongeveer het enige nummer dat ik nog niet uit mijn telefoon had gewist.

'Ik zag in de trein dat je nog steeds dezelfde telefoon hebt.'

'Die Samsung ja.'

'Ja, ik herkende hem nog van vroeger.'

Job en ik belden nooit met elkaar. Het was een beangstigend idee dat zijn stem, de stem waar ik al die jaren naar verlangde en die bijna dagelijks door mijn hoofd spookte, plotseling tot leven kon worden gewekt, en in de zes jaar dat we elkaar niet hadden gezien had ik hem misschien maar één keer gesproken en drie keer een mail geschreven, maar het grootste deel van de tijd waande ik hem dood, misschien in de hoop dat het leven ons weer per ongeluk samen zou brengen. Zoals vannacht.

'Hoe voel je je?' vroeg Job.

'Wel oké, beetje moe.'

'Heb je nog geslapen vandaag?'

'Ja, maar ik werd wakker gemaakt door mijn huisgenoot. Problemen.'

'Die ene over wie je vertelde?'
'Ja.' Hoe meer tijd ertussen had gezeten, hoe zwaarder onze woorden leken te wegen. Er moest een dag komen dat we elkaar niks meer durfden te zeggen. Ik was gaan zitten op een houten bankje tegenover theater Casa Rosso, voor de gracht waar de eenden achter elkaar aan zwommen. Ze keken niet achterom maar zwommen gewoon maar door, alsof ze precies wisten waar ze heen moesten. Een enkeling verdween onder de brug. Langslopende toeristen gooiden stukken brood in het water en maakten foto's van de eenden, alsof het een attractie was. Ergens tussen die toeristen zag ik de man weer staan, de man met het zwarte pak. Ik kon hem nu duidelijker zien. Hij had een baard, een vuile huid en donkere, iets wijduitstaande, ogen die op mij gericht waren.

'Hazel?'

'Ja.'

'Ik belde,' zei Job en bleef voor een paar seconden stil. 'Nou ja, om te zeggen dat je niet zoveel... je bent, je bent toch niet zoveel veranderd als ik dacht.'

'Hoezo dacht je dat?' vroeg ik. 'Dat ik veranderd was.'

'Ik weet het niet. Na de laatste keer dat we elkaar hadden gezien was je gewoon anders. En ik dacht.'

'Waarom anders?'

'Dat weet je wel.'

'Misschien.'

'Maar ik vond het tof.'

'Wat?'

'Gewoon, om je weer te zien.'

'Ik vond het ook leuk.'

Net als vanochtend, nadat hij van me was weggelopen, stelde ik me voor hoe Job ergens anders verder leefde, en ik maakte me er een voorstelling van hoe hij voor me stond of liep terwijl hij met mij belde. Of hij nog steeds dezelfde gebleekte spijkerbroek droeg en het oude donkerblauwe jack met de opgespelde *Block Party* button, op welke manier hij zijn hand door zijn halflange haar haalde.

'Misschien,' zei ik, 'zien we elkaar nog eens. In de stad.'
'Ja. Misschien.'
'Amsterdam is niet zo groot. Als je erover nadenkt.'
'Ik zal naar je uitkijken.'
'Ik naar jou.'
Toen ik mijn mobiel wilde dichtklappen zag ik dat de naam van Mart nog altijd in mijn telefoonscherm stond. Ik had nooit begrepen hoe wisselgesprekken werkten. Ik drukte voorzichtig op het knopje onder Mart zijn naam. 'Hallo?'
'Ja, met mij. Mart.'
'Wil je nou zeggen dat je de hele tijd aan de telefoon hebt gehangen?'
'Ja.'
'Maar ik zei toch dat ik een wissel had?'
'Ik dacht dat je wel weer terug zou wisselen.'
'Deze keer niet, Mart,' zei ik en hing op.

Ik was opgestaan van het bankje en fluisterde de eenden gedag. Boven de daken bungelde nog altijd die kogelronde maan die ik ook vanuit mijn keukenraam had gezien.

Nergens was de hemel zo klein als in de stad.

De sterren waren er bleek, net als de gezichten van de mensen die er woonden.

Met de woorden van Job resonerend in mijn hoofd begon ik haastig tussen de drommen toeristen door te lopen, en ik durfde niet te kijken naar de vrouwen die in hun door blacklight verlichte lingerie voor de ramen met hun heupen draaiden. Ze keken me altijd zo beschuldigend aan alsof het mijn schuld was dat zij daar stonden, en in hun ogen kon je lezen dat vrouwen geen toeschouwers van zichzelf konden zijn, maar altijd objecten bleven. Of zoals mijn vader weleens zei: 'Een paard zet je toch ook niet op de tribune tijdens een dressuurwedstrijd?'

Ik liep maar gewoon een eind weg, als een hamster die in zo'n speelbal rondjes rent, opgesloten in een eindeloos gangenstelsel. Mijn slippers klepperden op de glimmende kinderkopjes van de brug. Toen ik de Kreupelsteeg in liep hoorde ik achter mij weer dezelfde zware voetstappen. Dit keer op misschien nog geen tien meter afstand. Ik begon harder te lopen. De voetstappen achter mij versnelden ook. Ik stelde mij voor hoe de man in het zwarte pak achter mij liep en zijn ogen op mijn rug liet rusten terwijl hij mij volgde. Hij had me herkend tussen de andere mensen. Net zoals ik hem net had herkend tussen de toeristen. Ik moest weten of hij het was.

Even voor de dildoshop bleef ik stilstaan, deed alsof ik iets in de etalage zag en keek daarna achterom. Ik staarde recht in de ogen van de man. Het was hem. Maar deze keer zag ik iets anders in de donkere ogen. Ik zag iets bekends. Geschrokken draaide ik mijn hoofd terug. Ik keek nog een keer achterom. Maar toen was hij al weg.

De eerste paar maanden dat ik in Amsterdam woonde liep ik altijd dezelfde route; van de Prins Hendrikkade naar de Martelaarsgracht, de Spuistraat, de Molsteeg, de Dam, de Kalverstraat en terug over de Nieuwezijds Voorburgwal de Spuistraat in. Alles nam ik in mij op. De scheefgeparkeerde fietsen in de donkere steeg, het met kauwgom beplakte tegelvlak voor het zebrapad, het wapperende zonnescherm boven het kleine Italiaanse restaurant op de hoek, de knipperende lantaarn die aan het einde van de straat een schokkerig oranje licht verspreidde, de wijnglazen die in evenwijdige rijen op de witte tafellakens stonden. Alles bekeek ik met een vreemd soort nauwkeurigheid, alsof er niets was wat mij mocht ontgaan, omdat ik in alles een aanwijzing zocht voor wat ik ooit over het hoofd had gezien en teruggedraaid moest worden.

Het waren de straten waarvan ik wist dat Jaris er ooit was geweest.

Meer dan vijf jaar geleden had hij in Amsterdam geleefd en hier rondgelopen om dezelfde dingen te zien die ik nu vele jaren later weer terugzag. Soms stelde ik me voor aan welke kant van de straat hij had gelopen en op welke etalageruit hij misschien voor een paar seconden zijn hand had neergelegd en op welke hoek van de straat hij stil was blijven staan om te voelen waar de wind vandaan kwam. Omdat ik wist dat Jaris dat deed.

Het was gestopt met regenen. De avond hing over mijn schouders als een veel te grote oude jas, muffig en bekend. Ik had de Wallen achter mij gelaten en stond in de Spuistraat voor het *Anna Youth Hostel.* In de tijd dat Jaris nog in Amsterdam woonde, was dit de plek waar hij maandenlang had geslapen. Vaak hing ik er wat voor de deur, misschien in de hoop dat hij zomaar naar buiten zou stappen.

De deur van het hostel stond open. Boven de receptie hing een paarse lamp, die een broeierig licht gaf. Een paar jongens kwamen naar buiten gelopen. Ze droegen afgezakte spijkerbroeken en de rugzakken op hun schouders verraadden dat ze wilden vertrekken of misschien wel net waren aangekomen. Een jongen kwam op mij af. Hij had een hoekig gezicht met donker haar en een brede mond. Afwezig ritste ik mijn capuchontrui los en haalde een hand door mijn haar. Ik wist niet waarom, maar op dat moment dacht ik aan Heidegger. Op de vreemdste momenten schoot die gekke oude Duitse filosoof door mijn hoofd, als zo'n alwetende verteller in een Amerikaanse speelfilm (dat Heidegger uiteindelijk een overtuigd aanhanger van het nationaalsocialisme bleek te zijn liet ik voor het gemak even buiten beschouwing). Ditmaal hoorde ik Heidegger zeggen dat we allemaal onderdeel waren van een groter spel, dat we ons in het spel moesten voegen. Maar niet zonder ons bewust te zijn van de situatie waarin we verkeerden, het was onze taak de situatie te doorzien en deze naar eigen hand te zetten, omdat we alleen op die manier het spel konden meespelen. Dus toen de jongen losjes zijn handen in zijn broekzakken stak en als in slow motion op mij af kwam probeerde ik een strategie te bedenken. Want al stond ik op mijn slippers, was mijn trui doorweekt van de regen en zat er – gadverdamme – een ranzige vlek van de bapao op mijn mouw: was ik het verlei-

99

delijke object of alleen maar de toeschouwer?

'Weet jij waar de Bulldog coffeeshop is?' vroeg de jongen. Onder zijn T-shirt schemerde een gespierd en breed lichaam door.

Alsof ik het vooraf bedacht had hoorde ik mijzelf zeggen: 'Ik denk dat ik je wel kan vertellen waar dat is.'

We zaten aan een grote tafel in The Bulldog en keken uit over de neonlichten en de krioelende mensen op het Leidseplein. Buiten stond een cirkel van mensen om een man heen die eindeloos een voetbal op zijn hoofd liet stuiteren. Het was weer gaan regenen.

De jongen van het hostel heette Gavin, zoals hij zich op weg naar de coffeeshop had voorgesteld en hij kwam uit Australië. Zijn lichaam schoof steeds dichter naar me toe. Onze knieën raakten elkaar, precies zoals Job en ik elkaar in de trein hadden aangeraakt. Ik zag Job weer voorzichtig met zijn vingers de uitgelopen mascara onder mijn linkeroog wegwrijven. En daarna met zijn handen leunend op mijn fiets, zijn hoofd voorovergebogen. Hoe hij zich van me had weggedraaid, en toen niets meer.

Gavin legde zijn hand op mijn arm en ik keek er langdurig naar, alsof ik er plotseling niet zeker van was wie de eigenaar van die hand was, of het de hand van Job was, of die van Jaris, of misschien wel gewoon mijn eigen hand, maar dat ik was vergeten dat ik hem daar had neergelegd.

'Wil je wat drinken?' vroeg Gavin.

Ik knikte.

Op het televisiescherm, hangend voor de grote glimmende ramen waar de regen op stuksloeg, was de geanimeerde videoclip Young Folks van Peter, Bjorn en John te zien. De jongen in de clip zong: 'If I told you things I did before, told you how I used to be, would you go along with someone like me.' Het meisje keek hem alleen maar aan.

We waren met z'n tweeën overgebleven. De stoelen waar de

Australische vrienden van Gavin net nog op hadden gezeten waren leeg. Over een van de stoelen hing nog een trui van iemand die hem was vergeten mee te nemen. De asbakken zaten vol met uitgedrukte joints. Ik keek hoe Gavin het geld aan de barman gaf en weer naar mij terugliep.

'It doesn't matter what we do, where we are going to, we can stick around and see this night through.'

Gavin kwam weer naast mij zitten, wat dichterbij dan daarvoor. Ik voelde hoe onze knieën elkaar opnieuw aanraakten. Hij legde zijn hand op mijn blote bovenbeen, onder mijn rokje, en steeds verder omhoog. Ik stelde me voor dat we in een trein zaten die traag op gang kwam. Dat we de stad achter ons lieten en alleen nog de donkere weilanden konden zien.

De hand schoof mijn slipje opzij en bleef daar roerloos liggen.

DAAR WAS IK AL

Hoewel ik papa mijn erewoord had gegeven en met spuug tussen mijn duim en middelvinger had gezworen op tijd thuis te zijn, zit ik nog steeds gehurkt in het hoge gras en staar naar de bontgekleurde shetlandpony die ik zojuist in het weiland heb losgelaten.

Als hij niet omkijkt is hij me vergeten.

Als hij wel omkijkt dan denkt hij aan me.

Net zoals ik nooit op de even tegels mag lopen omdat het ongeluk brengt, mag ik ook nooit het weiland uit lopen zonder dat ik weet of mijn verzorgpony Roald nog één keer naar me heeft omgekeken, als bewijs dat ik belangrijk voor hem ben. Halverwege het land blijft hij stilstaan. Zijn hoeven verdwijnen in de modderige poldergrond. Hij knikt heftig met zijn hoofd naar de lucht, alsof hij iets duidelijk wil maken aan de schapenwolken die in stapels boven hem hangen. Ik kijk hem strak aan, precies op de manier zoals ik ook weleens doe bij mama als ze met haar vriendinnen zit te praten en ik wil dat ze naar mij kijkt. Ik wacht net zolang tot de fietser op de dijk de boerderij passeert en de vier hazen in het naastgelegen land voor een tractor uit over de sloot springen.

Zonder om te kijken loop ik het land uit.

Ik probeer er niet aan te denken dat Jaris vandaag gaat verhuizen en hij vanaf vanavond voor altijd in een vreemd bed zal slapen, ergens in een studentenhuis ver bij ons vandaan. Vanochtend had Jaris heel lang naar Atlas zitten kijken en toen ik hem vroeg wat hij van alles in huis het meest zou gaan missen had hij eerst Atlas' kop met beide handen vastgepakt en daarna heel hard over mijn hoofd gewreven. Met mijn fiets in de hand loop ik het erf af. Aan het einde van het grindpad heeft de boer een draad gespannen waarlangs hij de koeien één voor één de stal binnenjaagt omdat ze straks gemolken moeten worden. Ik fluister de koeien gedag.

Waarschijnlijk heeft het gewoon iets te maken met natuurwetten waar meester Bert in de klas weleens over heeft verteld, of met een bepaalde luchtstroom waarvan ik nu even niet op de naam kan komen, maar altijd als ik de Polderweg op rijd is de wind gedraaid. Tegenwind. Ik probeer me voor te stellen hoe ik me achteruit zou laten blazen en achteruit zou blijven trappen tot de wind ging liggen. Er zouden ook andere mensen zijn die achteruit fietsten – de andere achteruitfietsers – en iedereen zou elkaar achterstevoren groeten en in omgekeerde volgorde gedag zeggen en onze haren zouden altijd de verkeerde kant uit waaien. Maar heb ik papa vanochtend niet mijn erewoord gegeven? Harder trap ik tegen de wind in. Achter op mijn fiets rammelt het kistje met de rosborstels. Voorbij de vierde boerderij ga ik boven op mijn trappers staan om te zien hoe het veulen van de stille boer bij het bruggetje erbij staat. Vanuit een kaal stuk land kijkt een groep zwart-witte schapen me aan.

Als ik denk aan de lege slaapkamer van Jaris en bij wie ik straks mijn briefjes in ons geheimschrift onder de deur moet doorschuiven, krijg ik buikpijn. Ik probeer aan iets anders te denken – de truc waarbij ik Koba op de rug van Atlas door de tuin laat rijden of het ondergrondse gangenstelsel in de berm achter onze school – maar telkens zie ik vreemd genoeg de groep zwart-witte schapen in de lege kamer van Jaris staan.

Met mijn armen leun ik op mijn stuur.

De zon komt af en toe achter de wolken vandaan. Papa heeft me eens verteld dat het licht zo scherp is omdat er extreem veel water in onze lucht zit. 'Dat heet Hollands licht,' had hij gezegd en in een kunstboek twee prenten laten zien van zeventiendeeeuwse schilders. Die wisten al dat het Hollandse licht anders is dan al het andere licht op de hele wereld. Papa had de wolken en het zonlicht op de schilderijen aangewezen, maar ik keek telkens weg uit het raam, omdat ik dacht dat je het daar ook wel kon zien.

Ik knijp mijn ogen bijna dicht en weet waar ik ben, want ik hoor de herdershond bij de bloembollenkwekerij al vanaf hier blaffen en de ganzen vliegen zoals altijd rakelings langs het heksenhuisje aan het einde van de polderweg. In de verte liggen de nieuwbouwwijken van Heerhugowaard.

Als ik door de bijkeuken naar binnen stamp zegt mama: 'Wat heb je vieze laarzen aan.' Ze hangt de witte was op.

'Sorry?' zeg ik en draai de zolen van mijn paardrijlaarzen om: dikke plakken modder komen tevoorschijn.

'Je hoort me wel.'

Ik snuif de geur van wasmiddel op als ik tussen papa's witte onderbroeken onder de waslijn doorloop, ga op de drempel in de deuropening zitten, en trek met beide handen de rubberen paardrijlaarzen uit. Als ik op mijn geitenwollen sokken de huiskamer binnenloop laat ik een spoor van stro achter en mama pulkt één voor één de sprieten van mijn sokken waarna ze met een hoop geraas de keukenvloer met de kruimeldief te lijf gaat, alsof ze met een metaaldetector naar goud zoekt. Mama heeft weleens gezegd dat ze ontzettend veel om de natuur geeft, maar toen zei ze er niet bij dat ze de natuur ook het liefst buiten de deur houdt waarmee ze dus eigenlijk niet écht van de natuur houdt, als je het mij vraagt. Bij de voordeur staan tassen en kartonnen dozen in grote stapels. Op een van die dozen ligt het boek *De geschiedenis der menschheid van de oudste tijden tot heden* en het Herman Brood-shirt. In de schommelstoel voor het grote raam zit Jaris.

Sinds de keer dat Jaris en ik samen naar het meer waren geweest om te surfen en hij in die onweersbui terecht was gekomen, zit hij wel vaker zo stil op de schommelstoel. Dan staart hij naar de berk in onze voortuin en aait hij Atlas afwezig over zijn kop. Ik weet dat de wereld dan rondjes in zijn hoofd draait. 'Kijk eens wie we daar hebben,' zegt papa die met een bezweet hoofd en drie plastic tassen onder zijn arm de voordeur met zijn voet openduwt.

'Daar was ik al,' zeg ik en pluk nog wat stro van mijn mouw. Papa drukt de tassen in mijn armen en zegt dat ik alvast in de auto moet gaan zitten. 'En neem deze voor je broer mee,' met een schuin oog kijkt hij naar Jaris, 'want die denkt dat alles vanzelf gaat.'

'Ze ruikt,' hoor ik mama boven het geratel van de handstofzuiger roepen. 'Ze ruikt, Her.'

Ik haal mijn schouders op.

'Dat kind ruikt altíjd naar de beesten,' roept papa terug en fluistert dan: 'Paarden?' Net als Atlas ook graag de geur van andere beesten ruikt, begint papa aan mijn haar te snuffelen en ik zeg hem dat het misschien wel beter is als ik mij omkleed en razendsnel ren ik de trap op naar mijn slaapkamer waar ik stokstijf op de gehaakte sprei van mijn bed blijf liggen. Als ik hier maar lang genoeg blijf zal Jaris vanzelf wel naar mij toekomen en dan kan ik hem uitleggen waarom het zo'n vreselijk stom plan is dat hij naar Groningen verhuist. Misschien zet hij wel net als de vorige keer mijn Vikinghelm op en doet hij zijn Stalin-imitatie tijdens de revolutie nog eens voor waarbij hij door mijn slaapkamer marcheert en van zijn vingers een snor maakt. Maar na tien minuten is Jaris er nog steeds niet. Ik sta op van bed, trek mijn spijkerbroek óver mijn paardrijbroek aan, omdat ik geen zin heb om hem uit te trekken. Ik pak De kleine Bosatlas uit mijn boekenkast en sla hem open op de kaart van Nederland. Ik leg een liniaal dwars over de pagina en meet de afstand tussen Heerhugowaard en Groningen. Tweeëntwintig komma vier centimeter. Het midden ligt op elf komma twee centimeter. Omdat ik het van mijzelf niet mag vergeten, teken ik alles na op een groot vel wit papier.

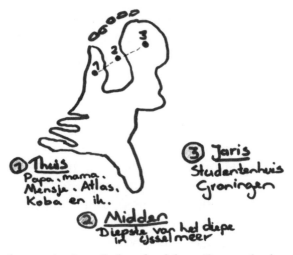

Met het papier in mijn broekzak loop ik naar de slaapkamer van Jaris en open de deur die op een kier staat.

Op de plek waar eerst de poster van Pamela Anderson hing, steken nog drie rode punaises in de muur. Zijn bureau is weg, net als alle boeken en zijn bed. Het scharnier piept van het raam dat op een kier staat. Zoals altijd loop ik als eerste naar de gordijnen waarachter het stuk behang met de marsmannetjes verborgen zit. Met mijn wijsvinger druk ik op een van de mannetjes om te zien of hij in beweging komt.

Iedereen gaat mee in de auto op weg naar Groningen: Papa, Mama, Mensje, Jaris. Zelfs Atlas gaat mee. 'Gaat oom Gerbrand ook mee?' vraag ik.

'Wat heeft dat kind toch met je broer?' zegt papa gesmoord en kijkt opzij naar mama die zoals altijd met de radio zit mee te neuriën en haar lippen koraalrood stift, dezelfde kleur als van de ketting die boven haar opmaaktafel hangt. 'Oom Gerbrand gaat niet mee, lieverd,' zegt mama via het spiegeltje boven haar hoofd.

Ik draai me om. 'Oké,' antwoord ik. Met mijn kin steunend op mijn armen kijk ik door het achterraam naar buiten, naar onze Kwik-Fit-aanhanger die achter de auto slingert en is volgestouwd met dozen en kasten. De rolstoel zit er met een koord bovenop gebonden.

Als de aanhanger over de middenstreep gaat dan komt Jaris nooit meer terug.

Als de aanhanger niet over de middenstreep gaat blijft hij voor altijd bij ons.

We rijden over de Afsluitdijk – nee, we vlíégen over de Afsluitdijk! – en Atlas blaft naar de meeuwen die tegen de wind in om de auto cirkelen en naar het water van het IJsselmeer dat in grote wit schuimende vlokken tegen de rotsen beukt. In mijn broekzak voel ik de tekening weer zitten. Ik vraag me af of we nu al bij het middenpunt zijn. Vanaf de hoge dijk staar ik in het water; er is geen verschil te zien tussen het grijze meer en de lucht erboven en ik wil weten wat de afstand is tussen de wolken en de bodem van het meer. Bestaat er een naam voor alles wat daar tussenin zit? Ik wil het iemand vragen maar Mensje vult een kruiswoordpuzzel in en Jaris luistert naar zijn walkman terwijl hij één voor één zijn sigaretten telt. De laatste weken rookt Jaris gewoon waar iedereen bij is. Aan het begin van de zomervakantie was mama erachter gekomen dat Jaris ook joints rookt met Marie Joewana en iedereen was verontrust geweest omdat het je gedachten laat verdwalen in het gangenstelsel van je hoofd. Papa had alle joints op de composthoop gegooid en in de fik gestoken waardoor de tuin net zo zoet rook als op onze verjaardag, toen Jaris en zijn vrienden stiekem achter het nieuwe surfzeil hadden staan roken.

Ik leg mijn hand op Jaris' schouder en voel zijn oude wollen trui tegen mijn hand kriebelen. Soms mag ik die trui lenen omdat ik dan een beetje op Jaris lijk.

'Denk je dat we nu precies in het midden zijn?' vraag ik.

Jaris trekt zijn walkman van zijn hoofd. 'Wat?'

'Ik vroeg me af of de dijk het midden is tussen...?'

'Dat weet ik niet,' zegt Jaris. Maar als hij zich weer wil omdraaien, vraag ik snel: 'Wat voor muziek luister je?'

'Grunge. Nirvana.'

'Wat betekent dat?'

'Nirvana?'

'Ja.'

'De hemel. Of verlossing.'

'Dat vind ik raar.'

'Ze zijn juist heel goed,' zegt Jaris. 'Luister maar.' Hij zet de walkman op mijn hoofd. En terwijl onze auto over de Afsluitdijk raast, de golven steeds harder op de rotsen beuken, luister ik naar de schorre stem die zingt: 'Rape me again. I'm not the only one. Hate me, do it and do it again. Waste me, rape me my friend. Rape me, rape me my friend, rape me.' Ik luister het liedje helemaal af en druk dan op stop. 'Ik vind het heel gaaf,' zeg ik. 'Waar gaat het over?'

'Over dat iemand zo ongelukkig is dat hij...' Jaris wacht even, 'dat hij wel verkracht zou willen worden.'

Papa kucht.

'Verkracht?' vraag ik. 'Waarom verkracht?'

'Jaris, ik denk niet dat dit een geschikt onderwerp is voor je twaalfjarige zusje,' zegt papa.

Ik weet wel wat verkrachten is. Het was ook eens achter onze school gebeurd met het nichtje van de jongen van de manege en toen hadden ze haar broek helemaal opengescheurd zodat ze in haar onderbroek naar huis moest lopen.

'Het is meer een symbolische verkrachting. Hij wil het niet écht maar is zo teleurgesteld in alles dat het hem niet meer uitmaakt wat iemand van hem vindt. Hij wil gehaat worden omdat hij...'

'Jaris,' zegt papa.

'Waarin is hij dan teleurgesteld?' vraag ik.

'Gewoon in het leven en –'

'Jaris.'

'En hij wil nog liever de stinkende open wonden van iemand anders kussen dan zijn eigen pijn voelen. De zanger Kurt Cobain haat –...'

'Jaris.'

'Hij haat het dat hij niet het leven heeft dat hij wil. Echt, hij wil nog liever verkracht worden dan –'

'Jaris!' Met een volle vuist slaat papa op het stuur, waarop de auto begint te toeteren. 'Dit wordt níét binnen de muren van ons huis besproken!'

Iedereen schrikt op en Atlas begint te piepen en ik wil fluisteren dat we helemaal niet thuis zijn, en uit de autoradio hoor ik de krakerige stem die ons zegt om te keren en voor altijd naar huis te gaan.

'Waarom heeft Hazel er niet het recht op te weten hoe de wereld in elkaar zit?' schreeuwt Jaris, 'waarom mag ik niet de waarheid vertellen? Moet ik dan tegen haar liegen en doodzwijgen dat we in een... in een zieke wereld leven?'

'Als het even kan wel, ja,' brult papa. 'Alsjeblieft dankjewel!'

'Willen jullie soms dat ik tegen haar líég?'

Mama draait zich om en zegt: 'Wij willen alleen niet dat je met je zusje van twaalf...'

'Krijg toch de tyfus,' mompelt Jaris en kijkt uit het raam.

'We willen gewoon niet,' zegt mama met zachte stem, 'dat je met Hazel verkrachtingszaken bespreekt.'

Jaris trekt de walkman naar zich toe en roept: 'Het is een symbolische verkrachting! En ze komt er toch wel achter!'

'Nou, laten we hopen van niet,' zegt mama peinzend.

'Waar kom je toch wel achter?' fluistert Mensje in mijn oor maar ik maak het geheime gebaar dat ze niks mag zeggen door twee keer met mijn ogen te knipperen en mijn vinger langs mijn neus te leggen.

'Het kind ruikt nog naar paarden,' schreeuwt papa en draait zich plotseling razendsnel om in zijn stoel. 'Ze ruikt nog naar de paarden. Wat moet zíj dan met jóúw zieke wereld?'

Als de auto begint te slingeren legt mama een hand op papa's arm en fluistert: 'Let even op de weg, Her.'

'Misschien is het maar beter dat je in Groningen gaat wonen,' zegt papa ten slotte maar ik weet dat hij dat niet meent.

Jaris zet zonder iets te zeggen zijn walkman op zijn hoofd en de donkere wolken komen weer zijn ogen binnendrijven. Doodstil rijden we de Afsluitdijk af. Ik ben vergeten te kijken of de aanhanger over de middenstreep is gegaan.

Toen ik vlak voor ons vertrek in Jaris' slaapkamer had gestaan en mijn vinger op het marsmannetje had gedrukt om te zien of hij in beweging kwam, hoorde ik gekraak bij de vierde tree. Omdat ik weet dat mama de vierde trede altijd overslaat en bij papa bijna alle treden kraken, moest het Jaris zijn. Er was niet genoeg tijd om naar mijn eigen kamer te vluchten maar ik had ook geen zin om Jaris uit te leggen wat ik in zijn kamer deed, dus verstopte ik me achter het gordijn.

'Waarom sta je daar?' vroeg hij toen hij de kamer binnenliep. Hij trok het gordijn weg.

'Ik weet het niet,' fluisterde ik en zette mijn bril recht. Van beneden hoorden we mama roepen.

'We moeten gaan,' zei Jaris, 'ik moest je komen halen.'

'Ik heb uitgerekend dat het IJsselmeer het middenpunt is. Het ligt op elf komma twee centimeter.'

'Het middenpunt van wat?'

Ik viste het kaartje dat ik net had getekend uit mijn broekzak en nadat Jaris het nauwkeurig had bestudeerd zei hij: 'Je bent de Afsluitdijk vergeten.' Hij hield de tekening voor mijn neus.

'Ships.'

'Als je over de Afsluitdijk gaat, dan ben je binnen een paar uur in Groningen. Dat is de relatieve afstand.'

'Maar wat is dan de échte afstand?'

'Ja, die loopt door het water maar...'

'Waarom moet je dan de relatieve afstand weten, als ik weet wat de echte is?'

'Om het beter te begrijpen.'

'Ik begrijp het zo ook wel,' zei ik, 'dat je liever niet bij ons woont.' Meteen had ik al spijt van wat ik had gezegd en ik zou willen dat ik tot tien had geteld en dat Jaris op dat moment niet zonder iets te zeggen in kleermakerszit op de bruinwollen vloerbedekking op de grond ging zitten en weer naar de berk voor ons huis staarde. Ik had Jaris liever willen vragen of afstand net zo snel kon bewegen als de wind in de berk, of als het licht in het universum. Als van een tweeling de broer in een raket stapt en met een hoge lichtsnelheid naar een verre ster en weer terug reist, dan komt hij jonger thuis dan zijn tweelingzus die op aarde is gebleven, had Jaris mij eens uitgelegd.

'Ik zou gewoon niet gaan als je geen zin hebt,' zei ik toen ik naast hem ging zitten en mijn hoofd op zijn schouder legde.

'Zo makkelijk werkt dat niet.'

'Atlas doet ook nooit iets tegen zijn zin.'

'Dat is een hond.' Dan haalt Jaris zijn schouders op. 'Die weet niet dat je moet meegaan met het systeem.'

'Wat is een systeem?'

'Het systeem verwacht dat ik in Groningen geschiedenis ga studeren. Dan moet je dat doen, ook als je daar geen zin in hebt.'

'Dus het systeem bedenkt voor je wat je moet doen?'

'Ja, zoiets. Het zegt hoe laat je thuis moet zijn en wat de regels zijn waaraan je je moet houden.'

'Dus als ik te laat thuis ben van het paardrijden...?'

'Dan ben je feitelijk een anarchist.'

'Een wát?'

'Een anarchist. Iemand die niet meedoet met het systeem. Het anarchisme kent geen wetten.'

'Dan ben ik dus een anarchist,' mompelde ik. Ik dacht eraan hoe papa mij had aangekeken toen ik te laat de huiskamer binnenliep en hij met de plastic tassen onder zijn arm in de deuropening stond. Jaris wreef met zijn hand door mijn haar en lachte: 'Ouwe anarchist.'

Geïrriteerd duwde ik zijn hand weg en zei: 'Maar ik ben niet per se tegen het systeem.'

Onder aan de trap hoorden we mama roepen. Ik twijfelde wat ik moest doen want als ik opstond bewees ik Jaris dat hij zich aan de regels moest houden en dus naar Groningen moest verhuizen om te studeren, maar als ik bleef zitten dan bewees ik tegen het systeem te zijn, terwijl ik nog niet eens zeker wist of ik een anarchist wilde zijn. Daarom zei ik: 'Voordat je weggaat moet je nog een laatste truc doen.' Soms deed Jaris nog weleens zijn Tommy Wonder-goocheltrucs als ik erom vroeg, zoals die met de speelkaart waar ik mijn naam op moest schrijven om hem vervolgens tussen de stapel uit zijn mouw tevoorschijn te trekken.

'Ik weet nog wel iets maar het is niet echt een truc,' zei Jaris en hij pakte mijn hand vast. Toen hield hij zijn wijsvinger omhoog en zei: 'Knijp eens zo hard als je kunt in mijn vinger.' En meteen erachteraan: 'Niet vragen waarom.' Ik kneep zo hard tot mijn knokkels wit werden. Daarna trok Jaris zijn wijsvinger weg. Hij zei dat ik mijn hand niet mocht bewegen en blies aan de bovenkant van mijn vuist, door de opening waar eerst zijn vinger had gezeten, zacht zijn warme adem. 'Dit is de wind,' zei hij. Ik moest mijn hand voorzichtig openen. Er zat bijna geen kracht meer in mijn vingers en alles tintelde. Het was alsof ik er heel lang op had gezeten en het niet langer mijn eigen hand was, maar de hand van iemand anders.

'Wat was dat?' vroeg ik toen ik mijn vingers losschudde.

'Dat leg ik nog weleens uit.' Jaris stond op van de grond. 'Maar nu moeten we gaan.'

We rijden Groningen in. Ik krijg het gevoel dat ik dit al eerder heb meegemaakt, maar ik weet dat dit niet echt is maar gewoon een déjà vu, een soort goocheltruc van je hersens. Sinds ik weet dat het déjà vu bestaat heb ik er al negen ontdekt waarvan zeven echte en twee waarvan ik het niet helemaal zeker weet. Ik probeer al mijn déjà vu's te onthouden omdat het volgens mij toekomstvoorspellers zijn: als je ze allemaal achter elkaar in een filmpje zou laten afspelen dan kom je er vanzelf achter hoeveel huisdieren je ooit krijgt, hoe oud je wordt en wat je geheime superkrachten zijn. Maar soms probeer ik de toekomst ook op andere manieren te voorspellen, bijvoorbeeld door vakantiefolders nauwkeurig te bestuderen zodat ik precies weet waar we heengaan of, zoals ik in de afgelopen weken had gedaan, door samen met Jaris de plattegrond van Groningen in het boekje *Groningen mijn studentenstad* uit mijn hoofd te leren. Ik wist alleen niet dat ik er liever niet wilde zijn.

Zelfs als ik op mijn rug op de achterbank ga liggen en met mijn voeten op de schouders van Mensje steun, kan ik nog altijd de hoogste etage van de studentenflat niet zien. Wel zie ik vanuit de verte, wanneer papa met één hand aan het stuur draait en de auto loodrecht voor de ingang parkeert, een paar jongens op ons aflopen. Ze wijzen naar de rolstoel op onze aanhanger. Bij de ingang staat een oude bank en een winkelwagentje waar blikjes bier en opgestapelde vuilniszakken in liggen. Wanneer ik beter kijk, zie ik dat er een dode vogel onder ligt. 'Een merel of een kauwtje,' zegt papa opgewonden, 'maar helemaal zeker weten doe ik het niet.'

'Op welke verdieping zit jij?' vraag ik Jaris en wijs omhoog.

Jaris kucht een paar keer, waarschijnlijk omdat hij al bijna een uur niks heeft gezegd, en antwoordt: 'Op de zesde.'

'Je geluksgetal.'

Hij knikt.

We nemen allemaal een tas mee en papa een grote bruinleren koffer die ooit van opa is geweest en samen staan we in de oude lift waar een sticker 'Bij nood Ete Snoecks 0501001832 bellen' is geplakt. Atlas blaft tussen de spaken van Mensjes rolstoel door. Krakend komt de lift in beweging. De lift ruikt naar mama's luchtje Bluebell van Penhaligon's, maar ook naar de rokerige adem van Jaris. Ik heb zin om op alle knoppen te drukken, zodat we hier voor altijd moeten blijven. Bij etage 3 blijft de lift hangen.

'Zijn we niet te zwaar beladen?' vraagt Mensje die in het

midden staat. Haar gezicht is bijna niet te zien door de grote tassen die op haar schoot gestapeld zijn. Ze draagt altijd alles omdat ze toch wel zit.

'Dit zijn stevige jongens hoor,' zegt papa en geeft met zijn vlakke hand een paar klappen tegen de stalen wand van de lift, 'hier kan met gemak vijfhonderd kilo in.' Om te bewijzen dat de lift met gemak vijfhonderd kilo kan houden springt papa met de koffer op en neer, zo ongeveer als de bruine padden die ik vanochtend uit de sloot bij Roald had zien springen.

'Alsjeblieft Her, straks storten we neer,' zegt mama paniekerig.

Hoeveel seconden zou het duren voordat onze lift op de bodem zou storten? Zouden onze haren dan omhoog bewegen of naar beneden? Zou ik mijn ogen openhouden of juist dicht?

Ik pak Jaris' arm beet. 'Moet je vanaf nu elke dag met de lift?'

'Yes,' zegt hij.

'Ik vind het doodeng,' zegt mama.

Dan komt de lift weer in beweging. Bij de zesde verdieping stappen we uit.

De kamer is smal en er zit een heel kleine wasbak in waar Jaris vanavond zijn tanden kan poetsen.

'Mooi hè?' zegt Jaris trots als we in de deuropening staan.

'Schitterend knul,' zegt papa en hij omarmt Jaris alsof hij niet een uur geleden nog ongelofelijk boos op hem was geworden. Ik ga op de koude grond zitten en aai met mijn hand over het grijze zeil dat ik herken uit het ziekenhuis van Mensje. Voor het raam staan geen bomen en er zijn geen merels die tussen de bladeren zitten en die je van de ene naar de andere tak ziet overwippen. Er is alleen maar een vliegtuig dat in de verte bijna onzichtbaar voorbijvliegt.

'Het is een mooie ruimte,' zeg ik omdat ik weet dat oom Gerbrand dat ook weleens zegt als hij iets lelijk vindt. Jaris trekt zijn wenkbrauwen op.

'Waar kan ik hier naar de wc?' vraagt Mensje.

'Kun je dat niet ophouden?' zegt mama.

Papa hangt met beide armen aan de steunbalk van het plafond en zegt: 'Het is alsof ze het opspaart.'

'Het overkomt me gewoon,' mompelt Mensje voor zich uit.

Zolang als ik me kan herinneren komt het papa en mama niet goed uit als Mensje naar de wc moet, misschien omdat ze bijna nooit ergens een invalidentoilet hebben of ze gebruiken het als een soort bezemhok waar Mensje tussen de dweilen en emmers moet plassen.

'De wc zit op het einde van de gang, naast de keuken,' zegt Jaris op een toon alsof hij hier al jaren woont. Als mama en Mensje de kamer uit rijden sta ik op en loop naar het raam. Balancerend op mijn tenen staar ik naar beneden.

Ik zet een stap achteruit. 'Hoe hoog is het hier?'

Jaris pakt de boeken uit de bruinleren koffer. 'Weet ik niet,' zegt hij, 'misschien veertig meter?'

Geschrokken kijk ik de diepte in en ik zie ineens weer het meer voor me waar de vissen levenloos op de bodem drijven en de onderwaterplanten zonder bloemen naar adem snakken en waar al het licht verdwenen is. Dan loop ik weg van het raam.

Ik ren door de donkere gang en hoor mijn voetstappen echoën. Ik zoek naar mama en Mensje maar ik kan ze nergens vinden. Als plotseling een deur openzwaait blijf ik stilstaan. Een jongen op badslippers, met zijn hand in zijn onderbroek loopt naar buiten. Hij draagt een cowboyhoed met een grappig veertje aan de zijkant.

'Ook hallo,' zegt hij.

'Ook hallo,' zeg ik.

Hij bekijkt me van top tot teen en ik bekijk hem ook van top tot teen. Geeuwend blijft hij voor me staan. Als ik me om wil draaien zie ik een naakte vrouw door zijn kamer lopen. Ze heeft lang bruin haar dat warrig om haar gezicht valt en donkere zwartomrande ogen. Als ze me ziet staan slaat ze haar handen voor haar lichaam en kijkt me onderzoekend aan, alsof ze me ergens van herkent. Ik knijp mijn ogen dicht omdat ik weet dat ik dit niet mag zien.

'Wat is er?' vraagt de jongen. 'Zoek je iemand?'

Ik kijk weg naar de grond. 'Niks.'

'Nou, de mazzel hè,' zegt hij als hij de deur bijna heeft gesloten. De naakte vrouw uit de kamer roept nog iets maar ik loop alweer verder.

Alle kamers komen uit op de lange gang die in U-vorm door het gebouw loopt en ik zoek naar aanwijzingen waarom Jaris hier beter niet kan gaan wonen. Met mijn hand strijk ik over het patroon van de Amerikaanse vlag en langs de poster van *The Ramones* en over de sticker waarop in grote letters 'Get lost' staat geschreven. Bij de laatste deur zie ik een zwarte kat achter de buizen van de verwarming zitten. Ik bevrijd hem waarna ik hem over mijn schouder mee naar de keuken draag. In een hoek van de kamer zit een jongen met zijn voeten op de eettafel. Hij drinkt bier uit een flesje en kijkt naar *Baywatch*. Pamela Anderson rent in hetzelfde rode badpak van Jaris' poster over het strand. Haar borsten zwiepen bijna tot haar kin.

Een Aanwijzing.

Nog eens kijk ik naar de jongen. Hij draagt dezelfde versleten Adidas-gympen als Jaris, al heeft hij zijn veters recht gestrikt en Jaris kruislings.

Een Aanwijzing.

Als de jongen mij ziet staan zegt hij: 'Hé, heb je Satan gevonden?' Hij kijkt naar de kat die met zijn pootje naar mijn haar slaat.

'Ook hallo,' zeg ik.

'De vorige keer dat we hem kwijt waren zat hij klem in de keukenkast,' zegt de jongen. 'Had hij een week lang ontbijtkoek lopen vreten. Dat beest zag er echt niet uit.'

Ik zet Satan op de grond. 'Is er ook een God?' vraag ik. Als een slang krult hij zich om mijn been.

'Ik weet niet... Ik ben effe tv aan het kijken.'

'Mijn buurjongen is punker en hij heeft twee cavia's: God en

Satan. God is blond met witte strepen en Satan zwart.'

'Nee. Ik denk niet dat er een God is.'

Ik pak Satan weer op en ga naast de jongen aan de keukentafel zitten. Terwijl Satan in mijn nek kruipt wijs ik naar de televisie en vraag: 'Dat is toch Pamela Anderson?'

Hij zegt niks maar blijft voor zich uitstaren.

'Ik vind haar ook mooi,' zeg ik. 'Maar mijn oom Gerbrand vindt haar een lelijk mokkel.'

De jongen kijkt verbaasd op. 'Jouw oom Gerbrand is gék.'

Als ik wil zeggen dat oom Gerbrand helemaal niet gek is komt mama met Mensje de keuken binnengereden. Mama heeft een rood hoofd met zweetdruppeltjes die over haar wangen naar beneden lopen, dus ik weet dat ze op de schoonmaaktoer is. Ik zak onderuit op de stoel, pak het flesje bier van tafel en ruik er even aan. Het ruikt bitter en zoet tegelijk, een beetje naar de cognac van papa wanneer die de hele nacht in het glas heeft gestaan.

'Heb je ook limonade?' vraag ik.

'Ik ga zo even voor je kijken, uh...'

'Hazel,' zeg ik.

Hij geeft me een hand en zegt: 'Paul. Aangenaam. Ik ga zo even voor je kijken, Hazel.'

'Aangenaam.'

Mensje rijdt naar de keukentafel en we geven elkaar een klapzoen in de lucht. Bij het aanrecht haalt mama met haar blote vingers de etensresten uit de gootsteen, doorzoekt allerlei keukenkastjes die ze open- en dichtslaat en mompelt: 'Zelfs een paard raak je hier nog kwijt.'

'Of een kat,' fluistert Paul in mijn oor. Hij aait Satan over zijn kop. Met een dweil maakt mama het aanrecht schoon en zet een pan op het vuur. In de gang sjouwt papa met zware dozen en Jaris loopt achter hem aan met een stapel houten planken onder zijn armen. Hij kijkt me niet aan. Buiten begint het te regenen en omdat we zo hoog zitten lijkt het of de wolken ieder moment tegen het raam kunnen botsen. Ik heb nog nooit in een vliegtuig gezeten maar ik denk dat het tussen de wolken er ongeveer zo moet uitzien. Met mijn wijsvinger druk ik op het raam en duw de wolken weg.

Volgens mama weet je pas of je iemand mist als iemands aanwezigheid niet meer vanzelfsprekend is. Wie altijd maar in elkaars buurt blijft, weet ook niet hoe het zonder de ander zal zijn. Ik probeer daaraan te denken als ik aan het einde van de middag naast Jaris in zijn nieuwe kamer sta en ik de geur van zijn wollen trui opsnuif en zijn hand op mijn schouder voel. Samen kijken we naar de dodedierenschilderijtjes van de rode waterjuffer die papa naast het raam heeft opgehangen en naar de grote sanseveria met de puntige bladeren die ik op de vensterbank heb gezet. Ik denk eraan hoe Jaris hier morgen wakker wordt en of hij dan naar de kamer van zijn buurjongen zal lopen om hem wakker te maken, net zoals hij ook altijd bij mij doet wanneer ik nog op mijn bed lig te slapen met Atlas aan het voeteneind.

'Laten we nog wat eten voordat we vertrekken,' zegt mama. Ze heeft het witte bureautje van Jaris gedekt met kampeerborden en plastic glazen en servetten waardoor het net onze eigen eettafel van thuis is.

'Ons laatste avondmaal,' grapt papa.

Mama doet of ze gruwelt en zegt: 'Gatver Her, niet van dat soort dingen zeggen.' Als ze het laatste stuk vlees uit de koekenpan op onze borden heeft geschept zegt ze: 'Het is een cordon bleu. Kijk uit, want er zit een stokje in.'

Niemand zegt wat terwijl Jaris normaal altijd discussieert over politiek of we vertellen wat we op school hebben gedaan en roddelen over de buren. Ik heb zelfs geen trek in de cordon bleu, terwijl het mijn lievelingsvlees is. Telkens blijft er een stukje achter in mijn keel hangen.

'Ben je een beetje trots op je eigen stekkie?' vraagt papa en hij grijpt Jaris net als bij Atlas stevig bij zijn nek.

'Best,' zegt Jaris en slaat zijn ogen neer.

Mama legt haar vork en mes naast haar bord. 'Waar gaat je eerste college over, lieverd?' vraagt ze.

Afwezig antwoordt Jaris: 'Fundamenten westerse beschaving.'

Papa maakt kotsgeluiden en roept: 'Godverdomme! Wie heeft dat stokje in mijn vlees gedaan?'

'Ik waarschuwde je nog,' zegt mama kalm, 'dat er een stókje in de cordon bleu zit.'

'Ik had er wel in kunnen stikken!' brult papa en met zijn vork begint hij het hele stuk vlees uit elkaar te trekken om te zien of er nog meer stokjes in zitten.

'Maar fundamenten westerse... wat zei je nou?' vraagt mama opnieuw aan Jaris.

'Dat begrijp je toch niet,' zegt hij.

'Daar vind je ons zeker te stom voor?' vraag ik.

'Hazel!' zegt mama.

Met moeite slik ik een stuk vlees door. 'Het is toch zo,' zeg ik.

'Ik denk niet dat je broer het zo bedoelt,' zegt mama en daarna tegen Jaris: 'Of wel soms?'

'Wat maakt mij het uit,' zegt hij alleen maar.

'Niemand van ons mist je toch als jij hier zit,' zeg ik, 'zelfs Mensje niet.'

'Wat?' vraagt Mensje met volle mond.

Jaris mompelt 'dat moeten jullie zelf weten,' en veegt zijn mond af met het gele servet dat nog van Pasen over is en waarop een konijn staat afgebeeld met een mandje gekleurde eieren.

'Zo lijkt het me wel weer genoeg, Hazel,' zegt mama en ze kijkt weg uit het raam. 'Ik denk niet dat Jaris dit verdient. Maar hij mag wel wat gezelliger doen.'

Jaris zegt: 'Ik ben niet gezellig.'

'Nou, probeer het toch maar,' zucht papa en schuift zijn bord aan de kant. Hij heeft zijn vlees in hele kleine brokjes gesneden. Het is net kattenvoer.

'Jaris denkt dat het de schuld is van het systeem,' zeg ik, 'maar dat komt omdat hij geen anarchist is. Hij kan niet eens zelf nadenken.'

'Trut!' roept Jaris.

Ik schuif mijn stoel naar achter en zeg: 'En nu wil ik naar huis.'

Als we met de lift omlaag gaan hoop ik dat hij op de bodem kapot stort. Ik hoop dat het knopje van etage nul binnen één seconde gaat branden. Ik hoop dat het licht sneller dan ons beweegt en wij alsmaar ouder worden. Ik heb zin om met benzinestift 'Ki taah Negninorg' in grote letters op de stalen deur te schrijven en om Jaris tegen zijn scheenbeen te trappen en heel hard te gaan gillen.

Als de deuren van de lift opengaan lopen we achter elkaar aan naar buiten. De dode vogel ligt nog altijd onder het boodschappenwagentje. Papa tilt Mensje in de auto en ze geeft Jaris een kus. Ze zegt: 'Doei broertje, hou je haaks.'

Papa slaat Jaris een paar keer hard op zijn rug en zegt dan met tranen in zijn ogen: 'Tot gauw knul.' Meteen draait hij zich om en gaat achter het stuur zitten en ik weet dat papa dat doet omdat hij volgens mama niet altijd zijn emoties wil tonen. Als mama Jaris drie kussen heeft gegeven en de rode lippenstift als een stempel op zijn wang achterblijft, is het mijn beurt. Jaris geeft me een hand.

'De mazzel,' zegt hij.

'De mazzel,' zeg ik. Mijn keel voelt nog altijd aan alsof er een stukje cordon bleu in vastzit. Dan kruip ik naast Mensje op de achterbank. De plek waar Jaris op de heenweg heeft gezeten is leeg. Wanneer papa de auto start en we de straat uit rijden slaat mama een kruisje, hoewel ze nooit naar de kerk gaat. Ik zie hoe Jaris een sigaret opsteekt en zich omdraait naar de ingang.

Als hij niet omkijkt is hij me vergeten.

Als hij wel omkijkt dan denkt hij aan me.

Nog een keer moet de auto de hoek om en langs nog een straat en nog een straat en Jaris wordt steeds kleiner en vlak voordat de auto de hoek omslaat, kan ik nog net zien hoe Jaris de deur opendoet en zonder om te kijken naar binnen loopt.

Net als op de heenweg kijk ik vanaf de hoge dijk zo het water van het IJsselmeer in. Ik leun met mijn kin op mijn handen en staar door de achterruit naar buiten. In de verte ligt Groningen en ik zie hoe het land in beweging komt en alsmaar verder van ons wegdrijft. Met de bovenkant van mijn hand wrijf ik de tranen van mijn wangen. Atlas blaft onafgebroken naar de meeuwen en papa zegt: 'Ga eens andersom zitten.' Ik zeg dat het niet andersom kan.

GAAT PRIMA DANKJEWEL

Waarom kunnen we volgens Isaac Newton tijd en ruimte nooit los van elkaar zien?

Hij moest weten dat ik het antwoord niet wist. Vanaf het verhoogde podium aan de andere kant van de witte zaal keek de docent me nu al minutenlang onafgebroken aan. Alsof hij wist hoe het zware lichaam van Gavin vannacht op mij had gelegen en zijn handen haastig mijn slipje naar beneden hadden getrokken. Alsof hij wist hoe zijn adem steeds zwaarder langs de kleine haartjes in mijn oor had getrild, hoe zijn krachtige handen mijn benen verder uit elkaar duwden en hij hard bij mij naar binnen drong.

Van de drie tijdsdimensies verleden, heden en toekomst verkrijgt volgens Heidegger de toekomst het primaat. Op welke manier brengt hij dit in verband met een bewust er-zijn?

De tentamenzaal was zo goed als wit en de zon scheen als een zoeklicht naar binnen. Hij stond op van zijn bureau, misschien om mij beter te kunnen zien, of omdat hij ergens vermoedde dat ik de antwoorden bij anderen zocht. Om de seconde drukte hij zijn balpen als een stopwatch in. Ik voelde me duizelig worden.

Volgens Henri Bergson is er een tijd die zich niet laat meten, maar die de mens wel kan ervaren. Hoe noemt hij deze tijd en op welke manier verschilt zijn denkwijze met die met Newton?

Met steeds meer gewicht drukte het gespierde lichaam op mijn borst. Ik draaide mijn gezicht opzij om adem te halen. Het zweet liep langs zijn nek naar beneden terwijl hij zijn stijve in mij stootte. Hij hield mijn armen krachtig vast en fluisterde iets onverstaanbaars in mijn oor en ik probeerde me alsmaar voor te stellen dat dit de stem van Job was, dat dit het lichaam van Job was, dat dit de adem van Job was.

Het moment 'nu' is volgens Bergson niet los te zien van het verleden. Wat bedoelt hij hiermee?

De zon bleef de docent volgen toen hij van het verhoogde podium stapte, zijn bruinleren schoenen krakend over de houten vloer, en over zijn brillenglazen op mij neerkeek. De pen in zijn hand tikte alsmaar sneller. Toen hij bijna bij me was, bleef hij staan. Ik durfde hem niet aan te kijken.

Volgens Immanuel Kant bestaat er geen échte tijd. Leg uit.

Gavin drukte me harder tegen het matras, en bewoog net zo lang in mij tot zijn lichaam uiteindelijk doodstil boven op mij bleef liggen. Hij was zo zwaar dat ik mij niet meer kon bewegen, geen adem meer kon halen en er was niets wat ik liever wilde dan verdwijnen uit de houdgreep waarin hij me vasthield. Maar ik bleef gewoon liggen, met dat zware levenloze lichaam boven mij.

Ik las de vragen nog een keer door. *De drie tijdsdimensies verleden, heden en toekomst... Niet los te zien van het verleden... Tijd en ruimte... Er is een tijd die zich niet laat meten... Bestaat er geen échte tijd?*

Met een ruk schoof ik mijn stoel naar achter, zwaaide mijn rugtas over mijn schouder en wankelde over het eindeloze gangpad naar voren. Ik legde het lege tentamenformulier boven op de stapel en zette mijn handtekening onder een willekeurige naam. Daarna sloeg ik de deur open.

Ik omklemde de toiletpot alsof het een kind was dat wilde weglopen. Gebogen over het keramische lichaam staarde ik in de diepte. Misselijk bestudeerde ik mijn kots en nadat ik mijn mond met een stuk wc-papier had afgeveegd, op het punt stond om de hele zooi door te spoelen, hoorde ik iemand naar binnen lopen en zeggen: 'Jezus, wat stinkt het hier.'

Ik bleef nog maar even zitten.

'Maar goed, wat ik wilde zeggen,' zei een stem. 'Is dat als je een behoorlijk intieme relatie met elkaar hebt dat het wat mij betreft moeilijk te verantwoorden is als je op een random feestje met een random jongen begint te zoenen.'

Het was een hoge schorre stem. Ik veegde het zweet van mijn voorhoofd.

'Maar ik heb zoiets van: als je het naar jezelf toe kunt verantwoorden dan is het vreemd dat je een streep trekt bij zoenen,' zei iemand anders. 'Zoals Os laatst, die was óók heel erg dronken. Maar ik snap het wel als hij dan lepeltje-lepeltje met Marcella ligt.'

Ik streek met mijn wijsvinger over de letters op de houten deur achter mij: 'Vrijheid is ook een mening.' 'Menno, ik ben helemaal over je heen.' 'Is er een weg terug?' 'Too much sex can be a bad thing.' Ik overwoog of het een goed plan was om 'Mart, ik ben helemaal over je heen' erbij te schrijven. Maar misschien moest je goede plannen niet overwegen.

Een kraan ging open en boven het geklater uit zei de hese stem: 'Oh my god, wat zie ik eruit. Maar je bent toch al te ver gegaan als je met een andere jongen zoent?'

'Je ziet er best oké uit. Het gaat er wat mij betreft om hoe je er persoonlijk in staat, hoe je het naar jezelf toe kunt verantwoorden.'

'Je kunt toch niet flirten en je daarna niet schuldig voelen?'

'Ben ik niet met je eens, ben ik niet met je eens. Ja, als je een relatie hebt dan zijn er verplichtingen naar elkaar toe. Maar uiteindelijk gaat het om jóúw gevoel.'

Ik vroeg me af hoelang dit gesprek nog zou voortduren, en ik wilde schreeuwen dat ze nergens verstand van hadden, van het leven niks wisten, dat hun meningen slechts meningen van anderen waren die weer op meningen van anderen waren gebaseerd, en we allemaal nog altijd omsloten waren in een contextuele wereld waarin alles naar alles doorverwees. Dat hun woorden leeg waren.

'Maar zoals dat gevalletje van Os... Jezus, mijn haar zit echt niet.'

'Je hebt schaamhaar.'

(gelach)

'Nee maar, zoals bij Os, dat was toch ook gewoon een random meisje op een random avond?'

'Bij mannen ligt het anders. Iedereen weet dat mannen vaker vreemdgaan.'

Ik probeerde andersom te gaan zitten. Maar in plaats daarvan begon ik vrij hard te kuchen.

'Wat was dat?'

Ik wist niet of ik moest antwoorden of niet.

'Hallo,' zei een omgekeerd hoofd die onder de opening van de toiletdeur verscheen.

'Hoi,' zei ik.

'Gaat het wel goed met je?'

'Gaat prima, dankjewel,' zei ik snel.

'Heb je iets nodig?'

Ik dacht na over iets wat ik nodig kon hebben. 'Ik ben mijn zilveren ketting kwijt,' antwoordde ik uiteindelijk.

'Wat staat erop?'

'Mart. In krulletters.'

'Heet je zo?'

'Nee, dat is mijn ex-vriend.'

Terwijl het hoofd onder de deur bleef hangen en me vragen bleef stellen over mijn verloren ketting en mijn ex-vriend Mart en of ik me wel of niet goed voelde, staarde ik naar het omgekeerde gezicht. Ik zag weer hoe Jaris ondersteboven voor me hing en zijn haar een baard was en zijn wenkbrauwen een snor vormde en zijn mond zijn ogen en iemand zei dat als de klok sloeg, zijn gezicht voor altijd zo zou blijven staan en we lagen dubbel van het lachen. Om het gezicht dat ondersteboven hing en waar voor altijd het bloed naartoe zou blijven stromen. 'Nou, succes dan maar,' zei de stem onder de deuropening. Daarna hoorde ik voetstappen van me verdwijnen en de deur met een harde knal dichtslaan. Moeizaam krabbelde ik overeind en zonder om te kijken spoelde ik het toilet door. Bij de kraan liet ik minutenlang het koude water langs mijn polsen stromen terwijl ik mijzelf in de spiegel bestudeerde. Schaamhaar.

Terwijl ik door de donkere smalle steeg liep die de universiteit met de buitenwereld verbond bleef ik maar nadenken over Kants idee dat er geen echte tijd bestond. Alsof níét alle gebeurtenissen in een lineair verband stonden. Alsof de geschiedenis niet met zware heipalen in de tijd was vastgeslagen en er geen onveranderlijk verband bestond tussen oorzaak en gevolg, waarin niks viel terug te draaien. Bestonden de dingen alleen maar in ons hoofd waar we via de wormgaten in onze gedachten van de toekomst naar het verleden konden reizen, naar vierde dimensies en weer terug?
Zoals met alles moest ik dus ook de tijd alleen maar hebben verzonnen.
Groepen studenten op gympen en in afzakkende spijkerbroeken wurmden zich haastig langs mij heen, duwden tegen mij op. De eerste jaren die ik op de universiteit doorbracht had ik mij met dezelfde haast door de Oudemanhuispoort bewogen, door het doolhof van statige gebouwen, en leek alles nog doordrongen van een dronken makende voorjaarslucht. Ik was overal verliefd op: de jonge mensen, het idee dat we aan het begin van een grootse en meeslepende toekomst stonden, de

kennis! Maar hoe sneller ik liep, hoe minder ik de noodzaak ervan begon in te zien. Uiteindelijk liep ik steeds trager, tot ik stilstond. Of languit in het gras van de binnenplaats lag; met mijn handen achter mijn hoofd gevouwen, starend naar de vogels. Ik overdacht tentamens waarvan ik de antwoorden niet wist, of waar ik de antwoorden misschien wel op wist maar ze gewoon niet wilde geven, omdat ieder antwoord zo'n standvastige onveranderlijkheid uitstraalde dat ik het wantrouwde. Almaar langer bleef ik in het gras liggen. Eerst een half uur, toen een uur en soms de hele middag. Ik luisterde naar de schoenen die langs mij stampten alsof ik niet bestond, alsof ik niet echt wás.

Ik slenterde verder de steeg in. Het rook er naar urine. Met mijn vingers streek ik over de stenen wanden waar marktventers rijen aan tweedehands boeken tegenop hadden gestapeld en ergens voor de uitgang bleef ik staan. Ik pakte een boek van een grote stapel. *De geschiedenis der menschheid van de oudste tijden tot heden.* Ik sloeg het stof van het boek en opende het voorzichtig, alsof ik vreesde dat het schreeuwend tot leven zou komen. Niks herkende ik meer van de groen met goud ingelegde kaft, het hoofdstuk over Japan tot de pentekening van de sumoworstelaar. Toen ik het boek wilde neerleggen kwam er een verkoper in een lange stoffen jas op mij afgelopen. 'Dat is een uniek exemplaar,' zei hij.

Ik gaf hem het boek terug. 'Dan kunt u hem maar beter houden.'

Tussen de andere studenten liep ik de steeg uit en toen ik buiten stond scheen de zon recht in mijn ogen. Ik zocht naar mijn pakkie sigaretten dat ik kwijt was, ontweek een zwerver die mij een fiets wilde verkopen en controleerde mijn telefoon op nieuwe berichten van Job. Eerst was er een lege sms van mijn moeder. Daarna een sms met *'oï hu'* van mijn moeder. In de derde sms stond *'Hallo Hazels we hebben je mail gestevrd groeten en doie.'* Ik was toch wel nieuwsgierig geworden naar die mail

– misschien had Mart wel via mijn ouders onze relatie verbroken! – en ik sloeg de hoek om richting de computerruimte; een plek waar ik vaak wat rondhing als ik mij verveelde. Ik liep de trap op tot ik achter het raam van de ondergelegen mensa de man met de rode wollen trui zag zitten. Iedereen kende de man met de rode wollen rode trui: hele middagen zat hij in de kantine voor zich uit mompelend een willekeurig boek te lezen, alsof het de Bijbel was en hij de tekst voor eeuwig in zijn geheugen moest prenten. Over mijn schouder keek ik nog eens om naar de man.

Ik zie Jaris achter zijn bureau zitten.

Hij mompelt de woorden in zichzelf.

De bijbel ligt opengeslagen op pagina 54.

Hij tilt zijn hoofd op en draait zijn gezicht naar mij toe.

Hij kijkt me aan alsof hij iets wil zeggen.

Ik liep verder de trap op en bij de ingang zei ik uit gewoonte de blonde baliemedewerkster gedag die uit gewoonte niet opkeek. Ergens in mijn eigen hoekje achter in de ruimte zette ik de computer aan en wachtte hoe het systeem mijn geheugen probeerde te achterhalen. Onderuitgezakt staarde ik naar de studenten die met stapels papier haastig heen en weer liepen of aantekeningen maakten in de stapel syllabi die naast hun computer lagen opengeslagen. Zelf zat ik het grootste deel van de tijd met een koptelefoon oude tekenfilmpjes te bekijken op YouTube; *Dexter's Lab, Cow and chicken, The Simpsons*. Ik tikte het wachtwoord in van mijn mail. Er zat één bericht van Mart tussen maar die verwijderde ik meteen omdat hij me altijd van die lullige forwardfilmpjes stuurde. De andere mail was van mijn ouders.

Hallo Hazel, hoe gaat het met je met ons gaat het goed. Papa heeft een paar schilderijtjes verkocht aan het buurthuis (de rode waterjuffer, die jij altijd zo mooi vond) en in de parfumeriezaak ook verder geen nieuws maar papa en ik maken ons dus zorgen om jou na de laatste keer dat je bij ons was, we vonden je er allebei heel erg slecht uitzien. Verwaarlozing van je schoenen is een teken van een slechte persoonlijke verzorging. Ook Mart heeft het niet verdiend dat je hem zo slecht behandelt zo'n betrouwbare en attente jongen krijg je maar één keer in je leven wees daar zuinig op!!! Hij was er ook voor je toen Job je in de steek liet en na Jaris... nou ja, vergeet dat niet we snappen dat je het er nog steeds moeilijk mee hebt. Maar dat hebben we allemaal daar is niks aan te doen we houden heel veel van je maar we zijn vreselijk bang dat je op deze manier in de goot terechtkomt en dat zouden we nooit... Nou ja, je begrijpt wel wat we bedoelen. STUUR EVEN EEN BERICHTJE TERUG!!!!!!

Groeten van ons. En papa natuurlijk.

P.S. O ja, papa heeft een Excel bestandje gemaakt met achterstallige betalingen. Of je dat geld nu eindelijk wil overmaken.

P.S.P.S. Oom Gerbrand heeft voor je gebeld. Hij vroeg zich af hoe het met je ging. Misschien kan je hem dat beter zelf vertellen, hij woont bij je om de hoek. Het is goed als je erover praat, want bij die psychotherapeut zei je ook al niks.

Nou dag.

Ik staarde naar het scherm en liet de woorden op me inwerken. En zoals bij alle dingen waarvan ik niet wist wat ik ermee aan moest, deed ik wat ik moest doen. Niets.

Toen ik via de glazen schuifdeur naar buiten liep stond Keizer op de brug tegen een lantaarnpaal geleund. Hij droeg dezelfde lange regenjas die hij een paar dagen terug ook in het park over zijn tennisbroekje had gedragen. In het eerste jaar dat ik studeerde en Keizer en ik elkaar nog niet persoonlijk kenden, had ik hem wel vaker zo leunend tegen die lantaarnpaal zien staan. Sommige van mijn medestudenten noemden hem 'de detective'. Op een dag was ik naast hem gaan staan om een sigaret te roken en na vijf minuten had hij zich naar mij toegedraaid en in mijn oor gefluisterd: 'Ik hou mijn aanbidders in de gaten.' Ik had hem gezegd dat ik geen aanbidder was. Keizer knipoogde naar een paar jonge mannelijke studenten die strak aan hem voorbij liepen. Vanaf die dag stonden we bijna dagelijks tegen de lantaarnpaal geleund en hielden zijn aanbidders in de gaten.

'Wat doe jij nou hier?' vroeg ik toen ik Keizer tegemoet liep. 'Ach lieverd, als we dat eens zouden weten,' zei hij en doofde zijn sigaret. Nadat hij me onderzoekend had bekeken pakte hij mijn kin vast en zei: 'Hazelhert, wat zie je erúít. Ben je weer op oorlogspad geweest?'

Ik duwde zijn hand weg en zei: 'Ik ben gewoon een beetje misselijk.'

'Dat zou ik ook zijn als ik er zo zou uitzien. Echt waar, ik zou mijn hond nog van je aftrappen.'

Keizer trok de riem van zijn regenjas een paar gaatjes strakker zodat de katoenen stof glimmend over zijn buik spande. Ik bietste een sigaret bij hem en samen rookten we zwijgend een tijdje voor ons uit.

Ten slotte zei Keizer: 'Ik zit erover te denken om weer te gaan studeren.'

'Omdat je andere studie ook zo'n groot succes was?'

'Mijn studie rechten was alleen maar een aanslag op mijn eigen rechten als student. Nee, ik wil studeren omdat ik... omdat ik het idee heb dat ik in een dode hoek van mijn leven zit.'

'Ach, dat zitten we toch allemaal,' zei ik en nam ondertussen een hap van mijn Twix, die ik uit mijn tas had gegraaid. Met volle mond vroeg ik: 'Wat wil je dan precies gaan studeren?'

'Ik ben me nu voornamelijk aan het oriënteren,' zei Keizer en zijn blik gleed weg naar een paar aanbidders die met een fiets in de hand voorbij kwamen lopen. 'Maar ik neig naar antropologie of sociale wetenschappen.'

'Maar je bént helemaal niet sociaal.'

'Anders hoef ik het toch ook niet te gaan studeren?'

Zuchtend keerde ik hem de rug toe en leunde over de reling van de brug. Onder de brug zat een rondvaartboot klem en op het sloepje dat daarvoor lag stond een jongen in hetzelfde poloshirt als van Mart een glas champagne te drinken. De blauwe oliedampen cirkelden als rooksignalen boven het water. Ik dacht weer terug aan de mail van mijn ouders. *Betrouwbaar. Jaris. Job. In de steek liet. Goot. Stuur even een berichtje terug.* Telkens flitsten die woorden door mijn hoofd, als zo'n irritant flikkerend stroboscooplicht in een discotheek dat alle beweging vertraagt. Ik wilde niet dat er iets werd vertraagd. Of versneld. Ik wilde dat alles gewoon stilstond.

'Misschien kunnen we ons vanmiddag samen oriënteren op mijn toekomstige studie,' zei Keizer.

'Nee,' zei ik nog altijd in de gracht starend. 'Ik heb het te druk.'

'Wij hebben het nooit te druk,' antwoordde Keizer.

Nadat ik de laatste hap van mijn *Twix* had doorgeslikt, draaide ik me naar hem om en zei: 'Misschien ga ik straks nog even langs bij mijn oom Gerbrand.'

We hadden allebei onze zonnebril opgezet en samen liepen we op het midden van de Damstraat. Fietsers schoten voorbij. Scooters ontweken ons toeterend. Keizer en ik liepen altijd midden op de weg. Volgens hem was het geheim van succes hoe je jezelf aan de wereld presenteert.

Al zeker een kwartier lang hadden Keizer en ik stilzwijgend naast elkaar gelopen, langs de Marokkaanse mannen die in groezelige shoarmatenten met messen langs draaiende stukken vlees schraapten en voorbij toeristen die ons vanachter hun tafels verveeld aanstaarden.

'Ze kunnen hun ogen niet van ons afhouden,' onderbrak Keizer de stilte. Hij knikte met een trots gezicht richting de toeristen.

'Ik dacht net hetzelfde,' mompelde ik.

'Amsterdam heeft een tekort aan iconen zoals wij,' zei Keizer. Hij legde zijn hand op mijn rug. 'Hoewel jij wel iets aan je houding zou moeten doen.'

'Dus je weet zeker dat je mee wilt naar oom Gerbrand?' vroeg ik.

Keizer knikte en antwoordde: 'Ik ben heel goed met vreemden.'

Onze hoge zwarte schoenen dreunden op de straat en ik voelde hoe mijn hoofdpijn de huid boven mijn wenkbrauwen steeds meer bijeen trok, als een stuk strakgespannen plastic.

'Hoeveel iconen ken jij nou helemaal in Amsterdam?' vroeg Keizer. 'Ik bedoel, afgezien van mij.'

'Is dat belangrijk?'

'Is het jou weleens opgevallen dat je bijna elke zin als een vraag laat eindigen zodat je nooit een antwoord hoeft te geven?'

'Is dat een vraag?'

'Nee, een demonstratie van jezelf.'

'Alsjeblieft Keizer, ik heb hier geen zin in. Ik heb wel wat anders aan mijn hoofd dan een demonstratie van mijzelf.'

'Is jouw oom Gerbrand ook zo?'

'Hoe?'

'Zo vreselijk negatief.'

'Nee. Mijn oom Gerbrand is gewoon gek.'

Nadat we tien minuten lang op de Tweede Boomdwarsstraat 17 hadden aangebeld opende er op twee hoog een raam. Iemand riep 'Stelletje kolerelijers!' en sloot zijn raam weer. Ik gaf Keizer een por in zijn zij en fluisterde: 'Nou, wat zei ik je?'

'Is dát jouw oom Gerbrand?'

Ik knikte.

Keizer zuchtte. 'Wat een icoon.'

We belden nog een keer aan, maar nu hield ik de knop onafgebroken ingedrukt en na een halve minuut hoorden we een krakerige stem door de intercom zeggen: 'De Patron.'

'Oom Gerbrand? Ik ben het. Hazel.'

'Ik versta u niet, mevrouw.'

'Ik ben het! Hazel!'

'Godverdomme, Hazel. Zeg dat dan meteen.'

De smalle voordeur klikte open – door een touw dat langs de trap aan het slot was vastgemaakt – en terwijl ik de bekende muffe geur opsnoof stommelden we haastig via de nauwe opgang naar boven. In de afgelopen jaren was ik hier misschien nog maar één keer teruggekomen terwijl ik wist dat oom Gerbrand zo dichtbij woonde. Maar er was iets geweest wat mij telkens had weerhouden. Op de tweede verdieping stond de deur op een kier en ik opende hem voorzichtig. In de hal, onder het knipperende licht van een gloeilamp, stond oom Gerbrand: klein, mager en met een spierwit gezicht. Tegen zijn been leunde een langharige Afghaanse windhond die, nadat hij een scherpe notie van Keizer en mij had genomen, nieuwsgierig kwispelend op ons af kwam lopen en uitgebreid mijn kruis begon te besnuffelen.

'Ik dacht dat jullie dat tuig van de gemeente waren,' zei oom Gerbrand kuchend. 'Ze willen me mijn huis uitzetten om het te renoveren. Maar ik noem dat het huis door de glazen gooien.' Met zijn slof gaf hij een trap tegen de muur. Een voetafdruk bleef in de gipsen wand achter. 'Ik sterf nog liever in dit krot dan dat ik mij met zo'n steriele tweederangs aanleuningwoning laat afschepen.'

'Ha, oom Gerbrand.'

Hij trok de langharige Afghaanse windhond – 'Lucy!' – aan haar leren halsband tussen mijn benen vandaan en drukte zijn kriebelende snor op mijn wang. Ik omhelsde hem voorzichtig; zijn lichaam leek gemaakt van Chinees porselein dat bij elke onverhoedse beweging aan gruzelementen kon vallen.

'Laat me je eens goed bekijken,' mompelde oom Gerbrand. Hij draaide me een paar keer in de rondte en gaf me een tik op mijn billen. 'Kijk eens aan, nog altijd een lekker ding.'

Onzeker lachte ik terug maar oom Gerbrand zei: 'Dat is niet om te lachen, Hazel. Sommige meisjes takelen na hun achttiende vreselijk af.'

'Haar borsten beginnen wel een beetje te hangen,' hoorde ik Keizer zachtjes achter mij zeggen.

'Let maar niet op hem,' zei ik en maakte een wuivend gebaar richting Keizer.

'Is dat nou je verkering?' vroeg oom Gerbrand terwijl hij onderzoekend achter mij keek. 'Hoe heet-ie, Mart?'

Ik keek om naar Keizer die gehurkt op de grond zat en hijgend de pijpen van zijn te lange joggingbroek omhoog rolde. De kraag van zijn regenjas stond kaarsrecht omhoog en over zijn voorhoofd liepen zweetdruppeltjes naar beneden.

'Nee,' zei ik. 'Het kan nog erger.'

De huiskamer zag er precies zo uit als ik het ooit had achtergelaten, of, de huiskamer zag er precies zo uit als mijn herinnering het ooit had achtergelaten: uit zelfbescherming onthield ik alleen de angstwekkende afwijkingen. Daarom herkende ik onmiddellijk de gashaard waar ik als achtjarige mijn vingers aan had verbrand, de brede vensterbank waarop Jaris met zijn benen bungelend over de reling had gezeten en de onbekende stadsgeluiden die door de wijd openstaande ramen naar binnen kwamen. Ik bekeek de stapels kranten die overal lagen weggemoffeld en draaide aan de stoffige maquette van het zonnestelsel, waarvan ik me altijd voorstelde dat wij ergens op een van die ronddraaiende planeten zaten en zo klein waren dat je ons niet met het blote oog kon zien.

Er bestaat geen echte tijd.

In een hoek van de kamer trok ik een oude groene stoel tevoorschijn en met opgetrokken benen ging ik erin zitten. Ik stak een sigaret op, leunde met mijn hoofd naar achter en luisterde naar de jazzmuziek die zachtjes uit de boxen vloeide en zich vermengde met de stadsgeluiden van buiten.

'Wat willen jullie drinken?' riep oom Gerbrand vanuit de keuken, kastjes open- en dichtsmijtend.

'Wat heeft u allemaal?' antwoordde ik.

'Alleen zwarte thee!'

'Heeft-ie niet iets sterkers?' fluisterde Keizer met een vies gezicht. Hij was in de leren fauteuil van oom Gerbrand gaan zitten. Lucy stond kwispelend naast hem en had haar snuit in de schoot van Keizer gelegd. Moeizaam aaide hij het beest over haar kop.

'Ik ben gestopt met alcohol!' riep oom Gerbrand. 'Twelve steps!'

'Doet u dan maar zwarte thee!' riep ik terug. Ik boog me voorover naar Keizer. 'Ga eens uit die stoel!' fluisterde ik gesmoord. 'Dat is de plek van mijn oom Gerbrand. Níémand gaat in die stoel zitten!'

'Volgens mij staat er geen naambordje op, Hazelhert,' zei Keizer en sloeg tevreden op de armleuning. De salondeur schoof open en kromgebogen kwam oom Gerbrand met een rinkelend dienblad vol kopjes de huiskamer binnengelopen.

'Ik had het er met Hazel over dat de iconen in Amsterdam op sterven na dood zijn,' zei Keizer.

'O ja?' vroeg oom Gerbrand. Hij keek alsof het hem niet echt interesseerde.

'Maar als u in deze tijd had geleefd dan was u een icoon geweest,' ging Keizer verder.

'En in welke tijd leef ik dan volgens jou?' vroeg oom Gerbrand.

Keizer dacht even na. 'In uw eigen tijd.'

Hoofdschuddend tilde oom Gerbrand de kopjes op de tafel, zette er een kilopak suiker tussen en terwijl hij bedenkelijk om zich heen keek zei hij: 'Waar zal ik eens gaan zitten?'

'En u woont hier ook zo ontzettend leuk, oom Gerbrand,' zei Keizer terwijl hij Lucy hardhandig wegduwde. 'Echt een huis met karakter. Net als u. Waar vind je tegenwoordig nog zulke huizen in dit verpauperde Amsterdam?'

'O ja, zo dus,' zei oom Gerbrand verstrooid en keek Keizer vragend aan. 'Maar help me even. Waar kennen jullie elkaar van... Wat is Hazel ook alweer van jou?'

Keizer zuchtte en zei: 'Hazel is de succesvolle variant van mijzelf.'

'Had ik al gezegd dat u niet op hem moest letten?' zei ik. 'Keizer is een huisgenoot. Maar ik probeer hem voornamelijk te negeren.'

'Ach Hazel, dat deed ik ook altijd met je vader,' zei oom Gerbrand. Met een plof zakte hij in blauwe Fatboy zitzak. Op een of andere wonderlijke wijze was dat ding in zijn antieke woonkamer terechtgekomen. 'Geloof me, er blijven genoeg mensen over in je leven die je moet negeren. En de mensen die je niet wílt negeren, die verdwijnen ook vanzelf. Al die vrouwen die ik heb zien vertrekken... Vertrouw nooit een vrouw, Hazel. Vertrouw nooit een vrouw!'

Moeizaam probeerde hij te verzitten in de met piepschuim gevulde zitzak maar het ding schoot telkens de verkeerde kant uit.

'Hazel, zeg eens,' zei oom Gerbrand en tikte met zijn vinger op mijn hand, 'hoe is het met die ouwelui van je? Zijn ze nog een beetje aardig voor je?'

'Papa heeft zijn schilderijtjes van de rode waterjuffer aan het buurthuis verkocht,' zei ik zacht, 'dat had mama vandaag gemaild.'

'Waar jij altijd zo naar stond te staren?' vroeg oom Gerbrand. Ik knikte.

Vroeger zat mijn vader op een stoel waar oom Gerbrand nu in die rare zitzak zat. Mensje zat meestal in de andere hoek van de kamer, waar ze in een van de oude kranten een kruiswoordpuzzel zat op te lossen. Mijn moeder hielp in de keuken en in het trappenhuis renden Jaris en ik voorbij, als piechems met de capuchons van onze Fido Dido T-shirts strak over ons hoofd getrokken en onze bovenlippen omhooggekruld. Oma had ons eens piechems genoemd toen we als wilden door haar huis raasden.

Ik probeerde ergens anders aan te denken maar telkens schoten die beelden weer tevoorschijn, alsof ik een bal onder water probeerde te drukken.

'Je moeder belde me,' zei oom Gerbrand schor en keek even naar de grond. 'Ze zei dat ze zich zorgen om je maakte.'

'Dat komt door mijn schoenen ofzo,' antwoordde ik. 'Waarom drinkt u alleen zwarte thee?'

'Mijn uitkering wordt me afgenomen als ik blijf drinken,' zei oom Gerbrand en roerde zo hard in zijn thee tot er een draai-kolk ontstond, 'dus ik zit nu bij de AA. De Anonieme Achterlij-ken. Ze willen dat ik zo'n twelve-stepprogramma volg: ik moet God vragen of hij al mijn gebreken wil wegnemen of erkennen dat mijn leven onbestuurbaar is geworden. Ach Hazel, de duvel schijt altijd op de grootste hoop. Maar vertel me, wat is er mis met je schoenen?'

'Weet ik veel,' antwoordde ik. 'Mama zegt dat verwaarlozing van je schoenen een teken is van slechte persoonlijke verzor-ging.' Ik trok mijn schoenen en mijn twee verschillend gekleur-de sokken uit en zwaaide ze in de lucht. 'Heb ik u al gezegd dat ze gek is?'

'Je moeder is niet gek. Maar ze is wel gek dat ze met je vader is getrouwd.'

'Dat is toch bijna hetzelfde.'

Nog voordat oom Gerbrand iets kon zeggen, vroeg Keizer: 'Hoe was Hazel eigenlijk als kind?'

'Hazel als kind?' herhaalde oom Gerbrand. Hij geeuwde en wreef in zijn ogen. 'Hazel als kind... Tja. Ik herinner me nog dat ze op Pamela Anderson wilde lijken.' Oom Gerbrand glim-lachte erbij. 'Wat ik uiteraard een prima keuze vond. Meisjes zouden vaker voor een pornoster als rolmodel moeten kiezen.'

Keizer stond op van zijn stoel en mompelde binnensmonds: 'Dat verklaart in ieder geval een heleboel...'

'Ze is niet veel veranderd,' zei oom Gerbrand. Hij zweeg even en legde zijn hand op zijn borst. 'Hoewel ze nu wel iets bozer lijkt.'

Keizer luisterde al niet meer en liep naar de grote houten kast met oude platen. De kamer stond vol met voorwerpen waar oom Gerbrand nooit afstand van had kunnen nemen, en elk jaar leken het er meer te worden; zijn woonkamer was een uitdijende vrijmarkt waar nooit iets werd verkocht. Natuurlijk was er de maquette van het zonnestelsel, de boeken over de oude Egyptenaren, de overgebleven stekkies van planten die ooit waren overleden, de landkaart van Noord-Holland die tien jaar geleden nog in het kantoor van opa hing, Jaris' krijttekening van een rode lucht en een zwart huis, de colablikjes die ik in de vorm van een paard voor oom Gerbrand aan elkaar had gelijmd, de oude sigarenkokers netjes op de schoorsteenmantel gesorteerd en een foto van oom Gerbrand met een Vikinghelm op, met mij op zijn schoot. Ik dacht aan de woonkamer bij mijn ouders thuis die altijd leeg en opgeruimd was; zelfs op zolder stond alles in strakke rijen genummerde kartonnen dozen en plastic kratten gearchiveerd.

'Maar je moeder vond dat ik met je moest praten,' zei oom Gerbrand nog een keer. Hij keek even uit het raam. 'Ze maakt zich zorgen om je.'

'Mama vindt altijd dat ik met iedereen moet praten,' antwoordde ik. 'Trouwens, het is echt niet dat ik nooit met iemand praat. Ik ben zelfs een keer naar een psychotherapeut geweest.'

'En wat zei die?'

'Dat ik op de vlucht was voor mijzelf.'

'Wat heb je toen gedaan?'

'Toen ben ik hem gesmeerd.'

'Heel goed.'

Oom Gerbrand schonk een tweede kop zwarte thee voor ons in. Keizer trok een plaat van Maria Callas uit de kast en wreef er liefkozend over. Ik had nog altijd het nummer in mijn hoofd dat gister door de Bulldog schalde. 'If I told you things I did before, told you how I used to be, would you go along with someone like me.' Voor even zag ik weer het lichaam van Gavin voor mij.

'Ik hou ook niet van die freudiaanse kwakzalvers die in je onderbewuste lopen te wroeten,' zei oom Gerbrand uiteindelijk. 'En daarbij, jij...' Hij keek me even aan. 'Jij bent nog te klein voor een tafellaken en te groot voor een servet. Maar je zou wel... het is niet niks wat jullie... je zou wel met iemand over Jaris moeten praten...'

'Wie is Jaris?' vroeg Keizer meteen en draaide zich om. Hij hield de plaat van Maria Callas boven de pick-up.

'Haar broer,' antwoordde oom Gerbrand. Hij keek me verbaasd aan. 'Heeft ze je daar nooit over verteld?'

Ik sloeg mijn armen om mijn opgetrokken blote benen. 'Kunnen we het niet ergens anders over hebben?'

Oom Gerbrand sloot zijn ogen. 'Godverdomme, het is zo zonde van dat mooie joch,' fluisterde hij.

'Hazel vertelt nooit iets over zichzelf,' zei Keizer en zette de naald op de plaat die krassend aansloeg. Zwijgend luisterden we naar de vibrerende operastem die door de kamer klonk. Keizer was op de plek van Jaris in de vensterbank gaan zitten en terwijl hij naar buiten keek – naar de nauwe straat onder hem en de duiven die in de dakgoot heen en weer wipten en de lucht boven de huizen die dezelfde rode gloed kreeg als op de krijttekening van Jaris van vijftien jaar geleden – wilde ik niet dat Keizer daar zat, op die plek.

- Je had niet terug moeten gaan.

- Ik wilde zien hoe het was.

- Je wilde zien hoe jouw herinnering het had achtergelaten.

- Ik was bang dat ik het was vergeten.

- Jij vergeet alleen wat je je wilt herinneren.

Vlak voordat de muziek afliep deed oom Gerbrand zijn ogen open en zei: 'En nu lust de Patron wel een borreltje.' Ik zag dat zijn ogen vochtig waren geworden. In een onvaste lijn schuifelde hij richting de keuken, sloeg daar met veel kabaal de balkondeuren open en met drie kleine glaasjes in zijn ene hand en een fles cognac in zijn andere hand kwam hij weer terug. 'Een echte Ménard,' zei hij opgetogen. Met een plop opende hij de fles.

'Maar u was toch gestopt met drinken?' vroeg Keizer geïnteresseerd terwijl hij zijn glas met cognac liet vollopen.

'Tja Mart,' antwoordde oom Gerbrand en nam een flinke slok, 'dan moet ik God maar wat harder vragen of hij mijn zonden wil wegnemen.'

Ik legde mijn wang tegen de kriebelende snor van oom Gerbrand. Toen ik wilde weglopen greep hij me om mijn middel, harder en langer dan normaal. Zo bleven we een tijdje tegen elkaar aan staan. Ik stelde me voor dat oom Gerbrand weer mijn Vikinghelm op zijn hoofd had gezet en dat we samen op mijn geheime plek in de achtertuin van mijn ouders zaten, waar uit de hoge iepen duizenden pluisjes als sneeuwvlokken naar beneden dwarrelden en tussen de papavers verdwenen. Over de smalle schouder van oom Gerbrand keek ik het trappenhuis in en voor de tweede keer die middag renden de kinderen van boven naar beneden. Ze trokken aan elkaars armen en lachten zo hoog en schel dat het bijna leek of ze huilden. Ik wilde oom Gerbrand loslaten, tot ik boven aan de trap de man in het zwarte pak zag staan. Hij had zijn armen over elkaar geslagen en keek me recht in mijn ogen aan. Boven hem knipperde het licht van de gang.

'Jezus christus, je knijpt me nog dood,' zei oom Gerbrand en hij trok me van zich af. 'Wat is er met je?'

Ik schudde mijn hoofd. 'Niks. Het is vast de cognac.' Ik wist niet waarom ik daarover loog. Waarom kon ik hem niet gewoon vertellen dat ik een man in een zwart pak in zijn gang zag staan en dat dit verdomme nergens op sloeg?

'Jullie zullen nu zeker wel verder moeten,' zei oom Gerbrand die Keizer en mij één voor één in zich opnam. 'Anders komen jullie vast ergens te laat ofzo. Jullie jonge mensen hebben altijd afspraken.'

Keizer nam nog gauw een laatste slok van de cognac. 'Wij komen voor niks te laat.'

Toen we de trap naar beneden afstommelden hoorde ik oom Gerbrand nog roepen: 'De volgende keer wacht je toch niet meer zo lang om je oude Patron op te zoeken?'

'Nee,' riep ik terug, 'ik ben er sneller dan u denkt.'

Ook daar had ik niet over willen liegen.

We liepen weer midden op straat en Keizer sloeg een arm om mij heen maar ik sloeg zijn arm meteen weg. Met een halve meter tussen ons in bleven we zwijgend naast elkaar lopen. Na een tijdje zei Keizer. 'Ik zei toch dat ik heel goed ben met vreemden.' De hemel was knalrood en de huizen waren zwart. Boven ons scheerden zwaluwen en de lucht was vochtig, alsof de zomer niet heel lang meer zou duren. Hoewel je dat in de stad nooit helemaal zeker wist. We liepen langs zo'n eindeloos spiegelende etalageruit waar we de hele tijd maar naast onszelf bleven lopen en naar onszelf moesten kijken. Ik controleerde mijn telefoon op een bericht van Job. Stuur even...

Stuur even een berichtje terug.

Stuur even een berichtje terug.

Stuur even een berichtje terug.

DEEL III

Pak maar een stoel had hij gezegd, maar ik was al gaan zitten. Langs het gesloten raam kruipt een bromvlieg tegen het glas omhoog, zoekend naar een uitweg.

'Hoe verklaar je dit?' De conrector smijt de absentiekaarten als een kaartspel op zijn bureau: blauwe briefjes met misschien wel honderd verschillende handtekeningen die zelfs niet eens in de buurt komen van mijn vaders krullerige origineel.

Ik leun achterover in de kleine houten stoel en schat mijn kansen in.

Eén: de waarheid. Dat ik liever vanaf de Kippenbrug keitjes het kanaal in schiet of in het weiland lig en luister hoe de paarden door het hoge gras ademen, dan dat ik in het benauwde klaslokaal zit en automatisch denk aan Jaris die sinds een paar maanden terug is uit Groningen en zijn slaapkamer bijna niet meer uitkomt.

Twee: de leugen.

'Ik leer hier toch niks,' zeg ik.

De conrector kijkt me aan en ik kijk terug en hij kijkt me aan en ik kijk nog altijd terug. Ik weet dat hij een spelletje met mij speelt maar hij weet niet dat ik nooit opgeef. Ook al schiet zijn pupil als een zoeklamp heen en weer en knippert hij niet één keer met zijn ogen. Dan kijkt hij als eerste van me weg. Hij staat op en opent het raam waar hij met een van mijn vervalste absentiekaarten de bromvlieg over het kozijn naar buiten wipt, ergens de blauwe hemel in. Zacht begin ik te lachen.

'Tuttut,' zegt de conrector en scheurt het briefje doormidden. 'Volgens mij valt hier weinig te lachen, mejuffrouw Friedland.'

Ik verzit op mijn stoel en zeg: 'Maar u heeft ons toch bij Nederlands geleerd wat ironie is?'

'Ik waardeer het dat u voor deze ene keer hebt onthouden wat ik onderwijs, maar ik bespeur hier geen enkele ironie.'

'Maar wat u net deed is toch ironisch?'

'Wat?'

Ik wijs de bromvlieg achterna die met vierhonderd vleugelslagen per seconde zijn weg door de schooltuin zoekt. 'Dat u hem wel zijn vrijheid gunt.'

Hij gaat weer aan zijn bureau zitten. Als een casinomedewerker schuift hij met beide handen de absentiekaarten door elkaar en kijkt me dan opnieuw aan. Zenuwachtig krab ik met mijn nagel een stuk kauwgom onder mijn stoel los en maak er een balletje van dat ik in mijn hand laat rollen, heen en weer.

'Voor het dierenrijk gelden andere wetten,' zegt de conrector, 'daar moeten wij mensen ons niet mee bemoeien.'

'Laat je haar zo naar buiten gaan?'

Bijna struikelend rende ik – ratatatatat – van de zoldertrap naar beneden en vlak voordat mijn voet de laatste trede raakte, bleef ik hijgend stilstaan.

'Laat je haar zo naar buiten gaan?' vroeg Jaris nog eens. Hij stond onder aan de trap, met zijn armen voor zijn borst geslagen, zijn ogen strak op mij gericht. Sinds een paar dagen droeg hij het oude donkergrijze colbert van papa. Snel keek ik van hem weg. De lichte donshaartjes op mijn knieën stonden van de kou overeind, en deden me denken aan de gouden rietkragen die in het voorjaar langs de sloten in het weiland staan.

'Het wordt een mooie dag, Jaris,' zei mama, die met haar armen Mensje ondersteunde en op de traplift tilde. 'Daar zou jij ook iets mee moeten doen.'

Ik nam een hap van mijn appel, deed een paar stappen naar voren en probeerde me langs Jaris te wurmen die in het midden van de overloop stond. Het licht was met een platte hand in zijn gezicht geslagen.

'Mag ik er misschien even langs?' vroeg ik terwijl ik tegen zijn schouder opbotste. Heel even wilde ik mijn gezicht op zijn schouder leggen en de geur van zijn oude T-shirt opsnuiven. Maar ik wist dat hij zich van me zou wegdraaien en op dezelfde vreemde manier zou kuchen zoals hij de laatste tijd wel vaker deed als iemand te dichtbij kwam. Hij stapte niet opzij. Ik keek naar hem op.

Als ik had moeten zeggen hoe Jaris er over twintig jaar zou hebben uitgezien dan had ik gezegd dat hij er zó zou uitzien: met haar dat warrig voor zijn witte gezicht hing en met dezelfde baard die papa exact twaalf jaar geleden eraf had geschoren. Maar het was niet twintig jaar later, het was nu, deze trap was nu, deze hand die mij tegenhield was nu, en daarom wist ik dat er helemaal niks van klopte.

'Met zulke kleren daag je het uit,' zei Jaris en greep mijn pols vast.

Ik schudde mijn pols los. 'Waar heb je het over?' zei ik. 'Ik daag helemaal niks uit. En ik heb haast.'

'Het enige waar vrouwen op uit zijn is om mannen te verleiden. Vrouwen concurreren met elkaar vanwege hun primaire begeerte, het begeren van mannen. Ze willen ons tot slachtoffer maken.'

De laatste tijd begreep ik steeds minder van wat Jaris zei, alsof zijn hoofd een bibliotheek was en alles tegelijk door hem werd voorgelezen. Ik had hier trouwens ook helemaal geen zin in, en ik concentreerde me op het snorrende geluid van de traplift die met Mensje in beweging was gekomen. De antieke klok in de hal sloeg acht keer. Als de klok twaalf uur slaat, blijft je gezicht voor altijd zo staan.

'Ze is nog geen zestien,' zei mama die tevreden de stof van mijn billen sloeg. 'Hazel wil helemaal niemand tot slachtoffer maken. Trouwens, ze heeft groot gelijk dat ze dit aantrekt. Zoals ik al zei, het wordt een mooie dag.' Ze liep achter Mensje de trap af. Vlak voordat ze beneden was keek ze nog een keer naar boven. 'Hou ermee op, Jaris. Ik meen het. Je kunt beter werk zoeken dan je zusje lastigvallen.'

'Ze wil dat die kerels op haar geilen,' riep Jaris. 'Ze wil ons verleiden met haar blauwe jurk en de positie van de man innemen. Het is de opgebouwde mannenhaat van vrouwen om ons tot slachtoffer te maken. Zie je dat dan niet?' Plotseling trok hij mijn jurkje omhoog. 'Het is je eigen dochter die er zo bij loopt!' Met een ruk trok ik het jurkje naar beneden. 'Wat doe je nou?' riep ik schor. Ik duwde hem van me af maar liet per ongeluk de appel uit mijn hand vallen, die langs de trap naar beneden stuiterde en op de grond kapotviel. 'Spoor je niet?'

'Sorry.' Hij deinsde geschrokken achteruit. 'Ik weet niet...'

Ik staarde hem aan.

'Als man moet ik sterker zijn dan de vrouw,' mompelde hij in zichzelf. 'Ik moet sterk zijn. Niet minder dan de andere mannen.'

'Waarom doe je zo?'

Hij keek op. 'Sorry... Ik weet niet waarom ik dat deed.'

Ik wist dat hij het meende want hij hield zijn rug recht, knipperde niet één keer met zijn ogen en krabde ook niet in zijn nek zoals hij deed wanneer hij loog. Zonder nog iets te zeggen verdween hij in zijn slaapkamer. Ik keek hem na hoe hij voorovergebogen achter zijn witte bureau ging zitten, met zijn hoofd steunend in zijn hand en iets opschreef in het schrift dat voor hem opengeslagen lag, de jaloezieën voor zijn ramen half gesloten.

Jaris wilde schrijver worden. Nadat hij was gestopt met zijn studie in Groningen had hij gewerkt als winkelbediende in een surfwinkel, als bezorger van de lokale krant, platenverkoper in Amsterdam, als schoonmaker in de trein, gemeentewerker in het plantsoen, pompbediende in zo'n blauw pak bij het tankstation.

Nu hij schrijver was zat hij elke dag in zijn hoofd, zich voorstellend hoe het er buiten uit moest zien. Alle spullen in zijn slaapkamer stonden weer op precies dezelfde plek als voor zijn vertrek: de knuffel Bobo scheef op de rechterhoek van zijn kledingkast, de oude cassettebandjes in de houten bakken onder zijn bed, de rij encyclopediedelen in alfabetische volgorde boven zijn bureau, de verlichte wereldbol in het midden op een stapel boeken en de grote groene plant links van de vensterbank. Zijn kamer zag er weer gewoon uit zoals het altijd was. Alleen kwam ik er bijna nooit meer. Sinds kort had ik de zolderkamer.

De absentiekaarten heb ik één voor één verscheurd en in de prullenbak gegooid en met gekruiste vingers wacht ik tot de zon loodrecht boven de hoogste boom staat en de houten schooldeur krakend openslaat.

Langzaam adem ik in en uit.

Meestal komt het erop neer dat ik de hele middag met mijn vrienden tegen een muur sta te wachten tot hij naar buiten komt. Ik weet dat hij tegen het middelste bankje zal gaan staan om een sigaret te roken die hij tussen duim en wijsvinger vasthoudt en dat er in al die minuten die voorbijgaan wij zullen doen alsof we elkaar niet zien, omdat niemand daar beter in is dan wij. In mijn met Red Hot Chili Pepperstickers beplakte agenda heb ik een lijst bijgehouden van onze roosters en *Het Toeval*.

Duits – D11	Nederlands – D6
Nederlands – E4	Wiskunde – C7
Economie – E1	Scheikunde – E3
Aardrijkskunde – C5	Engels – A2
Engels – A15	Economie – C12

Ik weet dat *Het Toeval* wil dat als ik van Duits naar Nederlands moet Job aan de linkerkant van het gangpad loopt, dat we tussen Nederlands en Economie elkaar mislopen en als ik naar Aardrijkskunde moet, hij ergens in de verte de aula oversteekt.

Eén middag in de week zien we elkaar ook tijdens de lessen.

Dan zit Job achter het linkerraam in C12 terwijl ik in lokaal A15 zit en hem net zo lang aankijk tot hij mijn kant uitkijkt. Ik heb eens gehoord dat je hersenen bepaalde energieën kunnen uitstralen die anderen opvangen als ze daar gevoelig voor zijn.

In mijn hoofd zeg ik dingen als 'Dag-Onbekende-Grote-Liefde' en 'Zin-Om-Een-Partijtje-Te-Zoenen-Met-Onze-Mond-Open' of 'Jouw-Huis-Of-Het-Mijne?' Ik weet dat als Job naar buiten kijkt, zijn hand drie keer door zijn haar haalt en aan zijn wenkbrauwpiercing pulkt, hij me heeft verstaan. Heel soms komen we elkaar tegen bij de kluisjes. Ook daar doen we of we elkaar niet zien. Met ingehouden adem trek ik de stinkende zak gymkleren uit mijn kluis en herhaal het geluksgetal in mijn hoofd. Zijn kluisje (3) is op de even rij (4) en mijn kluisje (2) is op de oneven rij (3). 3+4+2+3=12 en gedeeld door twee is dat het geluksgetal van Jaris en daarom ook dat van mij.

Precies zesenhalve maand geleden ontdekte ik wie Job was, toen hij een honkbal in mijn oog sloeg.

Leunend tegen het ijzeren hek van het honkbalveld zat ik in mijn te grote blauwe gymbroek en met de kapotte tennisschoenen die ooit van Jaris waren geweest en volgens mij discussieerde ik waarom Soundgarden zo'n goeie band is, toen die bal keihard in mijn oog knalde. Er kwam een jongen van 4D aanrennen – dat wist ik toevallig omdat 4D de jongensklas was die in het veld naast ons speelde – en ik kon nog net zien dat hij een heel kort geel broekje aanhad met van die opgestikte zakken eraan. Wijdbeens ging hij voor me staan, voor mijn gymleraar en zo ongeveer voor mijn hele klas die geschrokken mijn oog bestudeerden, en vroeg: 'Welk oog is het?' Dat leek me nogal een domme vraag aangezien ik mijn hand voor mijn linkeroog hield, dus ik tilde voorzichtig mijn hand op en zei: 'Wat denk je zelf?'

'Het ziet er niet best uit,' zei hij terwijl hij zich over me heen boog en met zijn vingers kloppende bewegingen rond mijn oog maakte. Ik vroeg hem of hij daarmee kon ophouden.

'Er moet een koud kompres op,' zei hij, 'om het zwellen te stoppen. Ik heet trouwens Job.' In onze gymbroeken stonden we naast elkaar bij de wasbak in de kleedkamer en ik voelde hoe zijn harige huid telkens langs mijn gladde huid gleed, ongeveer zoals wanneer de buurtkatten zich langs mijn blote benen krulden. Alleen kriebelde het deze keer niet maar kreeg ik het er vrij warm van. Nadat we een tijdje met onze benen tegen elkaar aan hadden staan wrijven wist ik nog altijd niet wat ik tegen hem moest zeggen, en ten slotte vroeg ik: 'Wat doet je vader?'

Job zei niks maar bleef alleen maar heel lang het kompres uitknijpen.

'Mijn vader heeft een melkveehouderij,' zei hij toen hij het kompres op mijn oog legde.

'Hoeveel koeien hebben jullie?' vroeg ik meteen.

'Honderdenvijf en ook nog een paar Friese roodbonte.'

'Hebben jullie ook geiten of paarden?'

'Een witte geit die in de voortuin staat. En nog twee paarden, maar daar doet niemand wat mee.'

Ik wilde altijd al op een boerderij wonen en ik kende helemaal geen boeren van mijn leeftijd, en al helemaal geen boeren die met hun harige been langs mijn blote been wreven en een koud kompres op mijn oog legden.

'Denk je dat ik een keer bij je mag langskomen?' vroeg ik terwijl Job mijn hoofd achterover duwde en ik het water langs mijn gezwollen oog naar beneden voelde stromen.

'Ja hoor, best wel,' had hij geantwoord.

Sindsdien hadden we elkaar niet meer gesproken.

Volgens Jelka, met wie ik veel optrek, willen mannen graag dat je *hard to get* speelt, en zij kan het weten want ze is verliefd op onze leraar Frans die al minstens veertig is, maar het hem nog nooit heeft laten weten. Jelka is alto en rookt zware shag en houdt ervan om Engelstalige songteksten in haar agenda te schrijven. Ze houdt er niet van als leraren naar haar borsten kijken.

Volgens Viktor, die altijd met ons meeloopt, willen mannen dat je geen spelletje met ze speelt en gewoon *straight to the point* bent. Viktor is punker en draagt kettingen aan zijn spijkerbroek en houdt ervan om tijdens de les gitaarrifjes op zijn knie na te spelen. Hij houdt er niet van als je met je vingers langs zijn gekleurde hanenkam strijkt.

Viktor en Jelka zijn het nog nooit met elkaar eens geweest. Soms denk ik dat het daarom ook mijn beste vrienden zijn, want volgens papa steek je alleen iets van mensen op als ze niet op jezelf lijken. Zelf weet ik niet wat jongens graag willen en de enige jongen naast Viktor die ik echt goed ken, is Jaris, maar die durf ik het niet te vragen. De laatste tijd doet hij telkens of ik lucht ben als ik hem een belangrijke vraag voorleg. Ik heb natuurlijk weleens getongd of gezoend of hoe je het ook noemen wilt. Dat was met een magere jongen die ik nog van het asiel kende waar ik een week vrijwilligerswerk had gedaan, en ik zoende alleen maar met hem omdat zevenennegentig procent van de mensen in mijn klas wel al had getongd, behalve ik. Tijdens het zoenen dacht ik eraan of onze blokjesbeugels niet in elkaar bleven haken en hoeveel bacteriën in speeksel er vrijkomen als je het uitwisselt en of ik mijn tong nou linksom of rechtsom moest draaien of heel snel of juist heel langzaam.

Tot Job dus die bal in mijn oog sloeg, had ik niemand meer gezien die ik leuk genoeg vond om mee te zoenen.

De schooldeur slaat open en weer voel ik de haartjes op mijn benen omhoog staan. Deze keer niet van de kou, maar omdat Job naar buiten loopt en bij het middelste bankje gaat staan en een sigaret rookt die hij tussen duim en wijsvinger vasthoudt terwijl hij doet of hij me niet ziet.

'Je moet je haar om je vinger cirkelen,' zegt Jelka. Ze is onderuitgezakt tegen de muur gaan zitten en draait een shaggie op de bovenkant van haar knie. 'Zó.' Ze pakt een pluk van haar lange zwartgeverfde haar en cirkelt hem om haar vingers. 'Dat is een signaal om de man aan te geven dat je hem leuk vindt.'

'Je kan hem ook gewoon vrágen of hij je leuk vindt,' zegt Viktor die naast Jelka zit.

'Ik denk dat hij mij ook leuk vindt,' zeg ik zacht. 'Alleen weet hij dat zelf nog niet.'

'Bedoel je dat hij *hard to get* speelt?' vraagt Jelka geïnteresseerd.

'Ik bedoel het zoals ik het zeg.'

Als je iets zeker weet, dan weet je ook dat het moet gebeuren want er zijn natuurwetten voor om dat te bewijzen. Zoals ik weet dat wanneer de zon boven de hoogste takken van de boom staat de grote pauze begint en Job naar buiten komt. Maar er bestaat ook zoiets als de onbetrouwbaarheid van tijd. Klokken die niet gelijklopen. En leraren die dwars door de tijd heen praten, meestal als het niemand wat interesseert. Lesuren die uitvallen. Niemand begrijpt hoe machtig groot Het Toeval is, dat je altijd op moet blijven letten op krachten van buiten, zoals er volgens Jaris ook duizenden planetoïden en kometen langs de aarde scheren en elk moment kunnen inslaan.

'Draag jij geen push-upbeha?' vraagt Jelka. Ze is van de grond opgestaan en staat wijdbeens voor me.

'Nee.'

'Nee als in ja?'

'Nee als in ja.'

Jelka loopt om me heen, bekijkt me van top tot teen en maakt klakgeluiden met haar tong.

'Wat draag je dan?'

'Een hemd. Of niks.'

'Vanaf welke leeftijd denk jij dat de vrouw geslachtsrijp is, Hazel?'

Ik wil zeggen dat ik daar niet aan wil denken en dat het irritant is dat ze de hele tijd voor me staat waardoor ik niet kan zien of Job doet of hij me niet ziet, maar ik doe of mijn neus bloedt.

'Rond vijftien jaar,' antwoordt Viktor snel, 'maar sommigen pas als ze achttien zijn.'

Dankbaar kijk ik hem aan.

'Juist,' zegt Jelka. 'Wil jij niet volwassen worden, Hazel?'

'Ik hou gewoon niet van push-upbeha's,' zeg ik en trap met mijn voet een steentje weg.

'Mannen willen er zeker van zijn dat je geslachtsrijp bent,' zegt Jelka. Ze rolt met haar ogen richting Job. 'Heeft je grote broer Jaris je dat nooit verteld?'

'Daar praten we niet met elkaar over.'

'Waar praten jullie dan over?'

Ik denk even na en zeg: 'Over het uitdijende universum bijvoorbeeld. Of de relativiteitstheorie. En soms over het communisme.' Als ik het zeg weet ik dat ik lieg, dat we juist bijna nooit meer over die dingen praten, en ik denk terug aan wat Jaris vanochtend heeft gezegd. Ze willen ons tot slachtoffer maken.

'Ik zou er toch eens over nadenken,' zegt Jelka.

'Waarover?' vraag ik.

'Laat maar.'

Als ik dwars door de weilanden en het industrieterrein naar huis fiets, denk ik aan alle dingen die ik Jaris wil vragen: hoe oud zonlicht wordt, of er anarchie heerst in het dierenrijk, of er een oerknal in de liefde is, waarom er tussen twee mensen altijd een relatieve afstand bestaat, wat de radiosignalen van onze hersenen zijn en of er een gezamenlijk netwerk tussen onze gedachten bestaat. Maar als ik thuiskom zit Jaris weer gewoon in zijn donkere slaapkamer, voorovergebogen achter zijn bureau.

Wanneer ik mijn rugtas in mijn zolderkamer heb gesmeten en de keuken in loop om een glas cola in te schenken en Atlas over zijn kop aai, zegt mama: 'Je conrector heeft gebeld.'

Ik neem een paar slokken van mijn cola. Atlas is op zijn rug gaan liggen en ik aai hem nu ook onder zijn buik want hij verwacht dat ik dat doe, net zoals de paarden op de manege alvast hun hoef optillen als ik hun onderbeen vastpak of de vissen in de vijver naar de oppervlakte zwemmen als ik mijn vinger tot de helft in het water steek.

'Volgens mij is het beter om je niet van de domme te houden, Hazel,' zegt mama.

Met het glas cola in mijn hand ga ik boven op de keukentafel zitten terwijl ik mijn benen heen en weer zwaai, en toekijk hoe mama de boodschappen uit de grote plastic opbergkratten pakt en op het aanrecht sorteert. Mama leeft volgens het adagium we-moeten-vooruit-denken-om-vooruit-te-komen waardoor onze keuken elke week weer staat volgestouwd met boodschappen van het weekmenu: op maandag boerenkool, op dinsdag worteltjes uit blik, op woensdag spruiten met suddervlees, op donderdag spinazie, op vrijdag nasi of bami, op zaterdag doet mama de weekendboodschappen. Zelf denk ik liever achteruit om vooruit te komen, zodat je dingen tegenkomt waarvan je dacht dat je ze allang vergeten was.

'Als je blijft zwijgen wordt het alleen maar lastiger,' zegt mama.

'Pardon?' antwoord ik.

'We hebben onze handen al vol aan je broer,' zucht mama. 'Het laatste waar we op zitten te wachten is dat jij dingen voor ons verzwijgt.'

'Dat begrijp ik wel hoor,' zeg ik. 'Wat eten we vanavond?'

'Elleboogjesmacaroni.' Stilte. 'Ik geloof dat je er helemaal niks van begrijpt. Wat denk je zelf, dat zo'n conrector voor de gezelligheid belt?'

'Elleboogjesmacaroni met wat voor saus?'

'De tomatenkaassaus die we altijd hebben. Je conrector zei dat je absentiekaarten hebt vervalst.'

'Zei hij er ook bij dat hij een pesthumeur had?'

'Zo praat je niet over je conrector, Hazel!'

'Zo praat hij anders ook over ons.'

'Dat betwijfel ik.'

'Volgens Jelka ligt hij in scheiding met zijn vrouw en probeert hij zijn relatieproblemen op ons af te reageren.'

'Je moet niet alles geloven wat Jelka zegt.'

'Eten we morgen vissticks?'

'Die vissticks zijn voor donderdag.'

'Bij de spinazie à la crème?'

Voor een paar seconden kijkt mama om zich heen alsof ze geen idee heeft waarom ze al die boodschappen in huis heeft gehaald, of misschien wel geen idee heeft waarom ze mij ooit in huis heeft gehaald.

'Ik stap maar weer eens op,' zeg ik en klim van tafel.

'Soms denk ik dat Jelka iets te volwassen is voor haar leeftijd,' zegt mama terwijl ze nog altijd naar de boodschappen staart.

'Wat wil je daarmee tussen de regels door zeggen?'

'Ik wil helemaal niks tussen de regels door zeggen.'

'Bedoel je dat ik onvolwassen ben?'

'Dat zeg ik niet maar...'

'Boodschap begrepen.'

'Het is niks voor jou om te doen, Hazel. Het vervalsen van die absentiekaarten. We snappen heus wel dat je je niet altijd kunt concentreren maar...'

'Hoezo?'

'Nu het niet zo goed gaat met Jaris. Dat is ook niet makkelijk voor jou. Jullie waren altijd samen.'

'Ik kan me prima concentreren,' zeg ik, 'en Jaris en ik zijn nog steeds samen!'

'Je hoeft niet zo te schreeuwen.'

'Dat bedoelde ik ironisch!' schreeuw ik en ren de twee trappen naar zolder op, waar ik op de gehaakte sprei van mijn bed ga liggen en in mijn agenda de tijdstippen noteer wanneer ik Job vandaag en alle dagen daarvoor heb gezien.

15:12 uur (01-05-'97)
11.15 uur (02-05-'97)
13.15 uur (02-05-'97)
15.21 uur (02-05-'97)
10:13 uur (05-05-'97)
12:15 uur (05-05-'97)

Als ik na een halfuur slapen wakker word, lig ik omgekeerd in bed met Atlas snurkend aan mijn voeteneind en mijn agenda opengeslagen op de grond.

Mijn kamer ruikt nog altijd naar verf.

Ik sta op, schuif één voor één de palmbomengordijntjes opzij en open het kantelraam, de frisse graslucht van buiten opsnuivend. Vanaf deze hoogte kan ik alles overzien; de hoge iepen achter het huis, de houten duiventil van papa en het konijnenhok van Koba naast mijn geheime plek bij de schuur. Als ik wil kan ik zo het zolderdak op lopen. Ik hoef alleen maar het raam nog verder omhoog te kantelen, langs het kozijn te kruipen en mijn voeten stevig op de dakpannen te zetten. Soms begrijp ik niet waarom ik de zolderkamer heb gekregen en hier de hele tijd maar in mijn eentje zit. Het laatste boek dat ik van Jaris heb geleend heet A geologic time scale en het gaat over de geologische tijdschaal van de aarde. Het is de wet van superpositie: de lagen in de bodem zijn zo gestapeld dat de oudste lagen in het diepste van de aarde liggen en de jongste lagen erbovenop. Het zal er dus wel op neerkomen dat ik de hoogste kamer van ons huis heb omdat ik de jongste ben.

Ik stap achteruit en sluit het raam.

Op mijn wekker is het kwart over vijf en dat betekent dat het nog één uur en een kwartier te vroeg is voor het avondeten en twee uur te laat om nog bij iemand langs te gaan. Omdat ik geen zin heb om bij Jaris op zijn kamer te gaan zitten en ook niet weet wat ik anders moet doen, haal ik mijn colablikjesverzameling tevoorschijn, en ik ga in kleermakerszit op de nieuwe rieten stoel zitten waar ik alle blikjes sorteer op kleur en merk. Oom Gerbrand had na zijn laatste vakantie een hele plastic tas vol van die blikjes gegeven en gezegd: 'Wie geeft wat hij heeft, is 't weerd dat hij leeft.' Mijn laatste project is een przewalskipaard met blikjes uit Hongarije en Duitsland.

Atlas gaat naast mijn stoel liggen. Geconcentreerd lijm ik de eerste blikjes aan elkaar.

'Wat moet het voorstellen?'

Ik kijk op. Jaris staat in de deuropening. Hij heeft zijn handen en voeten tegen de deurpost gezet alsof hij me de weg wil versperren. Ik denk aan hoe hij vanochtend op de trap mijn rok omhoog trok. Ze wil ons verleiden met haar blauwe jurk.

'Het stelt niks voor,' zeg ik en zet de blikjes op tafel.

'Ik zie toch dat het iets moet voorstellen.'

Ik haal mijn schouders op. 'Het is een przewalskipaard.'

Jaris loopt rondjes door mijn kamer en raakt alles aan. Hij bladert door mijn agenda die op de grond ligt en in de stapel *National Geographic*'s op mijn bureau en glijdt met zijn vinger langs de rij boeken in mijn kast. Hij steekt een sigaret op en gaat op het gehaakte kleed van mijn bed zitten.

'Heb je een vriendje?' vraagt Jaris en staart me vanonder zijn wimpers aan.

Ik voel dat ik knalrood word en zeg: 'Nee, helemaal niet.'

'Is hij een beetje aardig voor je?'

'Je mag niet binnen roken van mama. Dat gaat in de gordijnen zitten.'

Ik wil Jaris alles vertellen. Over hoe Job en ik elkaar hebben ontmoet en hoe hij die bal als een komeet in mijn oog sloeg en dat onze kluisjes opgeteld ons geluksgetal vormen en dat hij een boerenzoon is met honderdenvijf koeien en ook nog een paar Friese roodbonte en de haartjes op mijn benen omhoog gaan staan als hij naar buiten loopt en hij zijn sigaret tussen duim en wijsvinger vasthoudt en niemand beter kan doen alsof we elkaar niet zien dan wij.

'Zit hij aan je?' vraagt Jaris.

Met een hoop kabaal dondert de toren van colablikjes om. Ik vloek.

'Kun je niet zien dat ik met andere dingen bezig ben?' vraag ik als ik het laatste blikje van de grond heb opgeraapt. Atlas staat geeuwend op vanonder mijn stoel en legt zijn kop op de schoot van Jaris. Hij aait hem niet.

'Waar ken je hem van?' zegt Jaris.

'Wie?'

'Je vriendje.'

'Ik heb geen vriendje. Ik heb nog geeneens een push-upbeha.'

'Heb je weleens nagedacht over de positie van de vrouw ten opzichte van de man?'

Ik trek mijn wenkbrauwen op. 'Liever-niet-dankjewel.'

'Weet je dat er een seksuele strijd is? Dat er een maatschappelijk rangorde tussen man en vrouw bestaat? Dat de vrouw ondergeschikt staat aan de man?'

'Picobello.'

'Soms denk ik erover na wat er in de wereld gebeurt als je vrouwen de macht zou geven.'

'Nou?'

'Ik denk dat jullie ons met leugens zouden proberen te verleiden. Het is gevaarlijk als een vrouw zich gelijkstelt aan de man.'

'En waarom zouden we ons gelijkstellen aan de man?'

'Jullie zijn erop uit om ons tot slachtoffer te maken. Dat is de reden waarom de man angst voelt bij de penetratie van een vrouw. De vrouw heeft haar eigen seksualiteit ingeruild voor dat van de man. Het zijn de blauwe meisjes in blauwe jurkjes.'

De haartjes op mijn benen staan weer omhoog. Misschien is het inderdaad te koud voor mijn zomerjurk.

'Kan je niet weggaan?' vraag ik Jaris zonder dat ik hem durf aan te kijken.

'Waar moet ik dan heen?'

Soms probeer ik me de dag te herinneren dat Jaris weer thuis kwam wonen, maar het gekke is dat ik me niet één bijzondere dag kan herinneren. Hij kwam gewoon steeds een dag eerder thuis en reisde steeds later af naar Groningen, tot hij helemaal nooit meer wegging en papa op een dag met de aanhanger alle kartonnen dozen van de studentenflat weer naar huis bracht.

Op het dak hoor ik de duiven voorbijtrippelen. Nauwkeurig smeer ik de lijm aan de rand van twee blikjes en duw ze op elkaar tot ze één geheel vormen met de rest.

'Ik heb je boek hier nog staan,' zeg ik als Jaris wil weglopen. Ik overhandig hem A geologic time scale. 'Die had ik een paar maanden geleden van je geleend.'

'Die mag je houden,' zegt Jaris.

Ik hou het boek vast onder mijn arm en vraag waarom.

'Omdat ik er niet meer in geloof.'

'Waar geloof je niet in?'

'Dat de aarde er miljoenen jaren over heeft gedaan om te ontstaan.'

'Waar geloof je dan wel in?'
'Dat de aarde er zeven dagen over heeft gedaan.'

Op 2 mei doen Job en ik 16 keer alsof we elkaar niet zien.
Op 6 mei kijken we elkaar 1 keer in de ogen als we door de aula lopen.
Op 7 mei knipper ik maar 1 van de 4 keer met mijn ogen.
Op 8 mei duwt hij me 2 keer opzij, kijken we elkaar 8 keer aan.
Op 9 mei kijken we elkaar 24 keer aan en knipper ik 0 keer met mijn ogen.
Op 10 mei zegt papa: 'Er is iets aan de hand met Jaris.'

Hij ligt in een hoek van de woonkamer, met zijn linkeroor tegen de stereobox waaruit *Ramona* van The Blue Diamonds klinkt. Als Jaris mij ziet tilt hij zijn hoofd op en kijkt me verwilderd aan. Ik heb hem nog nooit eerder zo zien kijken.
'Hoor je het?' vraagt hij en ik zeg ja, *Ramona*, het lievelingsnummer van mama. De radio staat keihard maar Jaris ligt met opgetrokken benen voor de box gekruld en houdt zijn oor zo dichtbij alsof er geen geluid uitkomt. Telkens zegt hij dat ik niet goed luister en gebaart me dat ik naast hem moet komen zitten. Ik trek mijn sandalen uit, kruip naast hem op de grond en druk mijn oor tegen de box terwijl de bas door mijn hoofd dreunt. Het is dezelfde soort bas die ik weleens door het plafond hoor als papa tegen mama schreeuwt.
'Hoor je niet dat ik op de radio ben?' vraagt Jaris.
Ik kijk hem verbaasd aan en schud van nee en voor de vorm druk ik mijn oor nog maar een keer tegen de box.
Ramona, I hear the mission bells above.
Ramona, they're ringing out a song of love.
'Nee,' zeg ik. 'Ik weet niet waar je het over hebt en ik wil eigenlijk...'
'Ze sturen me een boodschap.'
'Wie?' vraag ik.
'The Blue Diamonds blijkbaar,' zegt papa die achter ons staat

en ik moet lachen, misschien wel van de zenuwen.

'Sorry hoor,' zeg ik en ga overeind zitten. 'Maar zeg je nou dat de radio je een boodschap stuurt?'

'Er is een mannelijke leider nodig,' zegt Jaris. 'Ze willen mij als leider, als verlosser.'

Ik controleer of hij serieus is en niet met zijn ogen knippert of in zijn nek krabt. 'Je meent het echt,' mompel ik ten slotte.

'Ja.'

Heel kort raakt mijn wang Jaris' schouder aan en ik stel me voor dat we weer naast elkaar op de surfplank liggen, in onze zwarte pakken boven het diepste van het diepe en met het water klotsend onder ons, en dat we luisteren waar de wind vandaan komt. Ik stel me voor dat de regenwolken die ooit zijn ogen zijn binnengedreven weer wegdrijven en voor altijd terug veranderen in de dierenwolken die ik ken, toen alles nog gewoon was.

Ramona, when day is done you hear my call,
Ramona, we'll meet beside the waterfall.

Hij zegt: 'Je moet luisteren om de boodschap te ontvangen. Ik wil dat jullie goed luisteren.'

'Maar ik hoor niks,' zeg ik, 'hoe kan ik luisteren als ik niks hoor?'

'Je moet horen dat ik op de radio ben. Ze hebben mij de autoriteit gegeven. Het is een boodschap.'

'Sorry hoor, maar je bént helemaal niet op de radio. Volgens mij verzin je het ter plekke.'

Jaris grijpt mijn bovenarm beet en kijkt me recht in mijn ogen. 'Je moet niet doen alsof het niet waar is.'

Ik trek mijn arm terug en schud hem los. 'Kap daar eens mee. Dat doet pijn.'

Papa zet de radio uit, loopt een paar stappen naar voren. 'Je bent geen verlosser, Jaris,' zegt hij.

Het is doodstil in de kamer en het enige wat ik hoor is papa die een paar keer diep door zijn neus ademt omdat hij daar rustig van wordt.

Jaris kijkt op en ik zie nu pas hoe bang zijn ogen staan. De aders in zijn nek zijn gezwollen. Zijn hand trilt. 'Waarom geloven jullie me niet?' Hij schreeuwt.

Geschrokken deins ik achteruit en blijf op een afstandje naar hem kijken. Hoe hij daar nog altijd met zijn oor bij de stereobox ligt terwijl er allang geen geluid meer uit komt. Ik kijk naar het grote lichaam dat zomaar op de grond van onze woonkamer ligt als een vis die uit de vijver is gesprongen en niet weet wat hij hier op de koude tegels doet.

'Jullie horen toch ook de boodschap,' zegt Jaris. 'Het is belangrijk dat jullie het horen.'

Niemand zegt wat.

'Verdomme Jaris!' brult papa. 'We horen het niet!' Hij trekt Jaris aan zijn arm, sleurt hem over de vloer achter zich aan, duwt hem tegen de boekenkast aan en hijgend blijven ze tegenover elkaar staan.

Ik wil weg.

Ik wil dat iemand zegt dat het een grap is.

'Waarom geloven jullie me niet?' schreeuwt Jaris. Als hij met vier treden tegelijk naar boven is gestormd en de slaapkamerdeur keihard achter zich heeft dichtgeslagen, blijf ik van de zenuwen maar stom op mijn onderlip bijten. Ook als we boven gestommel horen, zijn raam met een knal openslaat en Jaris zijn stereotoren uit het slaapkamerraam naar beneden gooit.

Onbewogen staar ik naar de duizenden stukjes stereo die op de grijze tuintegels liggen, en ik hoor het geschreeuw van Jaris boven mij maar het enige waar ik aan denk is dat Jaris' lievelings-cd van Pearl Jam in de stereo zit, dat hij daar vanmiddag nog naar had geluisterd.

Als papa de voortuin in loopt en de stukjes van de grond raapt zie ik dat zijn schouders schokken.

Ik loop naar buiten en wil tegen papa zeggen dat ik niet begrijp waarom mensen elkaar niet geloven, zelfs al zouden ze dat willen. Maar ik hurk naast hem neer en samen ruimen we zonder iets te zeggen de stukjes op.

MISSCHIEN KAN MAAR BETER IEMAND ANDERS IN MIJN PLAATS GAAN

Oké, misschien moest ik wel niet alles tegelijk bedenken. Misschien moest ik de dansende mensen en het pompende gedreun van techno langzaam tot mij laten doordringen, elke gedachte om de beurt. Focus. Op de jongen voor het podium, die ik een halfuur geleden nog hitsig met mijn hand vol in zijn kruis tegen de bar had geduwd en me nu als dank allerlei seksuele signalen stond door te seinen. Ik wilde dat iedereen mijn huid aanraakte. Focus. Op het licht, het stroboscooplicht dat alle beweging vertraagde, of misschien wel de tijd. Ik zag het niet. Focus. Op de in zichzelf gekeerde mensen die dansend hun ogen sloten, zich God waanden. Hoe hun krioelende lichamen elkaar raakten, het universum imiteerden waar sterrenstelsels door aantrekkingskracht tegen elkaar opbotsen. Iedereen moest zich God wanen op deze dansvloer. Zelfs ik waande me God op deze dansvloer.

Iedereen verlangde naar gekte. Er was hier niemand die niet naar gekte verlangde.

'Echt, het zit de hele tijd in mijn hoofd. Van dat nummer... Maar als de vlinders sterven in je schoot, dan rijst de levensgrote vraag: is de liefde minder groot?'

Keizer stond voor me. Normaal zweette hij al veel, maar dit was echt absurd.

'Van wie was dat pilletje?' vroeg ik. 'Ik moet hem vragen wat erin zat.'

'Als de vlinders sterven in je schoot... Ik kan daar niks mee.'

'Als jij me zegt van wie dat pilletje is, zeg ik je van wie dat nummer is.'

'Geloof me, Hazelnootje. Ik heb geen idee.'
'Hoe ben je er dan aangekomen?'
'O ja, via die glazenhaler die hier werkt. Robbie heet-ie.'
'Waar is die Robbie?'
'Volgens mij in de rookruimte.'
'Dat nummer is van Clouseau.'

Ik stond natuurlijk al te kotsen over mijn All Stars-gympen voordat ik boven in de rookruimte was, ergens midden op de trap, en iemand sleepte me hard aan mijn arm naar beneden, naar de hal. De portier smeet me op een bankje en strooide een bak zand in de hal van de club – 'Hou het alsjeblieft een beetje netjes' – waar ik kokhalzend op een houten bankje zat en mijn gedachten in bedwang probeerde te houden die heen en weer schoten tussen stervende vlinders en mijn eigen naderende dood. De stemmen leken door muren te komen. Iemand gaf me een beker limonade met weet ik veel hoeveel scheppen suiker erin. Een hand wreef over mijn haar. Ik was een ter dood veroordeelde die op de valreep nog wat anonieme liefde ontving.
'Ik wil niet dood.'
'Je gaat niet dood.'
'Ik wil niet dood.'
'Je gaat niet dood.'
Rillend van de drugskoorts leunde ik achterover tegen de koude verwarmingsbuizen en iemand bracht mij nog een glas limonade dat al snel uitgekotst langs mijn kin droop, en ik wreef met mijn hand over de zwarte stempel die op mijn pols was gedrukt en aantoonde dat ik hier hoorde. De xtc schoot als een gek door mijn bloedbanen. Mensen liepen langs zonder me aan te kijken. Ik wist niet hoelang ik hier al zat, gehypnotiseerd door die dreunende bassen die ergens uit de grond omhoogkwamen, en door de ingang liep de man in het zwarte pak naar binnen. Hij droeg een lege kist, gemaakt van licht beukenhout en van binnen bekleed met rood satijn, en bovenop zaten grote schroefdoppen waarmee je de deksel nog beter kon vastmaken.

De man zei dat ik vergiftigd was en de dood al in mijn bloed zat. Hij legde zijn vinger op een gezwollen ader van mijn pols. Das liep voorbij en zei dat ik er echt helemaal naar de tyfus uitzag.

Klappertandend liet ik me achter op de bagagedrager van Keizer naar huis vervoeren. Das fietste vijftig meter achter ons, slingerend langs de gracht. Ik stak mijn duim in mijn mond en leunde met mijn hoofd tegen de warme rug van Keizer. Om het stadslawaai voor te zijn waren de merels alweer begonnen met fluiten en ik zei dat dit zo ongeveer het mooiste geluid was dat ik ooit had gehoord.

De bomen vond ik ook mooi.

Het trof me dat alle takken afzonderlijk van elkaar bestonden, dat er geen enkele tak was die een andere tak leek te raken, maar dat het gewoon ieder voor zich was; smalle en dikke en kronkelige takken die geïsoleerd in de hemel naar voren staken. Ik wist niet waarom ik dat nooit eerder zo helder had gezien. Dat er helemaal geen kluwen van takken bestond die tot de wortel met elkaar was verbonden, zoals ik altijd had geloofd, maar dat iedere tak los van de rest in staat was om de aandacht op zich te richten. En dan ook nog eens beschenen in die warme gloed van ochtendschemering en dat oranje lantaarnlicht op de achtergrond.

We fietsten de brug over.

'Ben je aangekomen of zo?' vroeg Keizer die hijgend boven op zijn trappers stond.

Ik sprong van de bagagedrager en bleef midden op straat staan. Opnieuw staarde ik naar de bomen die om de drie meter naast elkaar langs de gracht waren gerangschikt, als onderdeel van een hoger plan.

'Heb je de structuur van die takken gezien?' vroeg ik.

'Je bent een beetje in de war, Nootje.'

'Nee, je moet goed kijken! Die boom hè, dat is de verbeelding van onze individualistische maatschappij.'

'Kom nou maar weer gewoon achterop zitten.'

'Die boom verbeeldt dat een collectief geweten een optische illusie is.'

'Hazel. Verpest het nou niet voor jezelf. Het enige wat je hoeft te doen is stilzitten en mooi wezen, aanvaarden dat een vrouw geen enkele functie heeft in deze wereld.'

'Dus jij zegt dat ik geen functie heb?'

'Dat weet ik ook wel.'

In de verte kwam Das met een noodgang aangefietst. Met een koele zelfbeheersing stond hij vol op zijn remmen en parkeerde zijn fiets dwars over straat.

'Hé bitches. Halen we nog een broodje kipcorn?'

Ik was gaan zitten in de wit plastic douchebak en met een washand drukte ik het afvoerputje dicht, het hete water kletterend op mijn hoofd. Ik was al mijn besef van tijd kwijt. Zittend in mijn eigen vuil herlas ik de etiketten van de shampooflessen die ik in een vlaag van duizeligheid van het plankje had gesmeten.

Regenereert en herstelt de haarstructuur van binnenuit /
opmerkelijk soepel en gezond haar /
proteïnen staan bekend om hun intensieve diepwerkende en
anti-haarbreuk eigenschappen /
helpt beschermen tegen schadelijke invloeden van buitenaf.

Waarom stond er niet dat ons haar gewoon uit gestorven cellen bestond en geen proteïne of vitamine deze dode materie kon binnendringen, dat niets ooit nog hersteld kon worden, en wie was trouwens de gek die ons deze onzin wilde laten geloven? Met een krachtige beweging spoot ik een klodder shampoo in mijn handpalm en masseerde het door mijn haar. Ik kneep mijn ogen dicht en snoof de geur van amandel op. Ik had het nog altijd koud van de drugskoorts en op de tast zette ik de temperatuur van de douche nog wat hoger, maar het werd onmiddellijk gloeiend heet en ik probeerde op te staan maar knalde met mijn kop tegen de kraan. Kromgebogen onder het kokend hete water overdacht ik of ik hier niet gewoon voor altijd kon blijven zitten.

Ik dacht: wie zou me nou helemaal missen?

Misschien zouden mijn ouders, of Mart, in het begin nog wel ongerust zijn, maar zoals de washand onder mijn voet ook niet kon voorkomen dat het merendeel van het water alsnog door de afvoer verdween, zouden ook zij merken dat elke herinnering aan mij uiteindelijk zou verdwijnen.

Met de achterkant van mijn hand wreef ik het sop uit mijn ogen. Ik stelde me voor dat als ik mijn ogen zou openen de man in het zwarte pak achter het douchegordijn zou staan. De kist van licht beukenhout naast hem. De rode bekleding aan de binnenkant. Zijn benige vinger op mijn gezwollen ader.

Maar als de vlinders sterven in je schoot, dan rijst de levensgrote vraag: is de liefde minder groot?

Nadat ik drie truien en twee pyjamabroeken over elkaar had aangetrokken en een witte handdoek als een tulband om mijn haar had gewikkeld, stond ik nog een hele tijd in de badkamerspiegel in mijn vergrote pupillen te staren, tot ik uiteindelijk de gang op liep. Met mijn wijsvinger wreef ik over de binnenkant van mijn wang die door het klappertanden was gaan bloeden. Samen met Das dronk ik een kop yogithee aan de rand van zijn bed. Hij pulkte aan zijn tenen en zei dat de liefde die hij op dat moment voor mij voelde in wezen slechts zelfverheerlijking was omdat je door xtc nog meer van jezelf gaat houden maar dat je dit alleen niet merkt omdat de mens is geconditioneerd als sociaal wezen. Ik zei geloof ik dat ik hem ook aardig vond. De hele ochtend zat ik op de rand van zijn bed en soms keek ik uit het raam om te controleren of de bomen nog altijd zo mooi waren als een paar uur geleden, maar naarmate de tijd verstreek werd alles weer normaal.

In de lethargie van een reeks mistige dagen die daarop volgden zei Keizer: 'Ik word al depressief als ik naar je kijk,' wanneer ik bijvoorbeeld langs hem liep of naast hem zat. Daarom had hij een afspraak gemaakt met Mr. Abadou. Een helderziend medium dat tweede was geworden op de internationale Afrikaanse beurs voor helderzienden. En bovendien gespecialiseerd in de definitieve terugkeer van een geliefde.

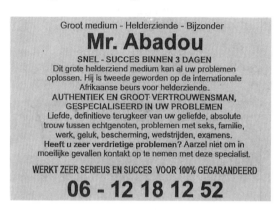

Groot medium – Helderziende – Bijzonder

Mr. Abadou

SNEL – SUCCES BINNEN 3 DAGEN
Dit grote helderziend medium kan al uw problemen oplossen. Hij is tweede geworden op de internationale Afrikaanse beurs voor helderziende.
AUTHENTIEK EN GROOT VERTROUWENSMAN, GESPECIALISEERD IN UW PROBLEMEN
Liefde, definitieve terugkeer van uw geliefde, absolute trouw tussen echtgenoten, problemen met seks, familie, werk, geluk, bescherming, wedstrijden, examens.
Heeft u zeer verdrietige problemen? Aarzel niet om in moeilijke gevallen kontakt op te nemen met deze specialist.
WERKT ZEER SERIEUS EN SUCCES VOOR 100% GEGARANDEERD

06 - 12 18 12 52

'Ik doe dit alleen maar om jóúw toekomst veilig te stellen,' had Keizer gezegd voordat hij met Mr. Abadou in een mengsel van Nederlands en gebrekkig Engels een afspraak had gemaakt. Ik had mijn schouders opgehaald terwijl ik samen met Das languit op de bank lag en naar de jingles op *Sky Radio* luisterde.

Het was toen donderdagavond.

Op zaterdagavond nam Keizer ons mee naar Mr. Abadou. Traag fietste ik achter Das en Keizer aan, het hele pokkestuk naar Amsterdam-Oost, en in een schimmig steegje parkeerden we onze fietsen tegen een met klimop overwoekerd pand, nummer 122. Een gedrongen man in een enkellange djellaba deed de deur open. Zijn grijze ringbaard stak vreemd af tegen zijn donkere en pokdalige huid, en om zijn nek bungelde een rits houten kralenkettingen. Hij staarde naar de grond. Onwillekeurig staarden we met hem mee, alsof we een kabouter over het hoofd hadden gezien.

Keizer liep naar voren en stak zijn hand uit. 'Ik zal me even voorstellen.'

'Ik niet doen,' zei de man en maakte een wuivend gebaar. 'Ik de hand nog lezen.'

We moesten onze schoenen uittrekken.

Ik probeerde achteruit te lopen maar Keizer versperde mij de weg. 'Mr. Abadou en ik bieden jou een kans op een gelukkig leven,' fluisterde hij. En hij keek me aan met een blik alsof hij nu al was bezeten door demonen. 'Je zou wel gék zijn als je zo'n aanbod weigert.'

Met tegenzin liep ik de trap op, achter de grote neongekleurde gympen van een buitengewoon opgewekte Das, en ik voelde hoe mijn T-shirt aan mijn rug plakte. Mijn benen waren zwaar alsof ze door modder ploegden. Ik had zin om mijn lichaam hier op de trap achter te laten.

In de woonkamer zat een vrouw met een zilverkleurige koptelefoon en opgetrokken knieën op de bank, en keek naar Mireille Bekooij op een groot tv-scherm. Ik herkende haar toevallig omdat het volgens mijn moeder 'een vakvrouw' is. Op de vloer lag een hoopje kinderen dat met hun vingers rijst uit een kom at.

Niemand zei ons gedag.

'Hopla,' zei Mr. Abadou en hij opende een deur naar een kleine zwartgeverfde kamer waar de geur van wierook hing en lange witte kaarsen in flessen een cirkel vormden rond een oosters tapijt. Das nam plaats op een rode poef in zijn vertrouwde kleermakerszit, zoals hij bij ons thuis ook altijd in de bidet zat, en draaide een joint. Keizer vroeg om een stoel. Die was er niet. Ik bleef maar in de deuropening staan.

'Dus u bent een kennis van Sander?' vroeg Keizer aan Mr. Abadou.

'Wie?' zei Mr. Abadou.

'De liefde van zijn leven,' legde ik uit.

'Die ken ik niet,' zei Mr. Abadou en hij verdween in een ander kamertje waar hij onder bezwerend geprevel voorbereidingen trof voor onze toekomst. Toen hij terugkwam zette hij een aardewerken schaal op de grond en zei: 'Voorspelling vijftig euro.'

Das trok zijn lege broekzakken binnenstebuiten en ik haalde alleen maar mijn wenkbrauwen op. 'Als jullie binnen nu en een jaar sterven eis ik alle royalty's op,' zei Keizer pissig terwijl hij een briefje van vijftig in de schaal slingerde.

'Hopla,' zei Mr. Abadou. Uit zijn djellaba toverde hij drie pasfoto's tevoorschijn en spreidde ze voor zijn blote voeten uit. Op de ene stond Keizer en op de andere Das. Op de middelste pasfoto stond ik.

'Hoe komt hij aan mijn pasfoto?' riep ik.

'Die heb ik hem afgelopen week gestuurd,' zei Keizer. 'Dat is een onderdeel van de ceremonie. Het is verplicht.'

'Maar je zei dat je mijn pasfoto voor in je portemonnee wilde.'

'Alsjeblieft, Hazelnootje. Wat denk je nou zelf?'

Mr. Abadou pakte mijn pasfoto van de grond en wenkte me dat ik naar voren moest komen. Ik vroeg of Keizer niet wilde, of misschien Das, maar die gaven geen sjoege. Met zijn duim wreef Mr. Abadou minutenlang over mijn foto terwijl hij naar het plafond staarde en onverstaanbare formules voor zich uit mompelde. Af en toe verspreidde hij wat wierook. Hij gooide schelpen op mijn voeten. Ik keek achterom naar Das die met een ceremoniële ratelaar op zijn been sloeg en naar Keizer die languit op het tapijt was gaan liggen, alsof hij op het strand lag.

'Ik probleem zien!' riep Mr. Abadou plotseling. Hij schudde zijn hoofd heftig op en neer, als een paard dat ergens opgewonden van raakt.

Ik vroeg of ik weer kon gaan.

'Jij bent niet alleen.' Hij keek me doordringend aan. 'Adumankama. Een kwade geest is naast jou. Het is de...'

'Wat voor taal spreekt u nu eigenlijk?' onderbrak Keizer hem.

Mr. Abadou keek verstoord op. Hoofdschuddend liep hij de kamer uit. We hoorden het geraas van de stortbak van een wc. Toen hij weer de kamer binnenkwam pakte hij mijn hand beet. Zijn vingers waren nat.

'Ik jouw hand lezen om toekomst van geest,' zei hij. Met zijn vinger volgde hij de smalle lijnen in mijn hand. 'Jouw levenslijn hier stopt. Ik verlies zien in jouw leven. Is dat waar?'

Ik kuchte een paar keer en zei: 'Geen idee.'

'Ik verlies zien van belangrijk persoon.'

Ik keek van hem weg.

'Deze korte lijn zegt dat jij op zoek gaat naar persoon. Om te zoeken naar waarheid.'

'Naar welke waarheid?' vroeg ik.

'De waarheid in doolhof. In midden.'

'Welk midden?'

'Alleen de geest weet dat.'

'Welk midden?'

'Jij moet luisteren, oké?'

Ik trok mijn hand los. 'Maar ik begrijp helemaal niks van wat u zegt!'

Mr. Abadou staarde me onbewogen aan. 'Jij niet op het achterhoofd vallen,' zei hij en tikte met zijn vinger op mijn hoofd. 'Ik niet op achterhoofd vallen. Jij moet man zien, de geest is naast jou.'

Met tegenzin keek ik naast mij, maar daar zag ik alleen maar de uitgestreken gezichten van Das en Keizer.

'Jij moet beter kijken om Adumankama te zien,' zei hij.

'Wie moet ik zien?'

'De man in zwart.'

Ik dacht aan de man in het zwarte pak die mij op straat had achtervolgd en op de trap bij oom Gerbrand had gestaan en in de hal van de club met de beukenhouten kist naast zich, de rode bekleding aan de binnenkant, en dat ik niet naar hem had durven kijken alsof ik vreesde dat ik iets bekends in zijn gezicht terugzag.

'De man in zwart is altijd naast jou. Dáár!' en Mr. Abadou wees naar een punt naast mij.

Met een ruk draaide ik me om. 'U kletst maar wat.'

'De man in zwart moet bij je blijven. Voor gevaar in toekomst.'

Mr. Abadou boog zich voorover en fluisterde in mijn oor: 'Black magic.'

Zijn blik werd glazig, alsof hij naar de bodem van een donker meer staarde, en ik voelde me benauwd worden. Ik inhaleerde de geur van Das' joint die nog intenser leek dan normaal – alsof hij wat geneeskundige kruiden van Mr. Abadou had toegevoegd – en ik keek naar de zwartgeverfde muren om mij heen die steeds dichterbij kwamen. Ik dacht weer aan de takken van de boom. Ik dacht aan de man in het zwart die naast mij stond en zijn hand op mijn schouder legde. En aan Job, die ergens door de straten moest lopen, zonder dat ik wist of hij wel echt ergens daarbuiten wás. Ik dacht aan Jaris. Ik dacht aan die hele godvergeten wereld die buiten ons bewustzijn bestond.

Ik liep achteruit. 'Misschien kan iemand anders maar beter in mijn plaats gaan.'

'Anders ga ik wel,' zei Das en hij hees zijn broek op.

Ik kwam er pas achter dat ik mijn schoenen in de hal had laten staan toen ik naar buiten was gestormd en de deur achter mij had dichtgegooid.

Op mijn sokken fietste ik naar huis.

Ik staarde naar de kromgebogen rug van een fietser voor mij. Waarom liet niemand me met rust? Wanneer zou ik nou eindelijk het Ultieme Niets bereiken? Misschien was ik al door Het Niets ingehaald zonder dat ik het in de gaten had? Terwijl ik dacht dat we nog altijd samen opfietsten – langs de grachten, door het park, onder de overhangende takken – moest Het Niets aan mij voorbij zijn gereden. Ik bekeek hem nu op zijn rug. Van een veilige afstand. Onbeduidend. Was dat volgens Heidegger niet de enige manier om het ultieme Niets te bereiken; vanuit het besef dat ik er op een dag niet meer zou zijn? Dat mijn leven zo onbeduidend was dat het alle betekenis verloor?

Want uiteindelijk verloor alles zijn betekenis. Klaar.

De fietser stak zijn hand uit en sloeg af naar links, en ik moest eigenlijk naar rechts, maar op de een of andere manier wilde ik het vertrouwde uitzicht van die kromgebogen rug voor mij niet verliezen. Ik sloeg ook af naar rechts.

We fietsten over de Blauwbrug.

Maar als alles uiteindelijk toch zijn betekenis verloor, waarom bleef ik dan maar betekenis geven aan mijn relatie met Mart? Of, waarom bleef Mart maar betekenis geven aan mij, ik bedoel, wie hielden we nu helemaal voor de gek?

Mart had zachte handen, van die handen die je bijna niet aanraakten maar voorzichtig je arm omklemden alsof ze niet wisten waarom ze daar lagen. Altijd als hij zijn hand op mijn arm legde dacht ik aan verdwaalde kinderen en bejaarden, die op dezelfde manier je pols konden vastpakken als ze de weg kwijt waren. Voorzichtig maar dwingend. Die hand moest daar blijven liggen tot je ze de weg had gewezen. Het was de zachte variant van een wurggreep, waarvan ik me nooit durfde los te maken.

Ik had een hekel aan zijn ogen. Aan dat doorzichtig groenblauw waardoor je zo op de bodem keek, overal dwars doorheen. Zijn wimpers hadden geen kleur. Soms bleef hij me maar aanstaren, secondenlang, in al zijn transparante tastbaarheid.

De fietser sloeg af naar de Amstel, slingerend tussen de toeristen die midden op het smalle fietspad liepen, richting de Munttoren.

Alles wees erop dat Mart en ik niet voor elkaar waren gemaakt. Onze voortanden leunden allebei naar voren waardoor ze tegen elkaar botsten tijdens het zoenen, zijn linkervoet stond naar buiten en die van mij juist naar binnen, het kuiltje in zijn borst was te klein voor mijn gezicht, hij sliep liever op zijn rechterzij en ik op mijn linker, we liepen het liefst allebei aan de binnenkant van de stoep.

Zoekend liep ik de stationshal in, maar mijn trein vertrok nog altijd vanaf spoor 8A. Op mijn sokken liep ik de roltrap op. Waarom was ik die man achterna gefietst en niet gewoon eerst nog even naar huis gegaan om een paar normale schoenen aan te trekken?

Dit sloeg nergens op.

Mijn hele leven sloeg nergens op.

Toen de deuren van de trein puffend openschoven merkte ik al dat ik niet strategisch stond opgesteld, want iedereen wurmde zich onverzettelijk langs mij heen, als koeien die allemaal tegelijk op stal wilden. Uiteindelijk stapte ik als laatste naar binnen en veroverde een plek op de plastic vierzitter, aan de linkerkant bij het raam en uit de zon, voor zover ik kon overzien. Tegenover mij zat een moeder met haar kind. Ze droegen allebei dezelfde vrolijk gekleurde trui. Terwijl ik mijn hoofd tegen de leuning van de treinstoel legde en vanuit het niets een gedetailleerd beeld van Marts piemel door mijn hoofd zag schieten, hoorde ik mijn mobiel overgaan. Mama. Ze moest voorvoelen dat ik haar kant opkwam.

'Hoi mams.'

'Met je moeder.'

'Dat is toevallig, ik zat net aan jullie te denken.'

'Hazel. We vragen ons af waar je toch in hemelsnaam uithangt,' zei mijn moeder. Ze klonk oprecht bezorgd.

'Ik zit in de trein en alles.'

'En alles?'

'Nou ja...'

'En mogen wij ook vragen met welke reden jij naar huis komt?'

Door het raam zag ik hoe de trein station Amsterdam verliet. Op de een of andere manier leek het me verstandiger om niet te vertellen dat ik op weg was naar Heerhugowaard. Maar als ik dat niet vertelde dan moest ik wel bij mijn ouders langsgaan, want wat deed ik anders in de trein? Misschien kon ik beter gewoon ophangen.

'Hazel?'

'Wat?' zei ik.

'Wat de reden van je komst ook mag zijn, je begrijpt dat je vader en ik dolgelukkig zijn als je gewoon weer thuis komt wonen, want we ontvangen signalen dat jij daar in Amsterdam helemaal niet voor jezelf kunt zorgen. Pas nog las ik een artikel over hoogsensitieve kinderen die heel sterk reageren op licht en geluid en emoties en toen zei ik nog tegen je vader dat is nou precíés Hazel, omdat jij ook zo gevoelig bent voor invloeden van...'

'De vorige keer riep je nog dat ik zo ongevoelig ben.'

'Ja en nee... Toch denk ik... Maar wat ik eigenlijk wilde vragen is of je onze mail hebt ontvangen.'

'Die over mijn schoenen?'

'Ik had je gevraagd of je een berichtje wilde terugsturen.'

'Het kwam er niet van.'

'Maar heb je wel contact opgenomen met oom Gerbrand?'

'Nee,' loog ik.

'Wij begrijpen niet waarom je jezelf op die manier zo aan het verwaarlozen bent... Je moet jezelf juist rijk rekenen met een schat van een vriend en lieve ouders die vreselijk bezorgd om je zijn... Maar het enige wat jij doet is in de kroeg rondhangen met die huisgenoten van je, Vos en Keizer.'

'Das en Keizer.'

'Dit schiet toch niet op, Hazel!'

'Waarom laat je me dan niet met rust?'

'Omdat je uiteindelijk nog steeds mijn dochter bent.' Dat zei mijn moeder wel vaker. Alsof ik ineens níét haar dochter kon zijn. Alsof het allemaal op een vergissing berustte. 'Maar goed,' zuchtte mijn moeder. 'Je komt straks naar huis en dan praten we er wel verder over.'

'Ik kan niet wachten.'

'O ja, papa vroeg nog of je de betalingen kan overm...,' zei mijn moeder maar toen had ik al opgehangen. Ik glimlachte naar de moeder en het kind in de vrolijk gekleurde truien.

Langs de blauwe treinstoelen keek ik naar de mensen om mij heen, naar de sacherijnige koppen die voor zich uit staarden, en ik vroeg me af welke voorstelling ze zich van mij maakten.

'En dat is het berenbos,' zei de moeder tegen haar dochter en wees naar een paar struiken naast het viaduct. Het meisje keek naar het berenbos.

'En dat daar, dat is de windmolen. Zie je de windmolen?'

Een handje wees uit het raam naar de windmolen.

'En nu gaat de trein weer zachter.'

Het meisje knikte.

'En nu stapt die meneer uit.'

Ik wilde dat haar dochtertje gewoon uit het raam kon kijken. Dat ze de wereld kon zien alsof ze het voor de eerste keer zag. Zonder verwachtingen. Zonder dat de dingen een naam hadden, een structuur, een snelheid, een kleur, een betekenis. Ik wilde dat het niet uitmaakte of iets echt bestond of niet.

Het meisje had met een stift een mondje tussen haar duim en wijsvinger getekend. Ze bewoog het mondje heen en weer, alsof ze tegen zichzelf praatte.

Langzaam reed de trein verder.

Jaris had eens gezegd dat we zonder imperfectie niet bestonden; dat alleen een gebrek aan orde de oorzaak was dat alles bestond, en zonder de kleine variaties in temperatuur in het universum er nooit leven was geweest. Ik dacht daaraan toen de trein langzaam in beweging kwam bij station Uitgeest en ik plotseling besefte dat het niet onze trein was die in beweging kwam, maar de trein daarnaast.

Ik trok de klitten uit mijn haar, wreef de geklonterde mascara uit mijn jeukende oog, en legde mijn hoofd weer op de leuning. Ik staarde uit het raam. De zon reflecteerde als een vuurbal op de ramen van de boerderijen in de verte. Een paar verdwaalde cumuluswolken erboven. Het uitgestrekte land eromheen. De weilanden hadden hier allemaal dezelfde vierkante vorm, wat mij deed beseffen dat alles waar ik nu naar keek ooit op de tekentafel bedacht moest zijn.

En dat daar, dat is de grond waarin je zult sterven.

Het was aan het einde van de middag toen ik de bus richting Mart had genomen en een halve kilometer voor zijn huis uitstapte, ergens bij een verlaten bushalte tussen de weilanden. Het waaide, zoals altijd. Ik dacht eraan hoe ik hier altijd tegen de wind in had gefietst; met mijn rode poetskistje rammelend van de rosborstels achter op mijn fiets, het zweepje bungelend aan mijn stuur en mijn paardrijcap boven op mijn hoofd. Toen ik nog gewend was aan de leegte van het land om mij heen.

Ik stak een sigaret op en liep door het geultje in het midden van het hoge gras naast de weg, en ondanks het feit dat ik op weg was naar Mart om onze levens voorgoed van elkaar te scheiden, vond ik het op een bepaalde manier heel bijzonder dat ik dit toch maar voor hem overhad.

Ik had hem natuurlijk ook gewoon een sms kunnen sturen om het uit te maken.

Voor de poort van de boerderij rende Tokio, de stokoude Berner Sennenhond. Toen ik de poort opende en hij blaffend om mijn benen rende, riep ik: 'Goed volk!' Ik sprong over het beest heen en energiek liep ik richting de stallen, waar Mart waarschijnlijk wel aan het werk was. Ik banjerde langs de paarden die mij van boven de staldeuren met malende kaken aanstaarden, en ik snoof de geur van hooi en stro op waarmee de ruimte tot aan het stoffige balkonplafond was gevuld. Ik fluisterde de paarden gedag.

Ik wilde in het hooi gaan liggen.

'Wat doe jij nou hier?' vroeg Mart. Met twee paarden aan zijn hand liep hij de stal binnen.

Ik liep op hem af. 'Ik kwam je even gedag zeggen,' zei ik en gaf een van de paarden een klopje op zijn hals. Geschrokken deinsde het beest achteruit en keek me aan, waarbij hij zijn oogbollen krachtig naar buiten duwde.

'Waar zijn je schoenen?' vroeg Mart. Hij keek naar mijn voeten.

'Mijn schoenen,' zei ik en staarde naar mijn sokken, de plukken stro die aan de lichtblauwe stof kleefden. 'Volgens mij moeten we even praten, Mart.'

Hij keek me pas weer aan toen ik mijn hand op zijn schouder legde. De hele tijd had Mart strak voor zich uitgekeken. Naar de eend die aan de rand van de sloot moeizaam tussen het riet naar boven klom. Het zachte heen en weer bewegen van de bladeren aan de populieren. De hazen die voor de maaiers van de tractor uitrenden en over de sloot sprongen. Ver voorbij de kaarsrechte dijk die het einde van dit land betekende.

'Dus je wilt zeggen dat je zomaar vijf jaar van ons leven weggooit?' vroeg Mart ten slotte.

Ik wilde zeggen dat er geen echte tijd bestond. Dat we niets anders deden dan de tijd verzinnen om een volgorde in de dingen aan te brengen, dat we de tijd verzonnen uit angst voor het grijze schemergebied waarin alles voorgoed stilstond.

'Weggooien vind ik een groot woord,' antwoordde ik. 'Bananenschillen gooi je weg. Of een leeg blikje bonen. Een relatie gooi je niet weg.'

'Maar je bewaart onze relatie ook niet.'

'Waarom zou ik onze relatie bewaren?'

'Om te kijken of het ooit nog weer wat wordt.'

'Dit wordt niks meer, Mart.'

Mart keek voor zich uit en het enige wat ik hoopte was dat hij niet zou gaan huilen, dat hij niet als een dood vogeltje op mijn schoot kwam te liggen.

'Ik begrijp het niet.'

'Ik moet gewoon iets anders met mijn leven doen.'

'Toen ik je net leerde kennen was je zo anders,' fluisterde Mart. 'Je was nog lief, op een bepaalde manier. Aanhankelijk of zo.'

Ik zei niks.

'Maar nu lijkt het soms of je geen gevoel meer hebt,' ging Mart verder, 'dat je al je gevoel hebt uitgeschakeld zodat mensen je geen pijn kunnen doen. Je rent overal voor weg, Hazel. En mij gebruik je alleen maar om zelf sterker te zijn, omdat je weet dat ik er niks van durf te zeggen.'

'Dat is helemaal niet waar.'

'Ik heb het nog nooit eerder tegen je gezegd... Maar soms is het net alsof je me misbruikt.'

'Nu ga je wel erg ver!' riep ik.

'Volgens mij ben je vreemdgegaan.'

Ik trok mijn sokken omhoog die nat waren geworden van het gras. 'Dat zou ik nooit van mijn leven doen, Mart.'

Mart gooide een steentje in de sloot en slikte een paar keer. Ik zag hoe de adamsappel in zijn keel heen en weer bewoog, als zo'n krachtmeter bij een boksbal op de kermis.

'Onze levens zijn gewoon heel anders,' zei ik. Ik pakte de achterkant van mijn voeten beet en krabde tussen mijn tenen. 'Jij zit hier. In dit dorp met je paarden. Je zegt toch altijd dat je hier nooit vandaan wilt? Ik woon al maanden in Amsterdam maar je bent nog nooit langs geweest.'

'Wil je dat ik in Amsterdam langskom?'

'Dat is het niet.'

'Ik kom zo langs hoor, als je dat wilt.'

'Nee, dat bedoel ik niet.'

'Maar als het probleem is dat ik nog nooit in Amsterdam ben langs geweest dan kom ik je gewoon opzoeken. Als ik daarmee onze relatie...'

Kwaad sprong ik overeind. 'Ik wil helemaal niet dat je me komt opzoeken, Mart!'

'Maar wat wil je dan?'

Mart liep door de stallen voor mij uit terwijl ik vermoeid achter hem aan slofte, mijn ogen afwendend van de beschuldigende blikken van de paarden naast mij en van de kat die om mij heen cirkelde en die ik geërriteerd met mijn voet wegjoeg. Ik probeerde er niet aan te denken dat ik hier nooit meer zou komen, dat ik hier voor de laatste keer achter Mart aan naar buiten liep, en we over een paar minuten voor altijd afscheid van elkaar moesten nemen waarna hij alleen nog in mijn voorstelling van hem zou voortleven.

'Mart,' zei ik. Ik bleef midden op het pad stilstaan.

Hij draaide zich om.

'Heb je nog een paar schoenen voor me?'

Op de kaplaarzen van Marts vader stampte ik het erf af, met Tokio kwispelend naast mij. Ik keek de hond aan en hij keek mij aan en toen keken we allebei weer recht voor ons uit. Terwijl Mart het grote ijzeren hek van het erf opende, vroeg ik me af of ik hem nu een kus op zijn wang moest geven of de hand moest schudden of gewoon maar zonder om te kijken moest weglopen. Voor het erf reed een tractor met veel kabaal voorbij, grote plakkaten modder achter zich opspuwend. Plotseling pakte Mart mijn kin vast en keek me doordringend aan.

'Waarom huil je?' vroeg hij.

Ik trok mijn schouders op. Ik dacht aan de boer uit de film *Jean de Florette*; het was de boer Ugolin die iedereen had opgelicht maar tranen van geluk in zijn ogen had staan toen de buit eenmaal binnen was.

'Ik huil niet,' zei ik. 'Het zijn mijn ogen die huilen.' Het waren de woorden van de boer.

Ik opende de poort, stak de weg over en liep weer door het geultje in het midden van het hoge gras naast de weg terug naar de bushalte. Een zwerm muggen vloog in mijn ogen. Ik voelde de warmte van het asfalt. De zon was zo goed als verdwenen. Er was hier helemaal niemand.

Hij kijkt me alleen maar aan en ik laat die hele kist met bloembollen uit mijn handen kletteren. Op handen en voeten kruip ik door de schuur. Over de vloer, tussen de stapel kisten, de houten werktafels die in groepen van vier tegen elkaar staan, de hooibalen. Pas als ik overeind kom, de kist met bollen boven op de stapel zet en met de rug van mijn hand het stof uit mijn oog wrijf, durf ik hem weer aan te kijken.

Ik haal diep adem. Stuur hem de boodschap. *Dag onbekende grote liefde, als ik naar het einde van het universum reis kom je me dan achterna?*

Job steekt zijn hand op en ik wil mijn hand ook opsteken maar hij kijkt alweer weg. Er is zo ongeveer niks aan zijn gezicht wat ik niet mooi vind.

'Jullie hadden een moment samen,' zegt Jelka als ik weer naast haar achter de werktafel kruip en op de gekantelde kist ga zitten. Ik zeg dat we helemaal geen moment hadden en met een ruk trek ik de versleten pleisters van mijn duim en wijsvinger los. Mijn vingers gloeien, ik kan mijn hand bijna niet meer bewegen. Ik heb twee paar rubberen keukenhandschoenen van mama over elkaar aangetrokken en de pleisters om mijn vingers gebonden, maar niks helpt tegen de pijn. Al vanaf halfzeven vanochtend zitten we aan de houten tafels waar telkens een nieuwe lading bollen ons werkblad op rolt. Ik trek de steel van de bol eraf en gooi hem in het rode plastic teiltje dat tussen ons in staat. Voor iedere kist die we pellen krijgen we twee gulden en als we een beetje doorwerken pel je zo zeven kisten per dag, als je maar niet gaat nadenken waarom je de ene keer de steel linksom afdraait en de andere keer rechtsom of waarom de grootte van de bol altijd verschillend is, want dan haal je nog niet eens vijf kisten per dag. We luisteren naar de top 40 en ieder uur komt de knaller van de week voorbij. Na een dag werken is mijn snot zwart van het stof. Het licht komt maar door één raam de schuur binnen en verandert meteen in stof, alsof iemand met zijn voet op een zanderige zeebodem is gaan staan.

'Ik snap niet waar je op wacht,' zegt Jelka. Ze knikt naar Myrthe, het blonde meisje achter ons op wie alle jongens verliefd zijn, en haalt haar wenkbrauwen op. 'Voor je het weet heeft-ie een ander.'

'Dat lijkt misschien maar zo,' zeg ik en gooi de zoveelste bol in het plastic teiltje.

Ook gisteravond had ik gecontroleerd of de rij encyclopediedelen van Jaris op alfabetische volgorde stond, de laatste weken doe ik dat soms wel twee keer per dag. Of ik haal de cassettebandjes uit de houten bakken onder zijn bed en wrijf het stof eraf. Ik controleer of de verlichte wereldbol in het midden van de stapel boeken staat en de grote groene plant links van de vensterbank. Soms kruip ik op de bureaustoel en stel me voor dat ik Jaris ben. Dan kijk ik door de luxaflex naar buiten terwijl ik probeer te raden waar hij het liefst naar keek. Of dat het kippenhok is bij de verbouwde boerderij aan de overkant. Of de witte vliegtuigstrepen die elkaar net niet kruisen in de lucht. De zon die weerkaatst in de achteruitkijkspiegels van de auto's op het parkeerterrein. Of buurman Kouwenaar die het onkruid tussen de stoeptegels vandaan trekt.

Ik probeer mij voor te stellen hoe de wereld er in zijn hoofd uit moet zien. Waarom hij had gezegd dat hij werd achtervolgd en anderhalve maand geleden met het colbert van papa aan en de Bijbel in een plastic tas van huis was weggelopen.

Vóór de eerste koffiepauze hebben we twee kisten gepeld en we lopen door het modderige trekkerspoor in het land, dat tot aan het einde van de dijk reikt. Ik zet mijn voeten kaarsrecht voor elkaar en knijp mijn ogen stijf dicht.

Als ik binnen het spoor blijf moet ik het Job vragen. Als ik buiten het spoor stap doen we voor altijd of we elkaar niet zien. De sigarettenrook van Jelka vermengt zich met de natte aarde onder onze voeten. Ze neuriet ons favoriete liedje van Fiona Apple maar begint telkens opnieuw, alsof ze zich heeft vergist, en de miezerregen plakt in onze gezichten en op mijn blote benen. Het is te koud voor mijn afgeknipte spijkerbroek. Mama had gezegd dat het een mooie dag zou worden, maar dat zegt ze altijd. Gelukkig had ik nog een oude regenjas van Mensje in mijn tas gepropt. Ik blijf maar achter Jelka aanlopen, mijn ene voet voor de andere, rechtdoor en zonder na te denken, door die eindeloze geul die dwars door het land snijdt.

'Sorry hoor,' zegt Jelka en ze onderbreekt haar geneurie.

'Wat?' vraag ik.

'Gewoon.' Ze blijft even stil. 'Denk je dat we ons nóg meer kunnen vervelen?'

Ik knijp mijn ogen stijf dicht. 'Ik probeer me te concentreren,' zeg ik geïrriteerd.

'Neem me niet kwalijk,' zegt Jelka. Met beide handen pakt ze mijn schouders beet. 'Maar dit slaat toch nergens op?'

Ik open mijn ogen en probeer mijn evenwicht te bewaren op die slappe rubberen kaplaarzen die telkens tegen mijn kuiten slaan. Ik kijk naar de grond en controleer of mijn voeten nog altijd binnen de geul staan. Over vijftig meter begint de dijk. We zijn er bijna.

Op het naastgelegen weiland wordt een groep ganzen door de boer van het land gejaagd. Eén voor één stijgen ze op, in V-vorm achter elkaar aan, zoekend naar een plek om neer te strijken. Een grutto op een weidepaal kijkt ze na, steekt zijn snavel schuin omhoog, zijn dikke buik vooruit. Papa had eens een dodedierenschilderijtje van de grutto gemaakt; samen hadden we hem op een ochtend aan de slootkant van een weiland gevonden toen we met onze buik in het gras lagen, en zijn kop lag er bijna helemaal af.

'Wat slaat nergens op?' vraag ik als ik haar weer aankijk.

'Dít.' Met haar legerkist geeft Jelka een schop tegen de aarde, grote plakkaten modder vliegen hoog door de lucht als een zwerm bijen die ik niet heb zien aankomen.

'Wat is daarmee?'

'Alles. Ik haat deze grond... deze modder...'

Niet-begrijpend kijk ik haar aan en haal mijn schouders op.

'Hoe kan je nou een hekel hebben aan de grond?'

'Ik weet niet,' zegt Jelka en gooit haar peuk weg, 'ik verveel me gewoon. Ik verveel me gewoon dood in dit dorp. Snap je?'

'Dan ga je toch wat anders doen?'

'Zo simpel ligt dat niet.'

'Maar ik weet niet eens waar je het over hebt.'

Niemand zegt wat als we met z'n allen aan de grote eikenhouten keukentafel schuiven, in de kantine naast de bollenschuur. Alleen Gerrit, de boer, zegt af en toe 'jhaa' terwijl hij zijn adem in zijn keel zuigt. Met een lepeltje roert hij hard door zijn koffie tot er een draaikolk ontstaat, net zoals oom Gerbrand doet als hij zenuwachtig is. Met twaalf mensen zitten we aan tafel waar we net als de koeien op stal maar een beetje stom voor ons uitstaren terwijl we onze kleffe boterhammen herkauwen. De jongens die op het land werken zitten er ook bij, aan de linkerkant van de tafel. Behalve Viktor, die zit bij ons aan de rechterkant. Gerrit staat op, pakt een pak suikerklontjes uit het scheef hangende keukenkastje en zet hem naast de fles koffiemelk op tafel. Hij doet twee klontjes in zijn koffie en begint opnieuw te roeren. Het koffiezetapparaat pruttelt. Aan de muur hangt een kalender met landbouwmachines, en daarnaast een foto van een vrouw met een grote neus, misschien wel de boerin. Viktor, die vanochtend net als alle andere jongens op het land bollen heeft staan rapen, leest samen met Jelka een strip in het agrarisch weekblad *De Boerderij*.

'Lekker bakkie,' zegt Viktor als hij een slok van zijn koffie neemt. Niemand reageert op hem. De koffie is niet te drinken, dat weet iedereen.

Verveeld kijkt hij voor zich uit. Dan buigt hij zich naar Jelka toe. 'Heb jij ook zulke ruwe handen?'

'Die gescheurde nagelriemen zijn het ergst,' zegt ze.

'Wat voor crème gebruik jij daarvoor?'

'Uierzalf. Die ene die ik je laatst nog heb meegegeven. Hé! Wanneer krijg ik die eigenlijk van je terug?'

De jongens schuiven ongemakkelijk op hun stoel en iemand mompelt of Viktor die crème ook in zijn anus smeert, en iedereen begint keihard te lachen. Ook Viktor zelf.

Ik peuter de zwarte rouwrandjes onder mijn nagels vandaan zodat ik niet naar Job hoef te kijken die totaal woest aantrekkelijk in zijn blauwe overall tegenover mij aan tafel zit en ritmisch met zijn vingers aan de onderkant van het tafelblad roffelt.

Ik wil onzichtbaar zijn, of niet bestaan.

Er zijn zoveel dingen die er niet zijn maar er toch zijn. Zoals de koffiemok die ooit op deze keukentafel heeft gestaan en waar alleen de kring op het eikenhouten blad van is overgebleven. De verdwenen boom in de lange rij populieren die nog zichtbaar is door de grote boomwortel die boven de grond uitsteekt. De schaduw van mijn stoel op de keukenvloer omdat de zon daar niet komt. Of de oude Nike-gympen van Jaris die vanochtend bij de deuropening hadden gestaan.

Als ik opzij kijk zie ik dat Jelka haar ogen groot maakt, als teken dat ik iets moet zeggen waarmee ik indruk op Job kan maken zodat we met het schoolfeest op donderdag 26 juli eindelijk met onze mond open kunnen zoenen, want dat had ik al bedacht.

Ik verzamel al mijn moed bij elkaar, zucht een paar keer en loop dan weg van tafel. Op de wc staar ik zonder te plassen naar het boter-kaas-en-eierenspel dat iemand in de deur heeft gekerfd terwijl ik koortsachtig nadenk over wat ik moet zeggen om indruk op Job te maken. De koude lucht glijdt door het openstaande wc-raampje over mijn blote rug. Ik luister naar het gezoem van de melktank op het erf. Voor de vorm trek ik de wc door. Als ik met gekruiste vingers weer de kleine bijkeuken binnenloop weet ik dat ik het moet zeggen. Zeg het meteen. Zeg het meteen. Zeg het nu.

'U heeft een prima toilet,' zeg ik.

Gerrit kijkt me verwonderd aan. 'Daar ben ik blij mee.'

'Vooral de...' maar halverwege breek ik mijn zin af omdat ik geen idee heb wat ik over die wc moet zeggen. Jelka kijkt me aan alsof ik gek geworden ben en voor de tweede keer die dag zak ik totaal door de grond. Job pelt een sinaasappel en staart gedachteloos voor zich uit. Als ik wil gaan zitten schuift boer Gerrit zijn stoel naar achter. 'We motten maar weer eens aan 't werk,' zegt hij.

Stommelend komt iedereen in beweging en alle koffiekopjes worden in de gootsteen gekletterd. Als ik het pak suikerklonten op het aanrecht wil zetten staat Job voor mij, en ik durf niet links- of rechtsom langs hem te lopen. Ik kan hem ruiken. In zijn nek zie ik de zwarte afgeschoren haartjes zitten. Als ik wil kan ik er met mijn vinger langs strijken. Of met mijn mond warme lucht in zijn nek blazen en in zijn oor fluisteren 'Vanaf-Deze-Dag-Zijn-We-Voor-Altijd-Samen' en 'Laten-We-Kussen-Om-Het-Echt-Te-Maken' en 'Als-Ik-Naar-Het-Einde-Van-Het-Universum-Reis-Kom-Je-Me-Dan-Achterna?' Ik kan met mijn wang langs zijn wang wrijven.

Job doet of hij me niet ziet en loopt langs mij heen naar buiten waar hij een sigaret opsteekt die hij tussen duim en wijsvinger vasthoudt. Hij knijpt met zijn ogen tegen de doorgebroken zon. Als ik achter Viktor en Jelka aan naar buiten wil lopen, hoor ik de boer vragen: 'Zeg, ben jij niet dat meiske van Friedland?'

Ik blijf staan en knik.

'Dat is grappig,' zegt hij, 'dan heb ik je broer hier ook nog op het land gehad. Hoe-heet-ie ook alweer, Jan... Joos... Jonath...'

'Jaris,' zeg ik snel.

'Dat is het,' zegt hij. 'Jaris. Een echte harde werker was dat, die broer van jou. En een denker hè?'

Ik knik nog een keer.

'Doe hem maar de groeten van me,' roept de boer als ik de hordeur openduw en naar buiten ren.

Had ik moeten zeggen dat we helemaal niet wisten waar Jaris was? Dat er een politiebericht was uitgegaan maar er nooit een bericht terugkwam, zodat we een paar weken terug met de auto naar Amsterdam waren gereden om hem daar te zoeken?

De hele stad hadden we doorkruist, langs de rinkelende trams die ik doodeng vond, de rode kamers waar vrouwen in hun ondergoed voor de ramen stonden en de fietsers die haastig langs ons scheerden, tot we hem ergens in dat doolhof van de stad terugvonden. Ineengedoken zat hij op het Centraal Station, tussen de drommen mensen die aan hem voorbij liepen, met zijn Bijbel in een plastic tasje en het donkergrijze colbert van papa aan. In gedachten staarde hij voor zich uit. Hij had een baard laten staan, net als de zwervers die naast hem op het bankje zaten, en zijn haar was nog langer dan op die ene middag toen hij van huis wegliep.

Zijn ogen schitterden voor een paar seconden, alsof hij verbaasd was ons te zien.

'Hé,' zei ik en stak mijn hand op, maar Jaris zag het niet.

Papa hurkte bij hem neer en legde zijn hand op Jaris' knie. 'Dag knul,' zei hij.

Mama pakte een papieren zakdoek uit haar handtas, misschien wel voor het geval dát, en ik keek weg omdat ik er gewoon geen zin in had. Ik luisterde naar de omroepstem die ons vertelde vanaf welk perron de treinen reden, welke vertraging hadden en welke niet.

'We hebben je overal gezocht,' zei mama. Ze maakte de zakdoek nat met spuug, wreef hem over Jaris' grauwe huid. 'Iedereen zoekt je.'

De zwerver die naast Jaris zat hield zijn hand op.

'Waar heb je geslapen?' vroeg papa, 'heb je wel gegeten?'

Toen Jaris mij aankeek zag ik dat de randen van zijn ogen rood waren. 'Ik slaap in het hostel hier vlakbij,' zei hij. 'Ergens in de Spuistraat.'

Ik wilde hem vragen of hij Atlas had gemist en waarom hij hier op een bankje tussen de zwervers zat, maar al die tijd stond ik alleen maar te doen alsof mijn neus bloedde.

'Hoe betaal je dat?' vroeg mama.

'Ik werk op Schiphol.'

'Wat doe je daar?'

'Schoonmaken enzo.'

'Heeft u nog wat centen over voor een plekkie om te slapen?' vroeg de zwerver aan mijn moeder en hij hield zijn hand op. Verward keek mijn moeder hem aan. Daarna trok ze twintig gulden uit haar portemonnee. Razendsnel stopte de zwerver het geld weg in zijn schoen. Het viel me op dat hij twee verschillende dameskousen droeg – een soort huidkleurige pantystof – die onder zijn bruine ribbroek vandaan staken. Ik keek naar de andere zwervers om te zien wat voor sokken zij droegen, maar de meeste hadden sportsokken aan of grijze wollen sokken.

Jaris trok zijn schouders op. 'Het kan niet anders. Ik weet niet...'

'Ik wil niet dat mijn zoon hier zit,' onderbrak mama hem en hurkte naast hem neer terwijl ze met beide handen zijn benen stevig vastgreep. 'Tussen dit...' ze keek even om zich heen, 'tussen dit gajes.'

Jaris sloot zijn ogen. Maar meteen daarna keek hij ons weer aan terwijl hij zijn hoofd tussen zijn handen hield. 'Soms lijkt het alsof de hele wereld besneeuwd is.'

Papa wisselde een blik van verstandhouding uit met mama. Het rook in deze stationshal naar versgebakken patat en gevulde koeken. Een zwerfhond die aan mijn voeten snuffelde aaide ik over zijn kop. Zijn vacht was schilferig en dof. Ik gaf hem een dropje.

'Dit is toch geen toekomst,' zuchtte mama.

Helemaal links zat een zwerver met geruite sokken, hij droeg ze in zijn slippers, waardoor zijn sokken bij zijn grote teen raar in elkaar gefrommeld zaten. Er zat ook iemand bij die helemaal geen sokken droeg. De onderkant van zijn voeten waren zwart en zijn teennagels geel.

'Het is te belachelijk voor woorden dat we je niet mogen helpen,' zei papa.

Jaris' gezicht verstarde. Hij probeerde een sigaret op te steken maar zijn vingers trilden waardoor de sigaret op de grond viel. De zwerver met de pantykousen pakte hem gelijk op, wreef het stof eraf en stopte hem zorgvuldig in een koperen doosje met een plaatje van een molen erop.

Jaris stond op van het bankje. Hij pakte zijn plastic tas van de grond en hield het stevig onder zijn arm geklemd, alsof die net als zijn sigaret zou kunnen worden afgepakt.

'Ik heb jullie hulp niet nodig,' riep hij. Hij draaide zich om en vluchtte de stationshal uit, langs de kiosk, de bloemenstal, de snackbar. Papa rende erachteraan maar uiteindelijk bleef hij uitgeput met zijn handen op zijn knieën stilstaan terwijl Jaris tussen de mensenmassa verdween. Stom genoeg was ik vergeten te kijken wat voor sokken hij droeg.

Jelka sluit haar linkeroog zodat ik kan zien hoe ze haar eyeliner heeft opgebracht. Ze zegt dat je een rustige hand nodig hebt en plaatst haar elleboog in een rechte hoek op de houten werktafel terwijl ze met haar arm heen en weer beweegt, wat volgens haar de juiste positie is om het aan te brengen. Jelka vraagt of ik de Miss Sporty Volume Mascara nog heb gebruikt die ze me had uitgeleend. Ik knik en vertel maar niet dat het spul voor geen meter bleef zitten en mijn oog de halve ochtend had lopen etteren zodat mama er uiteindelijk een nat washandje op had moeten leggen.

'Ik zie het niet,' zegt Jelka en brengt haar gezicht heel dicht bij mijn ogen.

Ik sta op. 'Ik heb het gewoon niet zo dik aangebracht.' Ik gooi een teiltje bollen in de zoveelste kist (vier).

'Heb je Job al gesproken?' vraagt ze.

Ik haal mijn schouders op en zeg van nee, die ziet me toch niet staan.

'Misschien moet je het dan wat dikker aanbrengen,' zegt Jelka en knippert overdreven met haar wimpers. Ik gooi een bol naar haar hoofd, ze zegt: 'Zullen we roken,' en samen slenteren we voor de zoveelste rookpauze naar buiten, waar we onderuitgezakt tegen de schuurdeur gaan zitten, in de zon. Uit mijn regenjas haal ik een zakje met twee bruine boterhammen met kaas tevoorschijn.

We kijken naar de jongens die met kromgebogen ruggen op het land werken, als de kraaien die even verderop de verse zaden uit de grond pikken. We zwaaien naar Viktor maar hij zwaait niet terug, waarschijnlijk omdat hij zich voor ons schaamt. Afgelopen zomer was hij door de jongens met zijn kleren en al in de sloot gegooid nadat iemand hem voor homo had uitgescholden, terwijl hij verliefd is op Anna uit de tweede met het luie oog. Hij was onder het kroos op de kant geklommen en op zijn doorweekte gympen soppend naar de kantine gelopen. Zijn moeder was hem met de stationcar komen ophalen. Drie dagen later stonk die kantine nog steeds naar slootwater.

Jelka vraagt of ik een hijssie wil en houdt de sigaret voor mijn gezicht. Ik twijfel voor een paar seconden maar denk dan aan oom Gerbrand, dat we vroeger zo vaak sigaren rookten in onze tuin. Diep inhaleer ik de rook tot ik het in mijn keel voel branden.

'Hebben de dames rookpauze?' vraagt Gerrit die voorbij komt lopen en even stil blijft staan. Met zijn arm leunt hij tegen een kar vol kisten om op adem te komen. Hij zegt: 'Het is prima weer voor de tijd van het jaar.'

'We nemen het er even van,' zeg ik en duw snel de sigaret in Jelka's hand. Ik neem een hap van mijn boterham om de vieze rooksmaak te verdrijven.

Als hij de hoek om is geeft Jelka me een por in mijn zij. 'Zag je dat?' vraagt ze.

'Wat zag ik?'

Ze zegt: 'Hij had gewoon een stijve toen hij voor ons stond.'

Ik verslik me. 'Hoe weet jij dat nou?'

'Dat zag ik aan zijn ogen. Die stonden waterig.'

De laatste keer dat ik een stijve had gezien was in de *Hustler* die Jaris onder het matras van zijn bed had verstopt. Op sommige pagina's had hij onbegrijpelijke aantekeningen gemaakt over blauwe mannen en vrouwen. Er stond ook een plaatje in van een man die gehurkt achter een vrouw stond, en met mijn vinger had ik langs de roze piemel gestreken tot ik een raar gevoel in mijn buik kreeg.

'Moet je nog een hijssie?' vraagt Jelka.

Ik schud mijn hoofd omdat ik misselijk ben.

Zonder iets te zeggen blijven we naast elkaar zitten, met onze ruggen tegen de schuurdeur, de zon warm op onze gezichten. Ik weet dat als je naar de zon kijkt je eigenlijk terug de tijd inkijkt want de zon staat op zo'n grote afstand van de aarde dat het licht er acht minuten over doet om hier te komen. Het is raar om naar iets te kijken waarvan je denkt dat het nu is maar dat het in werkelijkheid al eerder was.

Met beide handen trek ik mijn kaplaarzen uit, krab tussen mijn tenen. Ik staar naar de stapelwolken die boven de dijk hangen, en ik twijfel of ze verdwijnen of juist dichterbij komen. Ik kijk naar de andere dingen die door de wind bewegen – de rij populieren, de vlag van Uniekaas – om te weten waar hij vandaan komt.

Zuidwest.

Onder de wolken, ergens ver voorbij de derde boerderij met de alstroemeria-kwekerij, loopt iemand over de dijk. Zelfs als ik mijn ogen dichtknijp kan ik niet zien wie het is. Het is een schim. Na vijf minuten legde Jelka een hand op mijn schouder. 'Hij had echt een stijve hoor.'

Als ik na een tijdje mijn ogen open zie ik als eerste de plastic tas. Dan het donkergrijze colbert van papa. De grote bruine veterschoenen. De baard die hij heeft laten staan.

Omdat ik weet dat dit een truc is van mijn hersens om mij iets te laten geloven wat niet echt is, sluit ik mijn ogen weer. Maar als ik mijn ogen open zie ik weer precies hetzelfde. De plastic tas. Het donkergrijze colbert. De grote bruine veterschoenen. De baard die hij had laten staan.

Ik staar naar de grond.

Is dit echt? Maar moet ik hier dan blijven zitten? Moet ik doen of ik hem niet ken of zal ik opstaan, maar wat moet ik dan zeggen als ik naar hem toeloop? Hoe weet hij eigenlijk dat ik hier ben?

Als ik opkijk kijkt Jaris me recht in de ogen, en plotseling merk ik hoe vreselijk ik hem heb gemist. Ik voel dat ik moet huilen, maar ik wil helemaal niet huilen waar Jelka bij is, dus ik eet supersnel mijn laatste boterham op.

Bevroren blijf ik op de grond zitten.

Jaris opent het hek en de hond begint keihard te blaffen, maar hij kijkt het beest niet eens aan. Traag loopt hij over het lange grindpad, zijn voeten moeizaam optillend, en pas aan het einde van het pad blijft hij staan om te kijken waar hij eigenlijk is.

Ik denk aan het natuurkundige principe dat Jaris mij eens had uitgelegd. Als van een tweeling de broer in een raket stapt en met hoge lichtsnelheid naar een verre ster en weer terug reist komt hij jonger thuis dan zijn zus die op aarde is gebleven. Maar nu is het alsof ik tegen het licht in kijk. Jaris lijkt nog ouder dan toen we hem op het Centraal Station hadden gezien; zijn baard is lang en zijn ogen staan moe.

'Hoooooi,' zeg ik zo nonchalant mogelijk als hij voor ons staat. Ik steek mijn hand op.

Nauwelijks hoorbaar zegt hij me gedag en hij knijpt zijn vingers tot een vuist en laat hem weer los, alsof hij kramp heeft. De gestreepte veter van zijn linkerschoen is geknapt. Hij heeft rode sokken aan.

Hij kucht en kijkt angstig om zich heen.

'Wat een spast,' fluistert Jelka. 'Wie is dat?'

'Jaris,' antwoord ik.

De mensen uit mijn klas noemden Mensje ook weleens een

spast, terwijl ze dat helemaal niet is, en dan maakten ze kwijl-geluiden of deden alsof ze in een rolstoel zaten. Maar er is nog nooit iemand geweest die Jaris ook zo heeft genoemd.

Jelka kijkt me verbaasd aan. 'Dat méén je niet?'

Ik knik van wel.

Zwijgend blijft Jaris voor ons staan en telkens knijpt hij zijn hand tot een vuist terwijl hij kucht. De laatste keer dat Jelka Jaris had gezien was misschien wel meer dan een jaar terug, ik nam bijna nooit meer iemand mee naar huis.

'Wat kom je hier doen?' vraag ik. Mijn stem klinkt heel raar en boos, alsof het een stem van iemand anders is.

Jaris kijkt naar de grond. 'Ik wist niet waar ik anders heen moest.'

'Maar ik ben aan het werk.'

Voor een paar seconden staart hij voor zich uit. 'Ik dacht dat je me misschien zou kunnen helpen.'

'Maar hoe zou ik... Hoe zou ik jou nou kunnen...'

Jaris zegt niks.

'Ze hebben me gedrogeerd,' zegt hij uiteindelijk.

Ik ga overeind zitten. 'Ze hebben je wat?'

Ik hoor dat Jelka haar lachen moet inhouden en ik wil dat ze ermee stopt, dat ze eens normaal doet. Dan klimt ze plotseling moeizaam overeind en loopt naar Jaris toe. Wijdbeens blijft ze voor hem staan.

'Wil je een sigaret?' vraagt ze.

Jaris knikt en neemt de sigaret van haar aan. Net als de laatste keer trillen zijn vingers heel erg en ik ben bang dat hij de sigaret in de modder laat vallen, want dan komt Jelka natuurlijk helemaal niet meer bij van het lachen.

'Hazel rookt ook,' zegt Jelka en ze gebaart naar mij. 'Wat vind jij als grote broer daar nou van?'

Jaris trekt zijn schouders op en ik zeg dat ik helemaal niet rook en dat ze moet kappen met haar stomme gedoe.

Zwijgend blijven we tegenover elkaar staan.

Jaris kucht een paar keer en knijpt zijn hand weer tot een vuist.

'Denk je...,' begint hij aarzelend en staart naar de grond. Met de hiel van zijn voet trekt hij halve cirkels in het grind. 'Denk je... dat papa en mama het goed vinden als ik weer thuis kom wonen?'

Ik wil hem om zijn nek vliegen en onze vredescode in omgekeerde volgorde uitspreken zonder mijn vingers te kruisen, maar ik zeg eerst niets en daarna 'misschien wel.'

'Oké,' zegt hij.

'Waarom wil je naar huis komen?'

'Ik heb honger,' zegt hij. 'En mijn geld is op.'

Ik denk aan de boterham die ik net door de zenuwen in één keer in mijn mond heb gepropt. Alleen in mijn rugtas heb ik nog een beurse appel zitten die ik voor de terugweg heb bewaard.

'Ik ga even mijn tas pakken,' zeg ik tegen Jelka en trek mijn laarzen weer aan.

'Nu al?' vraagt ze. 'Het is nog niet eens vier uur. Je hebt nog geen vijf kisten ge...'

Maar ik loop al weg en gris haastig mijn tas onder mijn werktafel vandaan. Op een formulier kruis ik vierenhalf kisten aan. Als ik bij de wasbak mijn handen met een stuk zeep en een nagelborsteltje schoonboen loopt Gerrit langs en vraagt me waar ik van plan ben heen te gaan. Ik zeg hem dat mijn broer me komt ophalen en wijs door het raam naar Jaris, die verloren tegen de schuurdeur bij het erf staat. Gerrit doet of hij Jaris herkent maar aan zijn ogen zie ik van niet.

Ik grabbel de appel uit mijn tas en loop naar buiten.

'Hier,' zeg ik tegen Jaris.

Samen stappen we op mijn fiets. Ik op de bagagedrager en Jaris voorop. Ik leg mijn hoofd tegen zijn warme rug. Met zijn hand duwt hij me weer weg. Kaarsrecht blijf ik overeind zitten. Als we het erf afratelen zie ik dat in de verte de ganzen op dezelfde plek landen als waar ze vanochtend nog waren weggejaagd. Ik kijk over mijn schouder achterom. Bij de schuur staat Job. Aarzelend steekt hij zijn hand omhoog.

Met mijn oor lig ik tegen het wollen tapijt van mijn oude slaapkamer. Ik luister naar de stemmen die van beneden komen, van papa en mama en Jaris, met het bonzende hart van Atlas naast mij. Ik wil dat die stemmen stoppen. Dat ze vanaf nu precies zeggen wat ik wil. Maar altijd één voor één en nooit door elkaar.

Ik draai me op mijn rug en blader door de blauwe Albert Heijn-schrijfblokjes die ik uit Jaris' rugtas heb gevist. Snel scan ik de zinnen: '*Toen ik in de trein zat voel ik me een soort spook*' en '*Jaris, het was of me hand waar mijn hoofd opsteunde doorzichttig was*' en '*van de oneigelijke vrouwelijke energie*'

Als ik verder lees wordt zijn handschrift steeds slordiger tot ik het bijna niet meer kan lezen, misschien ook omdat er geen punten en komma's in de zinnen zitten. Ik begrijp niks van wat er staat of waarom hij zichzelf met zijn eigen naam aanspreekt. '*Jaris je weet dat man en vrouw in een nieuw paradijs niet alleen verslonden worden.*'

Snel sla ik de bladzijde om, ook al wil ik eigenlijk helemaal niet verder lezen. Helemaal achterin zitten kleine tekeningen en schetsen die mij doen denken aan de wiskundelessen van meneer Kempenaar.

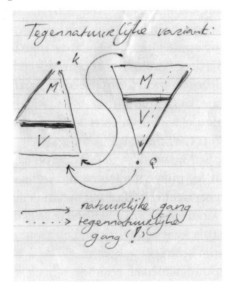

Omdat ik er buikpijn van krijg sla ik de schrijfblokjes weer dicht en verstop ze achter in mijn oude ladekast, zodat ze niet langer bestaan. Doodstil blijf ik op mijn rug liggen terwijl de stemmen van beneden door elkaar blijven schreeuwen. Ik kijk om mij heen naar de slaapkamer die ooit van mij was. Net als toen Jaris naar Groningen vertrok en zijn slaapkamer bijna was leeggehaald, zijn ook hier nog altijd dingen die aan mijzelf herinneren. De witte vlekken op de muur waar eerst mijn paardenposters hingen, of de gaten in de wand tussen Jaris' en mijn slaapkamer waar voorheen mijn boekenkast voor stond. En op de plek waar eerst mijn bureautje stond staat nu de grote werktafel van mama. Mama droomde altijd van haar eigen hobbykamer om zonder de drukte van ons om haar heen patronen te tekenen of kerstklokjes te punniken op een groot wit tafellaken, maar de enige keer dat ik haar hier heb zien zitten staarde ze alleen maar uit het raam.

Moeizaam krabbel ik overeind en loop naar mijn blauwe cassetterecorder die nog in mijn oude kamer is overgebleven. Ik zet met de schuifknop de radio en de stemmen uit.

Als ik tegen etenstijd naar de keuken loop om in de koelkast te zoeken of er nog iets te eten valt, zit Jaris op de schommelstoel. Met de Bijbel op zijn schoot zapt hij langs alle zenders – *Waku Waku, Lingo, Saved by the Bell, Fresh Prince of Bel Air* – zonder dat hij echt naar de beelden kijkt. De televisie staat keihard. Ik trek de koelkast open, snij een homp kaas af en twijfel even of ik aan Jaris moet vragen of hij ook wil. Met een glas cola in mijn hand ga ik zoals altijd boven op de keukentafel zitten terwijl ik mijn benen heen en weer zwaai.

Mama loopt de keuken binnen in die rare bloemenjurk die bijna tot over haar enkels valt en omhelst me alsof ik op het punt sta voor altijd weg te gaan, hoewel ik weet dat ze het haat als ik boven op de keukentafel zit omdat het krassen geeft op het hout.

Ze draait de kraan open en zegt boven het geklater uit: 'Het is goed dat je Jaris mee naar huis hebt genomen.'

'Ik heb helemaal niks,' zeg ik. In de reflectie van het raam zie ik dat de tv-zenders nog altijd in hetzelfde tempo voorbij schieten, en ik probeer te raden welk beeld welk programma is.

'Nou, ik wilde gewoon zeggen dat het goed is dat je dit hebt gedaan voor Jaris,' zegt mama. Haar gezicht staat zorgelijk.

Ik trek mijn schouders op. 'Waarom praat je over hem alsof hij er niet is?'

Mama antwoordt niet maar gooit een dweil in het water en doet er een scheut chloor bij. Ik ruik die scherpe geur vanaf hier. Met één hand verplaats ik de stapel theedoeken op de tafel en schuif ze weer terug op dezelfde plek, drie keer achter elkaar.

'Wat gaan we eten?' vraag ik.

'Doppertjes met boontjes,' zegt mama en droogt haar handen af.

'Picobello,' zeg ik.

Ze trekt de stapel theedoeken naast mij van tafel en kijkt me recht in mijn ogen, net zo bang als Koba een keer keek toen Atlas over zijn harige rug likte.

'Waarom kijk je zo?' vraag ik.

'Ik kijk helemaal niet zo,' zegt ze zacht.

'Je ziet er anders wel zo uit,' antwoord ik en kijk van haar weg. Ik herken de videoclip van de Red Hot Chili Peppers op MTV die Jaris en ik allebei gaaf vinden. Ik blijf maar naar die vreemde gekleurde bewegingen in het raam kijken, alles in spiegelbeeld, heel snel achter elkaar.

'Ik wil gewoon dat je weet hoe Jaris...' begint mama maar ik spring van tafel. Het is irritant dat ze doet alsof Jaris er niet bij is. Ik denk weer aan de aantekeningen in zijn schrijfblokjes en dat Jaris had geschreven dat hij een spook was, dat zijn hand waar hij op steunde doorzichtig was, gevoelloos, en zijn hoofd makkelijk door die hand kon vallen. Als ik naar Jaris loop om samen met hem tv te gaan kijken, zegt hij: 'Waarom kijk je me aan alsof ik een homo ben?' Ik druk de tv uit.

Als ik de tuindeuren opensla en naar buiten loop, omklem ik in mijn hand onze nieuwe draagbare looptelefoon. De televisiebeelden schieten nog altijd door mijn hoofd, de felgekleurde shots in spiegelbeeld, snel achter elkaar. Haastig en zonder om te kijken plaats ik mijn blote voeten in het hoge gras, de tuin ruikt vreemd, als een slagroomtaart die te lang buiten de koelkast heeft gestaan. Ik trek een paardenbloem uit de grond, knak de steel in tweeën, laat hem op de grond vallen. Als ik op mijn geheime plek op het bankje ga zitten, in de verste hoek van de tuin naast het kapotte hok van Koba waar behalve ik bijna nooit iemand komt, staar ik secondenlang voor mij uit. Met mijn tenen omklem ik de grassprieten en trek ze in plukken uit de grond. Ik open het konijnenhok en trek Koba eruit, druk zijn warme vacht tegen mijn gezicht, en het linkeroor waarvan een stukje mist kriebelend tegen mijn wang. Met zijn voorpoten krabbelt hij in mijn nek en als ik in zijn ogen iets van angst zie, plaats ik hem weer terug, vlak naast het trappetje dat nergens op uitkomt.

Ik kijk voor me uit en toets dan het tiencijferige nummer van Job in. Met mijn wijsvinger druk ik voorzichtig op de cijfers, alsof het bloemknoppen zijn. Een paar weken terug had ik zijn nummer met een pen omcirkeld in de telefoongids en uit mijn hoofd geleerd. Drie keer laat ik de telefoon overgaan, tot ik een stem hoor, en meteen de rode knop indruk.

Alles is weg.

Nog een keer.

Twaalf keer achter elkaar.

Daarna gooi ik de telefoon vlak voor mijn voeten in het hoge gras en kijk omhoog naar ons huis. Misschien wel voor de eerste keer in mijn leven kijk ik echt goed naar ons huis. Het valt me op dat de klimop, ook weggesnoeid, nog altijd een groen waas op de muur achterlaat – omhoog kruipend langs de regenpijp en de tuindeuren, tot vlak onder Mensjes raam.

Dan pak ik de telefoon weer van de grond en zonder nadenken toets ik het nummer van oom Gerbrand in.

'Met de Patron,' hoor ik meteen. Daar schrik ik zo van dat ik even niks zeg. 'Hallo? Met wie spreek ik? Loopt er weer iemand een geintje met me uit te halen?'

'Met Hazel,' zeg ik uiteindelijk.

'Verdomme Hazel, zeg dat dan.'

Op de achtergrond hoor ik een vrouw iets roepen, en daarna het gerinkel van glazen.

'Wie is dat?' vraag ik.

'Dat is mijn buurmeisje. Een leuk ding.'

'U heeft toch helemaal geen buurmeisje, de enige die...'

'Maar kijk eens aan, hoe is het met mijn kleine Viking?'

Oom Gerbrand noemt me nog altijd een Viking terwijl ik allang niet meer plaatjes van Thor in mijn notitieboekje verzamel, maar terwijl hij het zegt voel ik dat mijn keel op dezelfde manier dichtknijpt als toen ik Jaris vanmiddag het erf op zag lopen.

'Zijn we onze stem verloren?' hoor ik.

'Jaris is weer thuis,' zeg ik snel.

'Goddank!' roept hij. 'Het werd tijd dat die knul weer terugkwam.'

Ik knik en zeg alleen maar 'ja.' Ik denk aan hoe oom Gerbrand in zijn huiskamer zit en of hij zoals altijd aan de puntjes van zijn snor draait en een glaasje likeur op het kleine tafeltje naast zijn groene stoel heeft staan.

'Ik dacht wel dat hij weer naar huis zou komen,' zegt hij, 'voor een schip zonder haven is geen enkele wind de juiste, Hazelnootje.'

'Ik snap niet waarom Jaris zo doet.'

'Maak je niet druk. Hij is gewoon een beetje in de war, dat gaat wel weer over.'

'Ik had vanmiddag aantekeningboekjes gevonden van Jaris. Er stonden allemaal rare tekeningen in en zinnen die ik...'

'Waar heb je die aantekeningboekies gedaan?' onderbreekt oom Gerbrand me. Ik hoor dat hij een slok neemt en een paar keer kucht. Het liefst wil ik nu bij hem in zijn huiskamer zitten en met mijn hand langs de oude spulletjes in huis strijken, want er staat altijd wel iets tussen wat ik nog nooit eerder heb gezien.

'Verstopt, achter in mijn oude ladekast,' zeg ik.

'Hou ze maar daar.'

Als ik in bed lig en in mijn agenda bij 2 juli heb geschreven dat Job zijn hand naar mij heeft opgestoken, trek ik mijn dekbed over mijn hoofd en luister naar mijn eigen adem. Stokstijf blijf ik liggen. Dan klinkt het zachte getik van de regen tegen het zolderdak.

Ik denk weer aan de wet van de superpositie en dat de lagen in de bodem zo zijn gestapeld dat de oudste lagen in het diepste van de aarde liggen en de jongste lagen erbovenop. Ik denk aan al die aardlagen die verschuiven, en alle continenten die nooit op één plek blijven liggen, maar telkens een andere kant op bewegen.

Ik probeer zo stil mogelijk te blijven liggen tot ik de aarde onder mij kan voelen.

Als ik bijna in slaap val hoor ik buiten een deur dichtslaan, gevolgd door voetstappen. Een lamp die buiten aanspringt. Ik hoor dezelfde stemmen als die middag. Niet één voor één. Maar door elkaar.

Slaperig kijk ik op mijn wekker die '23.45' aangeeft en ik trek het dekbed van me af terwijl ik met mijn voet Atlas een trap tegen zijn buik geef. Ik sta op en loop naar het raam.

Midden in de tuin staat Jaris. Ik kan nog net zien dat hij een T-shirt en een kort sportbroekje draagt. Het ziet er gek uit, alsof hij wil gaan hardlopen zoals hij wel vaker deed aan het einde van de middag. In het licht van de tuinlamp zie ik papa en mama staan. Zwarte schimmen. Ze schreeuwen iets naar elkaar, maar door de regen versta ik het niet.

Dan duwt Jaris de poort van de schutting open.

Als ik een tijdje tevergeefs heb staan wachten of hij weer terugkomt, ga ik op de rand van mijn bed zitten en staar voor me uit, naar mijn wekker die verder tikt en het vreemde maanlicht dat mijn slaapkamer binnenvalt. In de verte klinkt het geblaf van een hond, en Atlas kijkt even op maar laat dan zijn kop weer zakken. Ik heb hier nog nooit een andere hond dan Atlas in de buurt horen blaffen, en ik probeer te raden waar het geblaf vandaan komt tot plotseling tot me doordringt dat het helemaal geen hond is, maar Jaris.

Met het dekbed dat ik als een prop tegen mijn voeteneind heb getrapt, blijf ik doodstil op mijn matras liggen.

Wanneer ik papa en mama hun slaapkamer hoor binnengaan kom ik overeind.

In het donker loop ik de houten zoldertrap af.

Zonder iets te zeggen kruip ik tussen papa en mama in bed, terwijl het al zeker vijf jaar geleden is toen ik dat voor het laatst deed, en ik ruik mama's luchtje Bluebell van Penhaligon's en duw mijn koude voeten tegen papa's harige benen. Buiten klinkt nog altijd het geblaf op straat. Ik stel me voor hoe Jaris in zijn T-shirt door de regen over straat rent en blaft als een hond. Papa legt zijn hand op mijn voorhoofd.

'Kunnen jullie het laten stoppen?' vraag ik. Als niemand iets zegt vraag ik het nog een keer.

KIND VAN DE DUIVEL

Vlak voor mijn voeten kwam de bus tot stilstand. Doodmoe staarde ik naar de deuren die zich openden en de chauffeur die iets schreeuwde van wat wil je nou. Met de traagheid van een uitvaartwagen reed hij weer weg. Ik kon net zo goed gaan lopen. Tijd was er toch wel, zeker nu ik het met Mart had uitgemaakt. Ik zwaaide mijn rugtas over mijn schouder, stak een sigaret op en liep verder over die eindeloze polderweg, de kaplaarzen tegen mijn blote kuiten slaand. Doordat het zachtjes was gaan regenen rook ik de geur van aarde. Ik keek naar het puntje van mijn sigaret, hoe hij oranje opgloeide en doofde na iedere haal. Daarna keek ik om mij heen. Ik was vergeten hoe donker het buiten de stad kon zijn, met het soort zwart dat steeds nauwer om je heen sloot en waarvan je nooit zeker wist of je er midden in stond of juist ergens daarbuiten.

Die donkere avonden in de polder herinnerden mij eraan dat alles hier ooit altijd zo donker moest zijn geweest. Nog geen paar eeuwen terug was Heerhugowaard één groot donker meer geweest dat boven deze weilanden dreef. Vissen zwommen boven toekomstige akkers. Ik probeerde mij voor te stellen wat je moest zien als je met open ogen naar de bodem dook. Hoe diep en donker het geweest moest zijn.

Telkens als ik hier liep kon ik maar niet vergeten dat ik hier over de bodem van een meer liep.

In de oude studeerkamer van mijn opa had een oude landkaart van West-Friesland gehangen en in plaats van rechtop, met het noorden naar boven, hing die kaart horizontaal, met het westen onderop, maar dat was misschien ook maar net hoe je het bekeek. Ingesloten tussen de Noordzee en de Zuiderzee lag een gebied dat bijna alleen maar uit meren bestond, met belachelijke namen als Spierdijck, Waert, Otterleecks en Suijd Scherwoude, en mijn opa kon meeslepend vertellen over de inpoldering van de Waert – waar later Heerhugowaard uit ontstond – en over het waterniveau dat kunstmatig op peil werd gehouden waardoor we altijd onder de zeespiegel leefden. Zo wist hij te vertellen dat na de inpoldering van Heerhugowaard de kwaliteit van de grond zo tegenviel, dat in 1674 serieus werd overwogen om die polder weer te laten vollopen, omdat het gebied als viswater meer zou opleveren.

Ook dat was ik nooit vergeten.

Vanuit de verte dook een fietser op, zijn koplamp scheen als een zoeklicht in mijn gezicht. Ik herkende mijzelf in die fietser. 's Nachts als ik van de kroeg naar huis vertrok fietste ik hier ook altijd. Ik wist niet beter dat het donker er gewoon bij hoorde, niet iets was waar je bang voor hoefde te zijn. Ik fietste over die eindeloze doodstille rechte wegen waar soms zomaar vanuit het niets een tegenligger tevoorschijn kwam als iemand die uit de dood was opgestaan.

Bij het kruispunt bleef ik staan. Links zat de bakker. Daartegenover de kerk. Als baby was ik er gedoopt, maar sindsdien nooit meer teruggekeerd. Verderop het voetbalveld. Het kerkhof achter de bomen. En rechts café 't Kruis, waar ik jaren geleden nog eens had staan overgeven tijdens de kermis, bij de draaimolen terwijl Mart mijn haar in een staart omhoog hield.

Mart.

Ik zag weer voor me hoe hij strak voor zich had uitgekeken en hoe het steentje dat hij in de sloot had gegooid niet op het water stuiterde maar rechtstreeks naar de bodem verdween.

Wat was dat nou voor een gezeur van Mart dat ik geen gevoel meer heb? En dat ik hem zou hebben misbruikt! Ik begreep niet waarom hij zo negatief tegenover onze relatie stond, alsof hij me op het allerlaatste moment bekende dat ik helemaal niks voor hem had betekend, terwijl juist ík degene was die dat tegen hem had moeten zeggen. Het getuigde er alleen maar van hoe ontrouw hij blijkbaar in werkelijkheid was. Hoe laf waren dan zijn beschuldigingen naar mij toe!? Nee, ik had een goede beslissing genomen door het met hem uit te maken.

Ik trok de capuchon verder over mijn hoofd en rilde, want ik had alleen een afgeknipte spijkerbroek aan en een dunne trui. In die polder was het al snel te koud. Nog een paar nieuwbouwwijken door en dan was ik terug bij af.

Mijn moeder zei helemaal niets toen ze mijn kaplaarzen zag, dus ik wist wel weer hoe laat het was. Daarna drukte ze met de bal van haar voet de stofzuiger aan.

'Hoi mams!' riep ik ten slotte boven het geraas uit maar ze dook met haar hoofd diep in de kofferbak van onze stationwagen die ze om ondoorgrondelijke redenen om tien uur 's avonds, midden op straat, en bij het schemerige licht van een lantaarnpaal stond uit te zuigen.

Zou ik haar meteen al vertellen dat ik het met Mart had uitgemaakt of kon ik beter nog even wachten?

Omdat Das zei 'bij twijfel niet doen' en Keizer zei 'bij twijfel wel doen', liep ik zonder verder nog iets te zeggen richting ons huis. Op het moment dat ik het tuinhek wilde openen hoorde ik de stofzuiger afslaan. Vanuit het niets greep mijn moeder mijn bovenarm beet. Ze sleurde me mee de tuin in.

Mijn vader zat gehurkt bij de vijver met een schepnet in zijn hand, in het felle licht van de tuinlamp. 'Kijk eens aan,' zei hij, 'als we daar onze hoogsensitieve dochter niet hebben.'

Geïrriteerd trok ik mijn arm uit de houdgreep. Mijn moeder zag eruit als een B-actrice in een lowbudgetfilm.

'Dit bedoel ik nou!' gilde ze door de tuin en wees naar mijn kaplaarzen die er ineens verdomd goed uitzagen. Wat had mijn moeder ook alweer in die mail gezet: verwaarlozing van je schoenen is een teken van slechte persoonlijke verzorging?

'We hebben ook nog buren hoor,' zei ik korzelig.

'Dat zou dan de eerste keer zijn dat jij je druk maakt om de buren,' zei mijn vader tegen zijn schepnet. Net als ik droeg hij een korte broek. Maar voor mijn vader was het al snel goed weer voor een korte broek.

Hij bekeek me van top tot teen over het randje van zijn brillenglazen. 'Wat moet dat kind nou met mijn laarzen?' vroeg hij.

'Die zijn niet van jou,' zei ik en graaide mijn pakje sigaretten uit mijn kontzak. 'Die zijn van Marts vader.'

Mijn vader keek me niet-begrijpend aan en zei toen: 'O zo ja,' waarschijnlijk om er maar gewoon vanaf te zijn.

'Wat moet jij met de laarzen van Marts vader?' vroeg mijn moeder achterdochtig. Haar ogen waren bloeddoorlopen.

Mijn vader trok het schepnet uit de vijver en een goudwinde spartelde paniekerig in het net heen en weer, met opengesperde ogen en een naar adem happende mond.

'Ik was mijn schoenen vergeten,' zuchtte ik en stak een sigaret op. Mijn moeder griste hem meteen uit mijn mond en gooide hem in de vijver. Ze vroeg waarom ik mijn schoenen was vergeten. Hongerig zwommen de vissen naar de oppervlakte.

Ik peilde even voorzichtig de gezichten van mijn ouders. 'Ik heb mijn schoenen in Amsterdam laten staan.'

'Waarom laat jij je schoenen in Amsterdam staan?' vroeg mijn moeder. Zonder mijn antwoord af te wachten draaide ze zich om naar mijn vader. Ongeveer alles in haar lichaamshouding wees erop dat ze oprecht spijt had van het feit dat ik ooit was geboren.

'Ik zei het je toch, Her,' zei ze. 'Dít maakt toch alles duidelijk.'

Mijn vader hield de goudwinde nog altijd gevangen in het net. Hij keek alsof hij geen idee had wat hij met het beest aan moest. 'Ik heb Hazel ook nooit begrepen,' antwoordde hij afwezig.

'Wat ziet dat beest eruit,' zei ik en tilde het visnet op. 'Is hij ziek ofzo?'

De vis had een rare witte kop, de schmink van een mime-speler, en overal op zijn lichaam zaten blaasjes, als een soort waterpokken.

'Volgens mij is het besmettelijk,' zei mijn vader terwijl hij de vis bij zijn kop vastgreep en hem recht in zijn ogen keek. 'De sluierstaartjes hadden er ook al last van.'

'Her...,' zei mijn moeder ongeduldig.

'Wat voor ziekte zou het kunnen zijn?' vroeg ik geïnteresseerd.

'Het lijkt wel een aantasting van de slijmhuid,' zei mijn vader en wreef met zijn vinger over de schubbige vissenrug. 'Iets van een schimmel.'

'Her...,' hoorde ik mijn moeder weer zeggen.

'Zo ziet het er wel uit,' zei ik. 'Als een schimmel. Ik zou er wat aan doen als ik jou was. Voor je het weet zit die hele vijver onder.' Toen ik me wilde omdraaien zag ik dat mijn vader een baksteen aan de rand van de vijver pakte. Met een harde klap plette hij de vis tussen de steen en de stoeptegel. De ingewanden spoten eruit.

'Wat doe jij nou?' vroeg ik geschrokken.

Mijn vader keek verloren voor zich uit. 'Ik moest hem uit zijn lijden verlossen,' mompelde hij.

Ik haalde mijn hand door mijn haar. Hoofdschuddend keek ik mijn ouders één voor één aan. Mijn vader met de dode vis. Mijn moeder met haar bloeddoorlopen ogen.

'Jullie zijn knettergek geworden!' schreeuwde ik.

Mijn vader wendde zijn gezicht af. 'Zoiets zeg je niet, Hazel,' zei hij en liep naar de groene container waar hij de vis weggooide. Hij veegde zijn handen aan zijn korte broek af.

'Weet je wat vanmiddag iemand tegen mij zei?' riep ik. 'Dat er een of andere onzichtbare kerel in het zwart mij volgt, een kwade geest. Adumankama!'

'Wat?' vroeg mijn moeder.

'Zo noemde hij dat,' zei ik.

'Wie?'

'Meneer Abadou,' antwoordde ik.

Het was aandoenlijk om te zien hoe mijn moeder in de war raakte nu ze de kern van het gesprek dreigde te verliezen. Angstig wierp ze een blik naar mijn vader maar die staarde alweer in de vijver.

'Ik vertrouw mijn eigen gevoelens niet meer ten opzichte van jou,' zei mijn moeder na een korte stilte.

'Dat zou ik ook niet doen,' antwoordde ik en spuugde in de vijver.

'Kijk nou hoe je eruitziet, Hazel,' snauwde ze. Met een afkeurende blik nam ze mij in zich op. Mijn loshangende haar, slobbertrui, afgeknipte spijkerbroek, modderige kaplaarzen.

'Ik ben nooit zo trendgevoelig geweest,' zei ik en trapte een steentje weg.

'Zoals ik vanmiddag al aan de telefoon zei, lijkt het me beter als je weer thuis komt wonen,' ging mijn moeder verder, 'want als ik heel eerlijk ben zit ik er niet op te wachten dat mijn dochter in de prostitutie belandt. Met die vreselijke Vos en Keizer.'

'Dás en Keizer!'

'Wat is nou helemaal het verschil?'

'Een das leeft in een hol en leeft van een omnivoor dieet. Een vos is een roofdier.' Even zag ik mijn vaders gezicht oplichten vanwege de lange houdbaarheid van zijn overgebrachte dierenkennis. 'Het is een nuanceverschil.'

'Ik merk dat ik hier niet meer tegen kan,' zei mijn moeder. 'Als jij jezelf wilt verwaarlozen: prima! Maar vergeet niet dat er bepaalde mensen zijn die het beste met je voorhebben.'

'Grappig dat je dat zegt,' zei ik. 'Want ik dacht juist het omgekeerde.'

Mijn moeder verzwaarde haar stem. 'Je vader en ik hadden gewoon gehoopt dat we samen met jou aan je relatie met Mart konden werken.'

Vragend keek ik mijn vader aan maar die trok zijn schouders op.

'Jullie hoeven niet aan mijn relatie te werken,' antwoordde ik. 'Met Mart is het uit.'

Omdat ik het onbeleefd vond om er gelijk weer vandoor te gaan liep ik voor de vorm nog even de huiskamer binnen, mijn ouders in de tuin achterlatend. Maar toen ik daar stond, tussen die meubels met hun eeuwig vaste standplaats, deed alles mij meer dan ooit aan Jaris denken. Met mijn rugtas in mijn hand bleef ik in het midden van de kamer staan. Zoals altijd stond de televisie aan. De beelden weerspiegelden in het raam.

Jaris liep rondjes door de kamer. Zijn rug kromgebogen en zijn handen tot vuisten gebald. Telkens kneep hij ze samen en liet ze weer los. Hij schreeuwde, zijn gezicht was wit. Als hij zijn mond bewoog dan spanden de kuiltjes in zijn wangen aan, waardoor het leek alsof hij elk moment in lachen zou kunnen uitbarsten.

Ik zag mijn eigen spiegelbeeld in het raam.

Mijn schouders stonden licht naar voren en mijn benen waren lang en dun. Ik herkende mijzelf niet meteen. De laatste tijd herkende ik mijzelf nooit meteen. Het moest iets te maken hebben met hoe ik mijzelf herinnerde, elke keer nadat ik in de spiegel had gekeken. Hoe bij elke daaropvolgende weerspiegeling wel iets van die herinnering terugkwam, maar altijd een ander detail dat ik had onthouden – mijn neus, mijn ogen, de kleur van mijn huid – waardoor mijn spiegelbeeld nooit helemaal compleet was.

Ik zette de tv uit en liep op Atlas af. Rillend van de slaap stond hij op uit zijn mand en ik aaide hem over zijn rug en onder zijn buik en in zijn nek. Hij drukte zijn snuit tegen mij aan. Daarna liep ik de trap op, naar Jaris' slaapkamer.

Met een ruk trok ik het strak opgemaakte dekbed los en met mijn laarzen ging ik in bed liggen. Ik zette een asbak op mijn buik en stak een sigaret op. Zo bleef ik een tijdje in die donkere kamer liggen. Zonder me te bewegen staarde ik naar het zachte bewegen van de takken voor het raam, en de zwarte hemel daarboven. Telkens vermoedde ik dat ergens het licht zou aanspringen. Het was bijzonder stil om mij heen, en het enige geluid kwam van een paar kauwtjes in de berk voor ons huis. Een soort tsjak-tsjak-achtig geluid.

Ten slotte drukte ik mijn sigaret uit en zette de asbak opzij. Ik trok het dekbed over mijn hoofd en snoof de mottige geur op die in de stof was blijven hangen. Onder mij kraakte de lattenbodem van het bed dat mijn vader ooit nog zelf had gemaakt. Het was vreemd om in het bed te liggen waar Jaris al jarenlang niet meer in had geslapen, maar waarvan het matras wel nog altijd naar zijn ruggengraat was gevormd. Automatisch nam ik de houding van zijn lichaam aan.

Ik luisterde naar mijn eigen ademhaling.

Toen ik weer opstond neusde ik wat rond in de slaapkamer, niet echt specifiek op zoek naar iets. Van de stapel op zijn bureau pakte ik het boek *Wereldgeschiedenis* op en wreef met mijn hand over de bruine kaft. Ik ging weer in bed liggen. Gedachteloos bladerde ik door het boek tot ik bij het eerste hoofdstuk uitkwam, over de oudste voorvaderen van de mens. Er stonden lelijke plaatjes bij, van primitieve bijlen en een bronzen kam.

'Intussen werden er sedert 1942 in zuidelijk Afrika overblijfselen gevonden van op mensen lijkende aapachtigen, die zeker twee tot drie miljoen jaar oud moesten zijn. Deze wezens, die rechtop hadden gelopen en die een schedelinhoud van tussen de 550 en 600 m³ hadden, waren eigenlijk al geen dier meer, maar ook nog niet helemaal mens.'

Die laatste zin vond ik nogal belachelijk, want wanneer hield een dier op met bestaan en werd een dier een mens? Of een mens een dier?

'(...) Het is dan ook niet beslist onmogelijk, dat de wieg van de mensheid in zuidelijk Afrika heeft gestaan. Anders gezegd: van daaruit kan de mens zich hebben verspreid over de wereld.'

Mijn voorvader moest dus ook zo'n tengere Afrikaan met een speer zijn geweest, dacht ik opgetogen en ik herlas de tekst nog eens, mijzelf afvragend wat voor mensen dat toch waren geweest die als eersten de grote oversteek van het ene continent naar het andere continent hadden gemaakt. Wat dreef ze om alles achter te laten, de Sahara en de Rode Zee en de Indische Oceaan te doorkruisen, tot iedereen zo verdwaald was dat de mens zich voorgoed over de hele wereld had verspreid? Keken ze niet achterom? Dachten ze niet terug aan de plek waar ze vandaan kwamen? Stonden ze nooit stil bij wat ze ooit hadden achtergelaten? Ik had daar nog wel langer over na willen denken, als ik niet door Keizer werd gebeld.

'Hoi poppedop.'

Met tegenzin ging ik overeind zitten. 'Keizer.'

'Als we daar mijn favoriete nymfomane niet hebben! O, ik moet je zoveel vertellen. Waar ben je?'

'In bed.'

'Bij wie?'

'Maakt dat wat uit?'

'Wel als hij getrouwd is. Dat zou niet de eerste keer zijn, Hazel.'

'Ik lig in bed bij mijn ouders.'

Voor een ogenblik bleef het stil aan de andere kant van de lijn.

'Hazel,' zei Keizer. 'Als jij dit soort dingen zegt, vind jij het dan heel gek dat mensen zich altijd zorgen om je maken? Je bent gewoon pathetisch.'

'Ik ben helemaal niet pathetisch,' zei ik en duwde het kussen stevig achter mijn rug. 'En er is helemaal niemand die zich zorgen om mij maakt. Afgezien van mijn moeder misschien. Ze is bang dat ik in de prostitutie beland.'

'Dan zit jouw moeder er niet eens zover naast.'

'Maar wat moest je me nou allemaal vertellen?'

'O ja, wat ik je ook alweer wilde vertellen...' Het bleef even stil aan de andere kant van de lijn.

'Nou?'

Ik hoorde Keizer diep ademhalen. 'Ik denk dat Das homo is.'

'Waar sláát dat op? Hoezo is Das homo?'

'Ach lieverd, hou je nou niet van de domme. Echt álles wijst die kant uit.'

'Hoe dan?'

'Laatst nog, toen Das die legging van je had geleend en telkens aan zijn ballen begon te krabben als ik voorbijliep. Het was gewoon gênant! Of die avond toen Sander onder de douche vandaan kwam en Das de hele tijd naar hem zat te staren en...'

'Hoe ben je tot dat heldere inzicht gekomen?' onderbrak ik hem. 'Ik bedoel, van Das' zogenaamde homoseksualiteit.'

'Het kwam door wat mister Abadou over Das zei...' Er viel opnieuw een stilte. 'Hé! Waarom was jij 'm eigenlijk gesmeerd? Ik krijg nog geld van je.'

'Ik vertrouwde die kerel niet.'

'Wij vertrouwen jou ook niet, maar voor ons is dat ook geen reden om er altijd maar vandoor te gaan.'

'Heb je mijn schoenen nog meegenomen?' vroeg ik. 'Die had ik per ongeluk laten staan.'

'Nee,' antwoordde Keizer, 'die hebben we aan mister Abadou gegeven.'

'Hoezo "die hebben we aan mister Abadou gegeven"?'

'Als een geschenk. Dat hoort zo in die culturen.'

'Jezus!' riep ik. 'Wat moet die man nou met mijn schoenen?' Ik dacht aan mister Abadou en hoe hij in zijn djellaba op mijn schoenen door de stad liep.

'Die mensen zijn anders heel erg arm,' antwoordde Keizer. 'Wees blij dat wij hem op deze manier hebben kunnen helpen. Hij heeft alleen maar slippers.'

Vermoeid zakte ik onderuit. 'Nou, ik zou heel graag willen weten wat mister Abadou over Das heeft gezegd,' zei ik.

'Hij vergeleek Das met een bloem,' antwoordde Keizer. 'Een bloem die op zoek is naar nieuwe openingen. Hij had ook iets gezegd over dat Das van nature een gever is, maar dat hij kotsziek is van het leven. Omdat hij te veel van het leven heeft geslikt.'

'Ik hoor alleen maar positieve geluiden.'

'Dat Das een homo is verbaast mij uiteraard ook niet,' zei Keizer. 'Maar dat hij Das een gever noemde... Ik bedoel, ik zag Das meer als een nemer...'

'Wat is het verschil?'

'Een gever zit bovenop en een nemer onderop.'

'Gadverdamme!'

'Ach, doe niet zo preuts jij,' riep Keizer. 'Als er iemand een nemer is dan ben jij het wel.'

'Wat zei Mister Abadou eigenlijk allemaal over jou?' vroeg ik.

'O, alles wat ik al vermoedde,' antwoordde Keizer.

'En dat is?'

'Dat ik van koninklijke komaf ben.'

Op dat moment sprong het licht aan en stormde mijn moeder de slaapkamer binnen. Ze sloeg haar hand tegen haar voorhoofd.

'Ik geloof dat ik moet ophangen...' zei ik tegen Keizer en klapte mijn telefoon dicht.

Daarna keek ik mijn moeder aan en zag ik dat ze weer die waanzinnige gloed in haar ogen had. Ook had ze rode vlekken in haar nek. Ze zag eruit als iemand die voor een paar uur opgesloten had gezeten in een Turks stoombad.

'Hazel!' riep ze.

Met een ruk trok ze het dekbed van me af en begon aan mijn laarzen te trekken. Ik trapte haar van me af, alsof er een wilde hond aan mijn benen hing.

'Waarom lig je met die laarzen in bed?' gilde ze.

Ik zei niets, ik deed of ik het niet begreep.

'Trek die laarzen uit!' riep ze terwijl ze aan mijn voeten bleef trekken, 'trek die laarzen uit!' Ik zette mij schrap door met mijn handen het matras vast te houden. Ik trapte per ongeluk in haar oog. Terwijl mijn moeder haar hand tegen haar oog drukte, noemde ze mij het kind van de duivel.

Toen kwam mijn vader de slaapkamer binnengelopen.

'Wat heb je met je moeder gedaan?' vroeg hij.

Ik trok mijn schouders op. 'Ze is krankzinnig geworden.'

'Verdomme, Hazel!' riep mijn vader en hij sloeg met zijn volle vuist tegen de muur. 'Zo gaan we niet met elkaar om!'

Zonder mijn vader aan te kijken stond ik op van bed.

'Het is het kind van de duivel,' gilde mijn moeder. 'Van de duivel, van de duivel.'

'Ik ben anders een kind van jou hoor,' antwoordde ik.

Mijn moeder haalde haar hand voor haar gezicht weg en ik zag nu ook dat ze een bloedneus had. Het was een ravage.

'Je moeder heeft gewoon het beste met je voor,' zei mijn vader. 'Ze is alleen bang dat je... ze is bang dat je net als...'

'Net als wie?' vroeg ik. 'Net als wie?'

'Twee zieke kinderen is genoeg!' schreeuwde mijn moeder.

Ik zei dat dit nu juist het probleem was en met één armbeweging schoof ik alle boeken van Jaris' bureau.

Meteen toen ik de deur uitliep was ik mijn ouders al vergeten. Het ging me steeds beter af. Ook Mart was niet meer dan een vage vlek in mijn geheugen.

Ik stak de straat over en liep door die doodstille nieuwbouwwijk. Langs de rijtjeshuizen, de keurige voortuinen.

Er was niemand buiten.

De gordijnen waren voor de ramen geschoven, in sommige kamers was het licht al uit. De schaduwen van mensen achter de gordijnen waren als geesten die zwevend door hun huis bewogen. Ik telde mee met de oneven nummers, ze liepen steeds hoger op, tot bij nummer 75 een donkere steeg verscheen. Daarna begon er weer een nieuw huizenblok.

Ik probeerde de naambordjes naast de deuren te lezen, het was alsof ik langs een rij grafzerken liep.

Aan het einde van het laatste huizenblok stak ik nog een straat over en liep een stuk door het plantsoen. Ik hoorde voetstappen achter mij, maar toen ik me omdraaide was er niemand.

Ik draaide me nog een keer om en zag tussen de donkere bomen iemand weglopen. Dacht ik. Ik wist het niet meer zeker. Niks wist ik zeker.

Zonder verder nog om te kijken liep ik door. In de verte verscheen het industriegebied. Daarachter lag het spoor. Het was nog geen kilometer lopen.

Maar terwijl ik in mijn eentje die donkere wijk uit liep, kwamen de beelden vanuit het niets tevoorschijn. Van mijn vader en mijn moeder, staand in Jaris' slaapkamer. Eerst alleen als schimmen, maar langzaam kregen ze handen, armen, en gezichten. Mijn moeder boog zich over mij heen. Ze trok aan mijn laarzen, uit alle kracht, en ik keek recht in haar bloeddoorlopen ogen en ineens zag ik het heel duidelijk, het was alsof ik uit mijn eigen ogen keek. Hoe die angst haar van binnenuit had opgevreten. Daarna de slag van mijn vader tegen de muur. De bloedneus. Jaris' boeken die in het rond vlogen.

Hoe verder ik van huis liep hoe duidelijker ik alles kon zien. Het was als een omgekeerd soort vergeten. Des te meer tijd er tussen zat, hoe meer ik me scheen te herinneren.

Op de dag dat Jaris verdween wist ik al niet meer hoe hij eruitzag. Niet hoe zijn ogen stonden, hoe de lijnen van zijn gezicht liepen, wat de vorm van zijn mond was. Het enige wat ik me kon herinneren was de glazen deur waar hij door verdween. Het zachte avondlicht dat door de ramen naar binnen viel. Het geluid van zijn afgesleten sloffen op het zeil. De trage voetstappen. Zonder om te kijken was Jaris van me weggelopen, de lange gang uit, tot hij niet meer was te zien.

Maar nu zag ik hem glashelder voor me.

Op het station kocht ik een kaartje uit de automaat. Ik liep langs de gesloten rolluiken van de kiosk, en negeerde het groepje jongens op de balustrade bij het perron. Iemand riep kuthoer. Ik zette mijn iPod op. The White Stripes, *Apple Blossom.* 'Hey little apple blossom, what seems to be the problem, all the ones you tell your troubles to, they don't really care for you.' Onder de gesloten spoorbomen kroop ik naar de overkant van het spoor. In de verte kwamen de felle koplampen van de trein richting Den Helder op mij af. Ik liep tot aan het einde van perron 1 en ging op een bankje zitten, met het koude staal tegen de achterkant van mijn benen. Vermoeid staarde ik omhoog, naar de wolken die voor de maan bewogen. De miezerregen.

Was ik pathetisch, zoals Keizer had gezegd? Of was het vooral pathetisch om mijzelf die vraag voor te leggen? Alleen pathetische mensen stelden zichzelf retorische vragen.

Piepend kwam de trein naar Amsterdam tot stilstand. Net als op de heenweg zocht ik een plek op de vierzitter, naast het raam, ook al viel er 's nachts niks te zien.

'Hallo,' hoorde ik ineens achter me. Ik zette mijn muziek af en draaide me om. Daar op het achterste bankje zat hij, als uit de dood herrezen, maar onmiskenbaar dezelfde. Hij glimlachte. Ik stond op maar omdat ik mijzelf geen houding wist te geven bleef ik midden in het gangpad staan, mijn handen leunend op de twee stoelen voor mij.

'Lang niet gezien,' grapte hij.

Ik glimlachte terug. 'Dat kun je wel zeggen.'

'Achtervolg je me soms?'

'Ik dacht eerder andersom.'

Zonder hem aan te kijken legde ik mijn tas op het bankje en ging tegenover hem zitten. Net als de vorige keer raakten onze knieën elkaar, warm en bekend. De trein bleef staan, terwijl het fluitsignaal allang had geklonken.

Ik keek Job pas weer aan toen ik zeker wist dat Heerhugowaard voorgoed achter ons lag. Hij had een baard van een paar dagen laten staan. Ik wilde de stoppels kussen, één voor één. Voor elke stoppel een ander gebed, als bij een rozenkrans.

'Staat je goed,' zei Job.

'Bedankt,' antwoordde ik. Ik begreep niet wat hij bedoelde.

'Zijn ze niet wat groot?' Plagerig trapte hij met zijn voet tegen mijn laarzen.

'O die,' zei ik en keek naar mijn voeten. 'Ik had geen andere keuze.'

Ik zag dat ik op een broodje hamburger stond, dat onder mijn stoel lag. Overal in de coupé lagen hamburgers, en plassen aardbeienmilkshake, elke nachttrein lag vol met die troep.

'Waar kom je vandaan?' vroeg Job en hij kuchte.

Ik begon in mijn tas te graaien, tot helemaal onderin. Wat moest ik hem zeggen? Dat ik bij Mart was geweest om het uit te maken? Dat ik mijn moeder een bloedneus had geschopt? Dat ze me het kind van de duivel noemde?

'Ik ben bij een fancy fair geweest,' zei ik toen ik mijn tas weer aan de kant had gelegd.

Job keek me vragend aan.

'Ja,' zei ik. 'Mijn oma organiseert dat soort dingen.'

'Waarom?'

Ik zuchtte. 'Er is veel eenzaamheid onder de ouderen.'

'Nee. Ik bedoel, waarom ging jíj erheen?'

'Ik moest...' voor even dacht ik terug aan de laatste fancy fair waar ik was geweest: ik was misschien tien jaar oud, en in het buurthuis had ik samen met mijn vader de eerste jongen van Koba verkocht. 'Ik moest bij de konijnenhandel helpen,' zei ik. 'Vandaar ook die laarzen,' voegde ik eraan toe.

Job lachte en ging onderuitgezakt op zijn stoel zitten. Hij droeg een oude spijkerbroek en een zwart shirt dat gescheurd was bij zijn kraag, met daaroverheen het donkerblauwe jack. Hij bleef me aankijken. Zenuwachtig probeerde ik wat te ver-zitten maar mijn benen waren nog nat van de regen, waardoor ze vastplakten aan het plastic treinbankje. Telkens als ik me bewoog dan klonk er een slurpend geluid, alsof ik vacuüm was gezogen.

'Wil je niet weten waar ik ben geweest?' vroeg Job. Hij trok zijn wenkbrauwen op en wreef met zijn hand over zijn kin.

'Jawel hoor,' antwoordde ik. 'Nou Job, vertel me. Waar ben je geweest?'

'Waarom wil je dat weten?'

'Jezus! Omdat je me dat vraagt.'

Hij grijnsde. 'Ik was bij mijn vriendin.'

'Oké. Vandaar.'

Zwijgend bleven we elkaar aanstaren.

'Volgens mij vind je het vervelend als ik over mijn vriendin begin,' zei Job.

'Nee hoor,' zei ik. 'Helemaal niet. Ik praat ook graag over mijn vriend.'

Daarna zeiden we opnieuw niks meer, en ik maakte de rits van mijn trui los en weer vast. Het was achterlijk, maar op de een of andere manier kon ik hem niet vertellen dat ik het met Mart had uitgemaakt. Misschien omdat het zijn vermoedens zou bevestigen.

Ik staarde naar buiten.

Net als de vorige keer dat we samen in de trein zaten, werden we weerspiegeld in het raam, zittend tegenover elkaar. Daar zaten we dan, opgesloten in die helverlichte koepel in dat donkere landschap. We bevonden ons twee keer in de wereld: in de trein, en ergens zwevend daarbuiten. Ik wist niet waar ik liever wilde zijn.

Ik legde mijn hoofd tegen het raam, mijn adem sloeg tegen het glas.

De ruimte tussen ons in was zo klein, zo makkelijk overbrugbaar maar ik durfde niet eens voorover te buigen, ik was gewend aan deze afstand, aan het idee dat we zo tegenover elkaar zaten. Het Niets onzichtbaar tussen ons in.

'Heb je geen zin meer om met me te praten?' vroeg Job zacht.

Ik kwam overeind zitten. 'Nee, sorry. Ik was alleen even in gedachten verzonken.'

'Ik ken je niet anders,' zei hij.

Met de hak van mijn laars trapte ik op het broodje hamburger. Ik vroeg me af of iemand opzettelijk de hele nacht hamburgers en aardbeienmilkshake door de trein gooide. Misschien wel een van die jongens van de theaterschool, die een paar bankjes verderop zaten. Ze riepen de hele tijd: 'Mimespel is de basis. Mimespel is de basis.' Of de paar dronken studenten die naast ons zaten en allemaal dezelfde verenigingstrui droegen. Maar ondanks de geur van hamburgers en aardbeienmilkshake rook ik alleen maar de geur van Job. Het was de lekkerste zweetgeur die ik ooit had geroken.

'Ik moest gewoon denken,' zei ik zonder Job aan te kijken, 'ik moest zomaar denken aan de vorige keer. De vorige keer dat we elkaar zijn tegengekomen.'

'En?' Hij maakte zichzelf breed en haalde een hand door zijn haar. 'Ben ik erg veranderd?'

Ik glimlachte. 'Nee. Jij verandert nooit.'

'Maar die laatste keer staat me nog wel bij...' zei Job.

Ik vulde hem aan: 'Toen we dat hele pokkestuk van Den Helder terug moesten lopen.'

Hij haalde een pakje sigaretten uit zijn broekzak en hield er een voor mij op. 'Als je het niet heel erg vindt blijf ik deze keer niet tot het eindstation zitten.'

Ik drukte de sigaret tussen mijn lippen en mompelde: 'Ik vreesde al zoiets.'

Bij station Alkmaar werd de trein ontkoppeld, het achterste treinstel ging niet verder. De dronken studenten gooiden blikjes bier naar elkaar over. De theaterjongens van een paar bankjes verderop schreeuwden steeds harder. Dat hadden ze blijkbaar ook op die theaterschool geleerd. Over het mimespel hoorde je ze niet meer. Buiten bij de kiosk stond een zwerver in een vuilnisbak te graaien. Met zijn handschoen wreef hij het vuil van een fles wijn waarna hij nauwkeurig het etiket bestudeerde en de fles weer terug in de vuilnisbak gooide. Telkens viste hij iets anders uit die vuilnisbak, hield het omhoog, schudde het wat rond, en gooide het weer terug. Waarom stond hij daar?

Misschien was zijn relatie wel stukgelopen omdat zijn vriendin was vreemdgegaan: met haar baas natuurlijk, die vroeger zijn beste vriend was. Hij had elke avond schreeuwend aan haar deur gestaan omdat ze hem niet meer wilde spreken. 'We leven uiteindelijk allemaal voor onszelf,' had ze via de intercom geroepen. Maar nadat hij wekenlang voor haar deur had gestaan begon de buurvrouw te klagen, de oudere dame van drie hoog, die elke avond met haar hondje langsliep. Zijn ex-vriendin had op haar aandringen de politie gebeld en gezegd dat een man haar lastigviel, waarop hij werd vastgehouden, en doordraaide op het politiebureau. Eenmaal voor gek verklaard werd hij opgenomen in een psychiatrische kliniek, waarna hij zijn baan verloor en geen huur meer kon betalen. Als hij aan zijn ex-vriendin dacht hoorde hij alleen maar haar stem door de intercom. *We leven uiteindelijk allemaal voor onszelf.*

Omdat ik het gezicht van de zwerver niet goed kon zien leunde ik een stuk naar voren.

'Heb je iemand op het oog?' vroeg Job en hij legde zijn hand op mijn blote been. De hand bleef daar maar liggen. Ik deed alsof het de normaalste zaak van de wereld was dat die hand daar op mijn been lag. Alsof mijn been niet totaal verkrampte. Alsof ik niet wilde dat die hand omhoog schoof.

'Zou die man doorhebben dat we hem in de gaten houden?' vroeg Job en hij trok zijn hand terug.

Ik ging weer achterover zitten. 'Volgens mij houden we elkaar allemaal in de gaten zonder dat we het doorhebben,' zei ik.

Niet-begrijpend keek Job me aan.

'Mensen kijken toch het liefst naar anderen wanneer die dat niet doorhebben?' zei ik. 'Ik denk dat mensen elkaar maar tien procent van de tijd recht in de ogen aankijken.' Ik blies de rook voor me uit. 'Misschien gaan mensen daarom ook altijd vreemd met hun baas, of met hun buurvrouw. Omdat ze die de hele dag ongemerkt in de gaten kunnen houden. Dan groeit het vanzelf uit tot een fascinatie.'

'Ja, daar ben jij wel een expert in,' zei Job en hij krabde in zijn nek. 'In vreemdgaan.'

Ik zei niks. Het enige wat ik deed was mijzelf haten, oprecht en in stilte.

De zwerver liep onze coupé binnen en kwam naast ons staan. Uit zijn rugtas trok hij een ukelele tevoorschijn. Geconcentreerd begon hij de snaren te stemmen. Ik kon mijn ogen niet afhouden van dat rare kleine gitaartje en die zwarte vingers die aan de knoppen draaiden, steeds strakker. Nadat hij klaar was knoopte hij zijn lakjas om zijn middel en maakte een buiging.

'Ik ben een eerlijk man!' riep de zwerver. Hij had geen tanden.

De jongens van de theaterschool stonden op en juichten.

'Bek houden, stelletje teringlijers!' schreeuwde hij. Daarna trok hij zijn broekspijp omhoog en liet zijn been zien; er zat een litteken op van minstens dertig centimeter lang.

'Ik ben een gevallen soldaat!' riep hij. 'Ik heb gevochten in een foute oorlog! Het zijn beesten daarbuiten, ze slachten elkaar allemaal af!' Hij wees naar het perron, alsof ze hem daar nog altijd op stonden te wachten. 'Maar ik weet dat er een God is! Ik wil mijn centen eerlijk verdienen! Als ik voor jullie heb gezongen hoop ik dat jullie een stuiver kennen missen!'

Toen begon hij op zijn ukelele te spelen. Het was een hartstochtelijk lied over een verloren liefde, althans, dat vermoedde ik want ik verstond er vrij weinig van. Het lied duurde erg lang, bijna vijf minuten. Nadat hij klaar was gooide een van de studenten een blikje bier naar zijn hoofd.

'Ik ben een eerlijk man!' zei de zwerver weer. Met het bier druipend over zijn gezicht ging hij met de pet rond. Ik gaf hem tien euro.

'Mooi gespeeld man,' zei Job en de zwerver glimlachte, maar dat had hij beter kunnen laten.

De studenten gaven hem helemaal niks. Ze versperden hem de weg. Toen de zwerver er opnieuw langs wilde lopen gaven ze hem lacherig een zetje tegen zijn schouders, en probeerden hem omver te duwen. Hij verloor zijn evenwicht. De ukelele viel op de grond.

'Wat een stelletje eikels,' zei ik tegen Job terwijl ik de jongens observeerde.

Ik stond op van mijn bankje en liep op die gasten af. Toen ik voor ze stond staarden ze me met hun irritante dronken koppen aan. De zwerver bukte zich snel om zijn instrument van de grond te pakken.

'Laat die kerel eens met rust,' zei ik.

Niemand zei wat.

'Is het je vriend ofzo?' vroeg een jongen met strak achterover gekamd gelhaar en knikte naar de zwerver.

'Als jij dat wilt,' antwoordde ik. Vanuit mijn ooghoek zag ik dat Job ook was gaan staan.

De jongen zei dat ik een lekker wijf was. Ik bestudeerde zijn vervelende kop en hoe hij me een beetje dom in mijn gezicht stond uit te lachen. Toen ik me wilde omdraaien gaf iemand de zwerver een trap. Ik draaide me meteen weer om en iedereen begon te joelen. Met mijn laars gaf ik een trap tegen het scheenbeen van de jongen met het gelhaar, maar omdat ik er niet helemaal handig voor stond trapte ik mis. Iedereen begon nog harder te juichen en te joelen. Ik voelde dat Job zijn hand op mijn arm legde maar ik trok me met een ruk los.

'Waarom doen jullie zo tegen zo'n oude man?' schreeuwde ik.

'Die gast spoort toch niet,' zei een van hen. Moeizaam klom de zwerver weer overeind.

'O ja?' zei ik en keek die gasten om de beurt aan. 'Of is het soms omdat jullie zélf van die kleine pikkies hebben?'

Het gezicht van de jongen met het gelhaar verstarde.

'Trut,' zei hij. Hij duwde me met beide handen tegen mijn schouders, op dezelfde manier als bij de zwerver. Ik wankelde maar bleef staan en keek hem opnieuw in zijn ogen.

Zonder nadenken trapte ik hem récht in zijn ballen.

'Rennen!' riep ik naar Job en ik griste mijn tas van het trein-bankje.

ALS JE NIET KIJKT BESTAAN WE NIET

De afgelopen weken heb ik precies bedacht hoe deze avond zou verlopen, bijvoorbeeld dat Job mijn middel met beide handen zou beetpakken en zijn kin op mijn schouder zou leggen en in mijn oor zou fluisteren 'Ik-ga-nog-liever-dood-als-ik-je-nu-niet-meteen-kan-zoenen.'

Ik peuter de drankmuntjes uit mijn broekzak en tel ze nog maar een keer na. Jelka en Viktor zie ik nergens. Die staan waarschijnlijk weer samen in de toiletten van de smerige bessenjenever te drinken, waar ik nu al een uur van loop te boeren omdat ik bijna die halve fles heb leeggedronken, een uur voor het schoolfeest begon. Op de vlonder langs de ringvaart hebben we zitten voordrinken en om de tien minuten moesten we over de middenstreep van de weg lopen om te kijken of we al dronken genoeg waren, en daarna hebben Jelka en ik voor de grap met elkaar getongd om te oefenen voor mijn grote *Amourette* met Job, maar ik mag hopen dat hij beter zoent. Achter een boom heb ik het naveltruitje en de push-upbeha aangetrokken die Jelka in een plastic tas voor mij had meegenomen.

Omdat ik het benauwd krijg wurm ik me achter de bar langs, de danszaal uit van de oude kroeg, en ik word heen en weer geduwd door het groepje jongens dat naar aftershave ruikt. De bas dreunt onder mijn voeten. Zodra ik de deur openklap inhaleer ik alle frisse lucht in één keer, alsof ik boven water kom.

Achterin bij de toiletten staan Viktor en Jelka tussen een groepje meiden die elkaar totaal overdreven staan aan te raken, ook Anna met het luie oog, en ik wil me al omdraaien maar Jelka gilt mijn naam als ze me ziet, dus er is geen ontkomen aan. Ze rent op me af, omhelst me en laat me dan meteen weer los.

Doordringend kijkt ze me aan. 'Waar was je nou, kutwijf?'

Ik haal mijn schouders op en blijf wankel in de deuropening staan.

'Je hebt echt van alles gemist,' zegt ze, 'moet je Viktor zien!'

Viktor draait zich om en zijn hele gezicht is wit geschminkt en op zijn mond zit zwarte lippenstift, net als bij zijn ogen.

'Wat zie jij eruit,' zeg ik.

'Zie je niet wie ik ben? Zie je niet wie ik ben?' vraagt hij ongeduldig en ik zeg: 'nee, echt niet' maar die stomme wijven komen echt niet meer bij van het lachen.

'Marilyn Manson!' gilt hij. 'Marilyn Manson. Hállo!' Hij gooit zijn armen in de lucht.

'Dat zie je toch meteen?' zegt Jelka. Ze knoopt Viktors blouse helemaal tot het onderste gaatje open waardoor zijn borstkas tevoorschijn komt, die ongeveer net zo wit is als zijn gezicht.

'Doe je act eens,' zegt Jelka en ze dirigeert Viktor op de grond.

Op zijn knieën kruipt hij over de smerige tegelvloer terwijl hij zingt: 'There's no time to discriminate, hate every motherfucker, that's in your way.'

Iedereen ligt echt helemaal dubbel van het lachen en ze roepen 'Vikkie Vikkie Vikkie' en slaan hem als een paard op zijn rug. De jongens die het meidentoilet passeren doen hem na.

'O ja,' zegt Jelka als ik weg wil lopen. 'Job kwam net nog langs. Hij vroeg waar je was.'

Ik maak mijn ogen groot. 'Waarom zeg je dat niet meteen?'

'Was je dan iets met hem van plan?' Ze steekt haar tong uit haar mond en draait hem rond. 'Gelukkig hebben wij al geoefend, hè Hazelaar?'

Ik vraag of ze weet waar Job nu is en of hij nog steeds naar mij op zoek is, maar ze staat alweer Viktors lippen zwart te stiften, heel geconcentreerd.

Ik loop naar buiten. Als ik tegen de geparkeerde auto leun voel ik de koude lucht onder mijn naveltruitje priemen.

Volgens Jaris heb ik geen toegang tot het Paradijs. Ook zei hij vanmiddag dat ik een aanbidder was van Satan, de duivel, het kwaad, gevallen engelen, dat ik niet geloofde in de waarheid, wat misschien ook wel een beetje waar is, dat ik onvolmaakt was als ik niet in Jehova geloofde, en nog wel meer.

Ik had me voorgenomen om te doen alsof Jaris lucht was, want hij viel me de laatste tijd telkens lastig met die teksten uit de Bijbel, en ik had wel wat beters te doen dan naar die onzin te luisteren. In mijn agenda had ik alle datums met een pen omcirkeld waarop Job en ik elkaar hadden gezien. Bij donderdag 26 juli, vandaag dus, had ik *Amourette* geschreven omdat dan het schoolfeest zou plaatsvinden en ik zeker wist dat het moest gebeuren.

Al de hele middag lag ik in de zon in het hoge gras, op mijn rug en mijn blouseje hoog opgetrokken, tot net onder het randje van mijn beha, en in mijn navel had ik een madeliefje gelegd, als een soort navelpiercing. Op mijn cassetterecorder draaide ik NOFX, een skabandje waar Viktor me een cassette van had gegeven.

Jaris bleef voor mij staan.

Ik kneep mijn ogen tot spleetjes en staarde naar zijn baard en het oude colbertje van papa en de plastic tas met de Bijbel, de zweetdruppeltjes op zijn voorhoofd. Ik draaide me op mijn buik en mompelde dat hij in mijn zonnetje stond.

Jaris kuchte maar hij bleef natuurlijk gewoon staan, waarschijnlijk om mij dwars te zitten.

Hij zei: 'Eva dacht ook dat het Paradijs voor eeuwig was.'

'Ik denk dat Eva er ook een pesthekel aan zou hebben als iemand in haar zonnetje stond,' zei ik.

Jaris kneep met zijn hand. 'Jullie blauwe vrouwen worden alleen door lust gedreven...'

'Wat jij wilt.' Ik plukte een paar sprieten gras uit de grond, de aarde kwam mee en viel in kleine korrels in mijn handpalm uiteen.

'...Om de mannen tot struikelen te brengen.'

Met een ruk draaide ik me om. 'Ik vraag alleen maar of je uit mijn zonnetje wilt gaan,' schreeuwde ik. 'Jezus!'

'Jezus weet dat wij... Dat wij door de lust van vrouwen in een onvolmaakte wereld leven.'

Zwijgend bleef ik hem aankijken.

Ik wilde niet dat hij daar in die belachelijke kleren voor mij stond terwijl het bijna dertig graden was, ik wilde niet dat hij elke week zo over straat liep naar die Jehova's, ik wilde niet dat hij was zoals hij... nu was. Toen hij weer over dat Paradijsgedoe begon krabbelde ik haastig overeind en trok de plastic tas uit zijn handen. Ik pakte de Bijbel eruit en hield hem achter mijn rug.

'Waarom doe je zo tegen me?' riep ik terwijl ik de Bijbel achter mijn rug hield. 'Waarom haat je me zo?'

Hij antwoordde niet.

Al zeker vijf minuten sta ik tegen de motorkap geleund voordat ik doorheb dat een paar auto's verderop een groepje jongens staat. Iedereen kijkt van me weg, naar de fles drank die van hand tot hand de kring rondgaat, behalve Job: vanuit zijn ooghoeken houdt hij me nauwlettend in de gaten. Ik kijk omhoog naar de hemel en probeer tegelijkertijd aan iets anders te denken. De sterren. Als alle sterren van dezelfde afstand bekeken zouden worden, zijn ze niet allemaal even helder, want de zware sterren zijn helderder omdat ze sterker branden en...

Job.

Job.

Job.

Kijk alsjeblieft nog een keer.

Als je niet kijkt bestaan we niet.

Nog een keer draai ik me om, heel snel, en voor de eerste keer kijken we elkaar langer dan drie seconden aan.

Wanneer ik weer het café binnenloop staan Viktor en Jelka niet meer bij de toiletten en er is sowieso bijna niemand hier, alleen een brugklasser die languit voor de garderobe ligt en waarschijnlijk door zijn ouders moet worden opgehaald. Bij de ingang van de danszaal staat een groepje gabbers, ze dragen Cavello trainingspakken en hun haar is aan de zijkanten van hun hoofd weggeschoren zoals ik dat ook weleens langs de flanken van de pony's doe wanneer het voorjaar wordt, en voor de gein knijpt een jongen – met de rode tatoeage in de vorm van een ster – in mijn bil. Maar het maakt me niks uit, want Job en ik zijn zo goed als samen, en ik ga op zoek naar Viktor en Jelka die hier toch ergens moeten zijn.

De discolampen springen uit. Aan. Uit. Aan. Dan niets.

Helemaal in de achterste hoek van de danszaal staat Jelka te praten met onze leraar Frans (meneer Visser) en als ik mijn hand op haar schouder leg wuift ze me weg alsof ze het veel te druk voor me heeft. Ik ga naast Viktor zitten, die met een ontbloot bovenlijf in zijn eentje op een bankje zit. Zijn make-up is helemaal uitgelopen.

'Wil je een biertje?' vraag ik.

'Hij draait Coco Jamboo,' zegt Viktor hoofdschuddend.

Viktor zegt altijd dat hij kotsmisselijk wordt van mensen met een slechte muzieksmaak. Hij wijst naar het hokje ergens boven in de zaal, waar de deejay zit. De deejay houdt iedereen in de gaten, als een soort God.

'Misschien moet je Marilyn Manson aanvragen,' grap ik.

Viktor wrijft de resten make-up uit zijn oog. 'Waarom ben je zo vrolijk?' vraagt hij. 'Dat staat je niet.'

'Ik ben niet vrolijk.'

'Je hebt zeker die Job gezien.'

Ik zeg dat ik hem helemaal niet heb gezien, ook al weet ik niet waarom ik daarover lieg, en ik kijk nog eens de zaal in om te zien of Job al binnen is. Niks. Ook niet op het podium. Ik vraag wat Jelka nou weer loopt te flikflooien met meneer Visser; ze staat heel dicht bij hem en trekt zijn bril af en zet hem zelf op en weer af.

Viktor zakt onderuit. 'Ik ben lucht voor haar.'

'Maar waarom zit je hier alleen? Waar is Anna...' *met het luie oog* wil ik zeggen, maar ik slik mijn woorden nog net op tijd in.

'Die schele interesseert me niet.'

'Maar ik dacht dat je verliefd op haar was?'

Viktor trekt alleen maar een raar gezicht.

'Vanmiddag heb ik nog naar NOFX geluisterd,' zeg ik om maar van onderwerp te veranderen, 'toen ik lag te zonnen in de tuin.'

'Wat vond je ervan?' vraagt hij.

Ik denk aan vanmiddag en zie Jaris weer voor me staan.

Er zaten kale plekken in zijn baard, en ik herkende ze want papa had vroeger precies dezelfde kale plekken in de tijd dat hij nog een baard liet staan, en ik vroeg me altijd af waarom juist op die plekken geen haar groeide en op andere plekken wel, hoe het kon dat er zoveel verschil zat bij iets wat hetzelfde had moeten zijn. Nog altijd hield ik de Bijbel in mijn hand en ik wist niet wat ik ermee moest doen, dus ik verschoof hem maar de hele tijd achter mijn rug van mijn rechter- naar mijn linkerhand. Toen Jaris hem probeerde af te pakken stapte ik achteruit, en toen hij het nog een keer deed, stapte ik nog verder achteruit tot Jaris bijna struikelde en ik rende van hem weg, met die Bijbel in mijn hand, door het hoge gras in de tuin.

Jaris leek te moe om mij te achtervolgen.

Ik bleef maar rondjes om hem heen rennen, als de kleine wijzer van een klok.

Ik rende net zolang tot ik er misselijk van werd.

Toen ik opkeek zag ik dat Jaris nog altijd op dezelfde plek stond. Met de mouw van zijn jasje wreef hij het zweet van zijn voorhoofd. Ik bleef midden op het grasveld stilstaan en sloeg de bijbel open, hardop voorlezend.

'En ik hoorde een andere stem uit de hemel zeggen: Gaat uit van haar, mijn volk,' riep ik, intussen Jaris' gezicht bestuderend. Ik had gedacht dat hij boos zou worden of tenminste die Bijbel uit mijn hand zou trekken, maar hij deed helemaal niks.

'Het woord van de Christus!' schreeuwde ik verder. 'Wone

rijkelijk in U in alle wijsheid. Blijft elkaar onderwijzen en ernstig vermanen met psalmen, lofzangen...'

Jaris bewoog zijn arm weer op die vreemde schuddende manier, kneep zijn hand tot een vuist.

'Lofzangen voor God, geestelijke liederen met minzaamheid, in Uw hart Jehova toezingend!'

De samengeknepen vuist van Jaris deed me ineens denken aan die oude truc die hij vroeger weleens deed, hoe hij zacht zijn warme adem door mijn vuist blies en zei dat het de wind was, en dat ik mijn vuist moest openen, heel langzaam, maar dat het leek alsof er geen kracht meer in mijn hand zat, alsof het de hand van iemand anders was.

'Gelukkig is de man die niet...' schreeuwde ik verder. 'Die niet in de raad der Goddelozen heeft gewandeld. En op de weg der zondaars niet heeft gestaan en op...'

Jaris deed een stap naar voren.

'Indien Gij niet met haar in haar zonden wilt delen...'

Hij hield zijn hand op.

'...En indien Gij geen deel van haar plagen wilt ontvangen.'

'Geef hier,' beval Jaris.

Ik stapte naar achter. 'Nooit van mijn leven.'

'Geef me dat boek.'

'Vraag dat maar aan die Eva van je.'

Eerlijk gezegd had ik er niet eens over nagedacht toen ik die bladzijden uit de Bijbel scheurde. Het gebeurde gewoon.

Samen met Viktor zoek ik een weg door de danszaal en in gedachten ben ik alleen maar naar Job op zoek, waardoor ik niet eens de hand op mijn schouder voel. Viktor trekt zijn wenkbrauwen naar mij op en omdat ik niet weet waarom hij dat doet trek ik ook mijn wenkbrauwen naar hem op maar als hij het nog een keer doet, kijk ik geïrriteerd achterom.

'Hé,' zegt Job.

De discolampen springen uit. Aan. Uit. Aan. Dan niets.

Put me up, put me down. Put my feet back on the ground.

Put me up, feel my heart. And make me happy.

Ik druk mijn tong tegen mijn gehemelte en probeer te slikken. 'Hoi,' fluister ik.

Job buigt zich over me heen. 'Wat zei je?' vraagt hij.

'Wat ik zei?'

'Ja, wat je zei.'

'Ik zei hoi.'

'Hé.'

Ik ga op de zijkant van mijn voeten staan, wiebelend, en vraag me af wat je zegt tegen de liefde van je leven die je nog nooit hebt gesproken. (Als ik naar het einde van het universum reis kom je me dan achterna?)

'Ik heb nog wat muntjes over,' zeg ik.

'Wat zei je?'

'Dat ik nog wat muntjes overheb.' Ik pulk weer die muntjes uit mijn broekzak maar ik heb ze niet goed vast en ze vallen allemaal op de grond, net zoals vanmiddag de bladzijden van Jaris' Bijbel op de grond vielen. Ik zak door mijn knieën om ze van de vloer te rapen.

Job knielt naast me. 'Jij bent toch Hazel?'

Ik knik. 'Jij bent toch Job?'

'Klopt.'

'Volgens mij heb ik je weleens gezien,' zeg ik. 'Jij hebt ooit een honkbal in mijn oog geslagen.' Snel raap ik de laatste muntjes van de vloer.

'Je verstaat elkaar hier beter,' zegt Job. Hij geeft me nog een muntje aan. 'Als je lager bij de grond zit.'

Samen kijken we omhoog naar de lange benen om ons heen, bewegend in het ritme van de muziek.

Put me up, put me down. Put my feet back on the ground.

'Dat komt omdat het geluid gedempt wordt,' zegt Job, 'door de mensen boven ons.'

'Omdat wij onder de mensen zitten,' vul ik hem aan.

De vellen papier vlogen door de lucht; ze vielen niet meteen op de grond maar bleven nog even zweven, twijfelend, alsof ze zich voor altijd wilden herinneren hoe het was om gewichtloos te zijn.

Jaris zei: 'Als geestelijk leider moet ik je vragen om daarmee te stoppen.'

'Als wat?'

Met zijn rechterhand greep hij naar zijn kruis, bewoog zijn hand op en neer, en ik deed alsof ik het niet zag. Al die tijd bleef ik maar die bladzijden uit de Bijbel scheuren. Het woord van Christus. Wone rijkelijk in U in alle wijsheid. De weg der zondaars.

'Ik moet mijn mannelijkheid tonen door jullie blauwe vrouwen te onderdrukken,' zei hij met zijn hand nog altijd tussen zijn benen.

Hoeveel bladzijden had ik er nu al uitgescheurd? Zesendertig? Vijftig? Zeventig? Ik wist het niet meer.

Jaris zei: 'Jullie willen de kracht uit mij trekken. Als geestelijk leider moet ik aantonen dat ik een man ben. Dat móét.'

Terwijl ik die bladzijden uitscheurde luisterde ik naar al die woorden die ik niet begreep maar wel steeds luider in mijn hoofd klonken, echoden, en ik dacht, als hij nog een keer iets zegt over vrouwelijk water of geestelijk leider of blauwe vrouwen, dan flikker ik die hele Bijbel over de schutting bij buurman Kouwenaar. Maar toen hij het inderdaad zei (vrouwelijk water) kwam mama net naar buiten gelopen en de Bijbel knalde keihard tegen haar hoofd en ik kwam echt niet meer bij van het lachen.

Als je het 't minst verwacht dan komt het vanzelf, heeft mama weleens gezegd. Misschien is het daarom zo raar dat alles gaat zoals ik had verwacht, want de afgelopen weken wist ik precies hoe deze avond zou verlopen, waardoor het me niet verbaast wanneer Job mijn middel met beide handen beetpakt en zijn kin op mijn schouder legt en in mijn oor fluistert: 'Ik-ga-nog-liever-dood-als-ik-je-nu-niet-meteen-kan-zoenen.' Nou ja, dat laatste zegt hij misschien niet, hoewel het me niet heel erg zal verbazen als het straks alsnog gebeurt.

De deejay houdt ons nog altijd van bovenaf in de gaten.

Net als die keer tijdens gym staan Job en ik weer naast elkaar en ik voel hoe zijn been langs mijn been glijdt, alleen hebben we nu niet van die korte gymbroeken aan dus ik kan mij alleen maar voorstellen hoe het voelt als zijn harige huid mijn gladde huid aanraakt.

- Leg je wang tegen zijn wang.
- Leun naar achter en leg een hand op zijn middel.
- (Pak zijn middel niet te stevig vast.)
- Denk aan niets, denk nergens aan.
- Blaas met je mond warme lucht in zijn nek.
- Fluister in zijn oor dat we moeten kussen om te bestaan.

Het is dan ook nogal irritant wanneer Jelka me op mijn schouder tikt.

'Neem me niet kwalijk,' zegt ze tegen Job, 'maar ik móét Hazel even van je lenen.'

Ik blijf staan. 'Dacht het niet.'

'Je hebt geen idee wat ik heb moeten doorstaan.' Ze wijst achter zich, naar iets wat ik moet zien maar het enige wat me opvalt is dat Viktor heel uitbundig staat te dansen met Roy, die stille uit de zesde, en met zijn heupen voor zich uitduwend door de zaal danst, zoals Patrick Swayze in *Dirty Dancing*. Van de slechte muziek heeft hij blijkbaar geen last meer.

'Meneer Visser,' fluistert Jelka. 'Het is meneer Visser.' Ze heeft tranen in haar ogen staan en kijkt heel giftig naar Job, alsof hij er iets mee te maken heeft.

Job legt zijn hand op mijn schouder.

'Hij heeft me proberen aan te randen,' zegt Jelka bijna onverstaanbaar.

Ik doe alsof het me niet interesseert, hoezeer ik ook wil weten wat er is gebeurd, maar niet nu mijn grote Amourette met Job elk moment van start kan gaan en zijn hand – zijn hand, zijn hand! – op mijn schouder ligt.

'Het was net in de toiletten,' gaat Jelka verder, 'vlak nadat we jou waren kwijtgeraakt, toen Viktor zijn imitatie van Marilyn Manson deed.'

'Volgens mij is hij nu Patrick Swayze,' zeg ik en probeer me alweer om te draaien maar Jelka trekt me hardhandig met zich mee, tegen Job roepend: 'Ik moet haar even van je lenen, als je me niet kwalijk neemt'. Op het kleine trappetje blijven we staan.

Ze fluistert in mijn oor: 'Hij trok hem zo uit zijn broek.'

'Waar heb je het over?'

'Zijn stijve.'

We blijven even roerloos tegenover elkaar staan, en ik ruik haar adem van zware shag en Hubba Bubba-kauwgom.

'De stijve van meneer Visser interesseert me niet,' zeg ik zacht.

Ze klakt met haar tong, draait de zwarte plukken haar rond haar vingers. 'Jij steekt je kop in het zand, Hazel.'

Ik schud mijn hoofd.

'Jij weet helemaal níks van het leven,' zegt Jelka. 'Job is helemaal niet in jou geïnteresseerd, jij bent veel te onvolwassen voor zo iemand als hij, maar dat heb je zelf niet eens door. Jij weet niet dat mannen je alleen maar willen als je geslachtsrijp bent. Je hebt geen idee wat ik net allemaal heb moeten doorstaan!'

'Ik wil helemaal niks over geslachten horen,' schreeuw ik. 'Of vrouwelijke mannen. Of blauw water. Of mannelijke leiders.'

Als ik terugloop naar Job kussen we alsnog. Daar hoef ik verder eigenlijk vrij weinig voor te doen.

Pas als ik door die donkere weilanden naar huis fiets vraag ik me af of Job mij ook woest aantrekkelijk vindt en ik besluit de proef op de som te nemen door van het Kippenbruggetje naar beneden te suizen en mijn fiets net zolang uit te laten ratelen tot hij stopt, zonder met mijn voeten mijn trappers aan te raken.

Als ik voorbij de vierde boerderij kom dan blijven Job en ik voor altijd samen.

Als ik niet voorbij de vierde boerderij kom dan denkt hij nooit meer aan me.

Met de snelheid van de donkere energie die het universum uit elkaar drijft schiet ik door de nacht en in gedachten keer ik telkens terug naar het moment dat Job zijn lippen op mijn mond drukte, als sterrenstelsels die door aantrekkingskracht tegen elkaar opbotsen, maar nadat ik de vierde boerderij ben gepasseerd, en ik het dus zeker weet, hoor ik weer de stem van Jaris in mijn hoofd – *Als geestelijk leider moet ik aantonen dat ik een man ben* – en tot ik thuis ben blijft die stem om de zoveel tijd terugkomen, zoals de discolampen op het schoolfeest.

Uit. Aan. Uit. Aan. Dan niets.

In de huiskamer brandt nog licht en ik loop zo stil mogelijk door de tuin want ik heb geen zin om met iemand te praten, of dat papa vraagt hoe het is geweest en dat hij me dan zo doordringend blijft aankijken om te controleren of ik niet te veel heb gedronken, zoals hij ook weleens bij Jaris deed als hij in de weekends thuiskwam uit Groningen. Toen ik voor de eerste keer uitging heeft papa me langs de kant van de weg opgewacht in zijn gestreepte badjas met daaronder zijn groene kaplaarzen, en ik deed of ik hem niet kende en fietste gewoon ons huis voorbij maar Jelka en Viktor begonnen keihard te lachen. Toen ik mijn fiets in de schuur parkeerde zei papa: 'Ik was bang dat je iets was overkomen, daarom moest ik je opwachten, dat begrijp je toch wel.' Een week lang had ik niet meer met hem gesproken.

Ik open de deur van de bijkeuken, zet mijn smerige gympen naast de kapotte schoenen van Jaris en loop op mijn tenen naar binnen. De ontbijttafel is al gedekt voor morgenochtend – volgens mama is dat efficiënter – en ik trek een pak hagelslag open en lik de chocolade uit mijn hand.

'Ben jij dat, Hazel?' hoor ik.

'Nee,' zeg ik.

In een hoek van de woonkamer zit mama, vaag beschenen door het licht van de schemerlamp, met haar nachtjapon aan, en ze zegt dat ik naast haar moet komen zitten en ik wil in een rechte lijn op haar aflopen, maar als ik geschreeuw van boven hoor komen blijf ik midden in de woonkamer staan.

Het is moeilijk om echt te verstaan wat er wordt geschreeuwd, het is meer een soort bas die heel hard door het plafond dreunt, hoewel het wel raar is dat ik soms mijn eigen naam er doorheen hoor, of denk te horen, dat weet ik eigenlijk niet. Als ik naast mama op de bank kruip zie ik dat haar make-up is uitgelopen, met mascara in de smalle rimpeltjes onder haar ogen. Met haar warme hand strijkt ze de haren van mijn voorhoofd. Ze geeft me een kus.

Rillerig leun ik tegen haar aan. 'Wat is er?'

Ze kijkt door het raam naar buiten, naar de door straatlantaarns verlichte voortuin, alsof ze nog visite verwacht zo laat op de avond.

'Ik weet niet meer wat ik moet doen,' zegt mama. Ze haalt diep adem. 'Het lukt me niet.'

We luisteren naar het geschreeuw, en ik vraag me af waarom Jaris aldoor zo kwaad is, en op wie en of dat misschien wel mijn schuld is. Ineens realiseer ik me dat ik vergeten ben om mijn naveltruitje en push-upbeha uit te trekken en hoewel mama het volgens mij toch niet doorheeft, sla ik voor de zekerheid toch maar mijn armen voor mijn blote buik.

'Hazel, als er vanmiddag in de tuin iets gebeurd is dan moet je het me vertellen,' zegt mama.

Ik ga rechtop zitten. 'Nee,' zeg ik. 'Er is niks gebeurd.'

Mama draait haar hoofd weer weg, vermoeid, en ik denk aan Jaris en hoe ik met de Bijbel op mijn rug om hem heen had gerend, door het hoge gras in de tuin, als de wijzer van een klok. Hoe hij met zijn hand op zijn kruis voor mij had gestaan, zijn hand op en neer had bewogen. *Als geestelijk leider moet ik aantonen dat ik een man ben.*

Mama strijkt opnieuw de haren uit mijn gezicht. 'Iemand moet hem toch kunnen helpen. Dat zou je toch denken, dat iemand hem zou moeten kunnen helpen.'

Mama zei de laatste tijd wel vaker dat Jaris geholpen moest worden maar dat dit alleen maar kon als hij een gevaar was voor zichzelf of een ander en ik wist niet wanneer dat was, en eerlijk gezegd interesseerde het me ook niet.

'Maar hoe was je schoolfeest, lieverd?' zegt mama en ze kijkt me eindelijk aan.

'Ging wel,' zeg ik.

Zes dagen na de Amourette is het geschreeuw nog altijd niet gestopt. Soms ga ik op de wc zitten met de deur op slot of loop even een stuk met Atlas om, maar als ik terugkom hoor ik nog altijd hetzelfde; de bas die hard door het plafond dreunt, met soms mijn naam erdoorheen. Volgens papa en mama mogen wij Jaris niet kalmeren. We moeten hem laten schreeuwen tot hij moe wordt.

Ik begrijp er niks van.

Niet waarom Jaris schreeuwt.

Niet waarom ik soms mijn naam hoor.

Niet waarom we hem moeten laten schreeuwen tot hij moe wordt.

Ook begrijp ik niet waarom Jaris zichzelf al de hele dag in zijn kamer heeft opgesloten, of waarom hij papa tegen de muur probeerde te drukken toen hij hem in zijn kamer opzocht, met de onderkant van zijn arm tegen papa's borst, gevaarlijk dicht bij zijn nek, maar zich plotseling bedacht en papa alsnog losliet.

Sinds die gebeurtenis staat papa al de hele avond met zijn schepnetje bij de vijver, zonder zich te bewegen. Mensje en ik zitten elkaar dood te zwijgen voor de tv, met het geschreeuw boven ons, en misschien wel voor het eerst in mijn leven haat ik iedereen om mij heen.

Er is een nummer van Pink Floyd waar ik de laatste uren telkens aan moet denken, Jaris had eens de tekst daarvan in mijn agenda geschreven, in een hoekje onder mijn lesrooster.

'I've always been mad, I know I've been mad, like the most of us... Very hard to explain why you're mad, even if you're not mad.'

Ik sta op van de bank en loop richting mijn zolderkamer. Het is donker op de gang, en als ik voorbij Jaris' slaapkamer kom blijf ik staan, gespannen luisterend naar het geschreeuw.

'In het vrouwelijk water wordt de kracht uit de man getrokken. Ik moet aantonen dat ik een man ben. Het is mijn mannelijke energie.'

Met mijn hoofd steunend in mijn handen ga ik op het trappetje zitten, op de plek waar Jaris en ik vroeger altijd samen zaten en onze briefjes in geheimschrift bij elkaar onder de deur schoven en ik bedenk wat ik hem zou willen schrijven, maar ik kan nergens opkomen, en ik blijf net zolang op het trappetje zitten tot het geschreeuw wegebt en de bel van de voordeur gaat.

Wie belt er nou nog zo laat aan?

Ik probeer de stemmen die van beneden komen te ontcijferen, één voor één, niet allemaal tegelijk. Maar het zijn onbekende stemmen, waarvan alleen maar de bas overblijft.

Ik hoor de deur opengaan en papa zeggen: 'Het is deze kant op.'

Onder de waslijn door waar de pushup-beha en het naveltruitje van Jelka hangen, zie ik drie agenten achter papa aan de trap oplopen, en als een van die agenten de beha opzij moet duwen omdat hij in zijn gezicht hangt weet ik niet waar ik moet kijken. In hun uniformen lopen ze langs mij heen het trappetje op, de schoenen stampen voorbij alsof ik niet besta. De agenten blijven boven aan het trappetje staan, ze morrelen wat aan de deurklink van Jaris' slaapkamer, en dan breken ze als op afspraak zijn deur open.

Jaris ligt languit op bed, met zijn gezicht in zijn kussen verstopt. Hij huilt.

De agenten tillen hem op, duwen hem met zijn drieën razendsnel tegen de muur en met hun handen om zijn polsen en op zijn rug, pakken ze hem ruw beet als een wild dier dat niet mag ontsnappen. Zonder zich te verzetten laat Jaris zich in de handboeien slaan. Wanneer hij zijn gezicht naar mij toedraait kijken we elkaar een ogenblik aan; zijn gezicht is rood van het huilen en de wolken in zijn ogen zijn donkerder dan ooit. Ik wil iets zeggen, maar dan wordt zijn hoofd weer tegen de muur geduwd.

Samen met papa loop ik achter de agenten aan naar beneden en ik wil Jaris' hand beetpakken om er zacht mijn warme adem in te blazen en te zeggen dat het de wind is, en dat hij hem mag openen, heel langzaam, en dat hij denkt dat het de hand van iemand anders is.

Nog maar één keer kijkt Jaris ons aan, vlak voordat hij samen met de agenten het halletje uit loopt waar onze jassen hangen en mama aan een van de agenten een plastic tasje met wat kleren meegeeft, zijn wollen trui en de kapotgetrapte schoenen. Hij zegt: 'Ik zal mijn best doen om mij goed te gedragen. Dat moet ik beloven.'

De zwaailichten van de politiewagen verdwijnen uit de straat. Uit. Aan. Uit. Aan. Dan niets.

WILLEN JULLIE KINDEREN OOK EEN TIKKIE?

We waren helemaal tot aan het einde van de trein doorgelopen, ook al hadden we die dronken gasten al na twee coupés van ons afgeschud, en zwijgend zaten we naast elkaar, op de uitklapstoeltjes in de stinkende tussenruimte met onder ons het gesis van de ontsnapte luchtdruk in het treinstelsel. Het geluid sloeg af en weer aan. Ik twijfelde of we vertrokken of nog langer moesten wachten voordat we het station konden binnenrijden, het was alsof de machinist een rottige grap met ons probeerde uit te halen.

We moesten blijven wachten.

We moesten blijven wachten op iets wat misschien nooit zou komen.

We hadden op elkaar moeten wachten toen het nog kon.

Achter de halfdonkere bomen en de aluminiumschotten langs het spoor lag Amsterdam verscholen, met het squashcentrum aan de linkerkant en de grachtenpanden van de Haarlemmerbuurt aan de andere kant, en alles was bedekt met dat zachte oranje licht dat als een deken over de stad lag en waar ik onder wilde kruipen, mij mee wilde inrollen en mee ingestopt worden, maar nooit zo diep dat het donker werd.

Job.

We moeten samen zijn.

Ons in de wereld zijn is eindig.

We bestaan door schuldig te zijn.

We zijn schuldig aan het Niets.

'Zal ik straks met je mee naar huis gaan?' vroeg Job.

'Sowieso,' zei ik.

Het voelde heel normaal toen we samen door de stad fietsten. En de trap van mijn huis opliepen. We stommelden omhoog langs de hoge ramen met de kogelgaten, over het tapijt met in het midden de uitgesleten plekken, de vuilniszakken van Katinka passerend, en haar plastic caviakooi, en haar hometrainer, tot we eindelijk voor mijn deur stonden en ik de sleutel in mijn hand ronddraaide en zei: 'Nou, daar zijn we dan.' Maar toen Job door mijn huis liep was ik mij plotseling heel bewust van hem. Hoe zijn voetstappen op de houten vloer van mijn huiskamer klonken, alsof hij met zijn vingertoppen over mijn huid liep. Zijn jas die over de leuning van mijn stoel hing, scheef, met een mouw slepend over de grond. Ik verdween naar de keuken en vroeg wat hij wilde drinken, thee, bier of een sapje en ik hoorde hoe hij een boek oppakte, erdoorheen bladerde. Ik sloeg de koelkastdeur open en dicht. Ik checkte of er sporen van Das en Keizer waren. Ik keek op de klok.

02.13

Staand tegen het aanrecht dronk ik haastig een glas water leeg en zette het glas weer in de gootsteen, naast de stapel vuile borden. Er stonden geen schoenen bij de verwarming. De jassen waren weg. Het was te stil in huis, ik vertrouwde het niet.

Ik keek in het keukenraam naar mijzelf, haalde een hand door mijn haren.

Waar was ik in godsnaam mee bezig? Het lijk van Mart was nog niet eens afgekoeld of Job liep alweer door mijn huiskamer! Waarom waren we niet gewoon in die trein blijven zitten, zonder elkaar aan te kijken, zonder na te denken over waar we vandaan kwamen? Waarom niet doorgereden tot het eindstation, ook al gingen er geen treinen terug, ook al kenden we de route niet en moesten we dagenlang samen naast het spoor lopen, zuchtend en mopperend op elkaar wie dat nou had bedacht om in die trein te blijven zitten, maar was dat niet allemaal beter dan dat hij nu als een vreemde door mijn huis liep? Dat zijn jas over mijn stoel hing, scheef, met zijn ene mouw slepend over de grond?

Er bewoog een zwarte schim door mijn spiegelbeeld.

Geschrokken draaide ik mij om. 'Jezus,' zei ik.

Job leunde in de deuropening en grijnsde. 'Vroeg je nou of ik wat wilde drinken?'

Wegsturen kon ik hem niet meer, misschien wilde ik dat ook niet. We waren naast elkaar op de oude afgeragde bank gekropen, met de oosterse kussentjes die altijd in de weg lagen op de grond. Ik had White Russian cocktails gemaakt, volgens Das 'een garantie voor een fameuze avond'. Job had zijn arm op de rand van de bank gelegd, vlak achter mijn nek. Ik wist niet hoe ik moest zitten en boog me voorover, vroeg of hij televisie wilde kijken, en zonder zijn antwoord af te wachten drukte ik de televisie aan. Nadat ik haastig acht pornoreclameblokken doorkruiste en dat ranzige gaykanaal dat Keizer had ingesteld, liet ik hem ten slotte op MTV staan, met deze keer geen reallifesoap maar gewoon muziek zoals vroeger. *Black Hole Sun* van Soundgarden. Een bizarre clip was het; van een voorstad waar mensen rondliepen met jokerachtig vervormde gezichten, een zon die schuilging achter zwarte wolken, een vrouw die in hakkende bewegingen een vis met een bijl probeerde te vermoorden maar hem telkens uit haar handen liet glippen. Ik dacht weer aan mijn vader, hoe hij de vis met een steen op de stoep platsloeg. Hoe de ingewanden eruit spoten.

Job draaide zijn hoofd naar mij toe en zei: 'Dus jij woont hier samen met twee gasten?'

Ik knikte.

Hij nam de kamer in zich op. 'Ik had niet anders verwacht dan dat je zo zou wonen,' zei hij.

'Hoezo?' Ik wreef met mijn blote voet over het tapijt.

'Het huis lijkt op jou.'

Ik keek naar de teringzooi om mij heen van new age dromenvangers, rijk gevulde schalen nepfruit die Das ooit van zijn moeder had meegekregen, de berg afgetrapte schoenen naast de rode bank, de plastic colaflessen onder de verwarming. 'Dankjewel,' zei ik.

'Nee, ik bedoel, het is hier anders, warm en sfeervol ofzo, op een bepaalde manier.'

'Op een bepaalde manier,' herhaalde ik.

Job zette zijn glas naast de bank en zakte onderuit, met zijn armen achter zijn hoofd gevouwen. 'Ja, op een bepaalde manier weet ik dat je zo bent.'

'Warm en sfeervol,' zei ik.

'Nou ja, weet ik veel,' antwoordde hij.

Ik staarde voor me uit. 'Maar wat wil je daar nou mee zeggen?'

'Misschien wil ik wel zeggen dat je niet bent zoals je je voordoet? Dat je iets voor mij verborgen houdt?'

'Ik heb nog nooit iets verborgen gehouden,' antwoordde ik.

'Dat betwijfel ik.'

We leunden tegen elkaar aan. Hij legde zijn hand op mijn knie.

Ik wilde tegen hem zeggen hoe bijzonder hij was, dat hij niet meer uit mijn gedachten was verdwenen na die laatste keer dat we elkaar waren tegengekomen, dat hij in al die jaren nooit uit mijn gedachten was verdwenen en ik almaar meer naar hem verlangde, als een zwerm spreeuwen die ieder jaar dezelfde route vloog om honderden kilometers verderop op exact dezelfde plek te landen die ze ooit had verlaten.

'Soms denk ik weleens dat ik me in je heb vergist,' zei Job en wreef met zijn hand over mijn been.

'Ik ook,' zei ik snel.

'Nee. Echt,' zei hij en pauzeerde even. 'Soms denk ik dat je heel anders bent dan ik altijd had gedacht. Alsof er een soort onderwereld in jou leeft waar ik geen toegang tot heb. Ik weet niet goed hoe ik het moet uitleggen.'

Ik zei dat er geen onderwereld in mij leefde en nam een slok van mijn White Russian, veegde met de achterkant van mijn hand mijn mond af en keek weer naar Job. Ik had zin om met hem te zoenen.

'Na die dag dat het gebeurde had ik mijzelf voorgenomen

om je nooit meer op te zoeken,' zei Job. 'Ik wilde niks meer met je te maken hebben.'

Ik haalde mijn schouders op. 'Maar nu zit je bij mij op de bank.'

'Ja, ik ben het er ook niet mee eens,' antwoordde hij lachend. Ik voelde hoe zijn been tegen mijn been drukte en ik dacht weer terug aan al die keren dat we elkaar hadden aangeraakt, hoe ik naar hem had verlangd. Waarom durfde ik nooit dichterbij te komen dan ik op dat moment voor mogelijk veronderstelde?

Job schoof dichter naar me toe.

Ik pakte zijn hand beet en voelde hoe zijn greep versterkte, met de vingers rond mijn bovenbeen gekronkeld alsof hij plotseling ergens heel erg zeker van was. Toen trok hij me naar zich toe, zijn gezicht kwam steeds dichterbij – ik kon niet van hem wegkijken.

'Je hebt een vriendin,' zei ik. God mocht weten waarom.

'Ik weet het. Ik weet het,' zei hij en drukte zijn lippen op mijn mond.

Beneden klonk het slot van de voordeur. Een deur sloeg dicht, en daarna het gestommel van voetstappen op de trap. De overduidelijk luide stemmen van Das en Keizer.

Ik rukte me los van Job en stond op van de bank, trok Jobs jas van de stoel. 'Misschien, als je het niet heel erg vindt is het beter als je er weer vandoor gaat want mijn huisgeno...'

Vragend keek Job me aan, maar de deur sloeg al met een dreun open.

'Nou, wie zullen we daar hebben!' riep Keizer. Zijn stem schalde door de kleine woonkamer. Hij droeg een zilverkleurige legging die strak tussen zijn benen spande met daaroverheen zijn lange regenjas. Op zijn hoofd stond een *Gucci* zonnebril, waarvan hij eens had gezegd dat het een publiekstrekker was.

Das was gewoon in het zwart.

Ze waren dronken.

Ik ging weer op de bank zitten en nadat Keizer me vluchtig

een zweterige kus op mijn wang had gegeven, plofte hij met zijn volle gewicht tussen Job en mij in.

'Dus jij bent Mark,' zei hij en legde zijn hand op de knie van Job. 'Wát leuk dat Hazel je nou eindelijk eens mee naar huis heeft genomen. We hebben al zoveel over je gehoord.' Daarna draaide hij zich naar mij toe en zei: 'Hij is helemaal niet zo lelijk als je had gezegd.'

'Dit is Mart niet,' zei ik. 'Dit is Job.' Met Mart is het uit wilde ik erachteraan zeggen, maar misschien moest ik het niet nog ingewikkelder maken dan het al was.

'O, ik begrijp het, je bent weer vreemdgegaan,' antwoordde Keizer.

'Nee,' zei ik en liet vermoeid mijn hoofd in mijn handen zakken. 'Job en ik kennen elkaar van vroeger, het is een vriend, van lang geleden. Hij komt op visite.'

'Ik heb er anders niks op tegen als deze mooie jongen óók bij mij op visite komt,' zei Keizer glimlachend tegen Job die wat ongemakkelijk heen en weer schoof. Toen keek Keizer mij sceptisch aan. 'Maar lieverd, laat jij die beleefdheidsvormen alsjeblieft achterwege. Voor mij hoef je echt de schijn niet op te houden.'

Keizer sloeg zijn armen om onze schouders, bij wijze van geslaagd ouderschap. Ik keek Job aan op een manier dat ik er ook niks aan kon doen, maar dat zag hij niet. Hij stak een sigaret op en leunde achterover. Toen Das langsliep trok hij de afstandsbediening onder mijn kont vandaan en zette het geluid van de televisie zachter; hij kon er niet tegen wanneer het geluidsvolume te sfeerbepalend was. Zonder zijn jas uit te trekken nam hij plaats in zijn bidet waar hij op zijn dooie gemak allerlei plastic bakken eten uit een zak tevoorschijn haalde en een Chinese rijsttafel voor hem uitstalde. Hij liep weg om bestek uit de keuken te halen. Daarna liep hij terug voor een bord. Servetten. Hij was er heel druk mee.

'Waar zijn jullie geweest, Das?' vroeg ik hem.

Hij keek op – geïrriteerd – en opende het laatste bakje met eten. De damp sloeg er vanaf.

Das zei: 'We zijn naar een themafeest geweest.'

'Wat was het thema?' vroeg ik.

'Hoe moet ik dat nou weten?' antwoordde hij giftig en zapte door naar de BBC.

Keizer fluisterde in mijn oor: 'Zie je nou wel. Het is een nemer, geen gever.'

Ik staarde naar de televisie, naar een paar kerels op paarden die met hockeysticks rondgaloppeerden. Ik sloeg mijn armen om mijn opgetrokken benen maar doordat Keizer zo beroerd tussen Job en mij zat ingeperst kon ik mij amper bewegen. Dit was belachelijk. Deze bank was niet gemaakt voor zijn drieën. Dit hele huis was niet gemaakt voor al die mensen. Waarom had ik het zover laten komen, waarom had ik ook dit weer allemaal laten gebeuren? Liever wilde ik in de halfduistere slaapkamer van Jaris liggen, op het matras dat naar zijn ruggengraat was gevormd en met die mottige geur van het dekbed over mij heen, het tsjak-tsjak-achtige geluid van de paar kauwtjes in de berk voor ons huis, wachtend tot de wereld mij voorgoed was vergeten.

'Dás!' schreeuwde Keizer. 'Waarom zitten we naar de Polo World Cup Highlights te kijken?'

Das antwoordde niet maar opende een nieuw bakje met eten. Koe Loe Yuk balletjes.

'De Tjauw Fan zit er niet bij,' mompelde hij na een paar happen, 'ik zei je nog dat ze de Tjauw Fan er niet bij hadden gedaan.'

'Keizer,' zei ik, 'zou je misschien op die andere stoel kunnen gaan zitten want het zit nogal krap op deze manier en...'

'Ik prakkiseer er niet over,' antwoordde hij. Zijn adem rook naar likeurbonbons. Uit de binnenzak van zijn regenjas trok hij een wit pakje tevoorschijn en met een hoekje van zijn bankpas haalde hij er wat van het witte poeder uit, dat hij via zijn rechterneusgat opsnoof, en nadat hij met zijn wijsvinger onder zijn neus had gewreven en gelukzalig inhaleerde, vroeg hij: 'Willen jullie kinderen ook een tikkie?'

Met zijn drieën staarden we naar de wedstrijd. De geur van Das' eten vulde de kamer. Ik wilde iets tegen Job zeggen, maar doordat Keizer tussen ons in zat, wist ik niet waar ik over moest beginnen. Af en toe vloog er een bal door het beeld of duwden de spelers elkaar onderuit. Een paard viel op de grond: hij zakte door zijn benen, en bleef onbeweeglijk op het gras liggen, met grote waterige ogen moedeloos voor zich uitstarend. Hij keek naar mij.

Keizer legde weer zijn hand op Jobs knie en zei: 'Maar waar kennen jullie tortelduifjes elkaar eigenlijk van?'

'Van vroeger,' antwoordde ik snel.

'Dat kan wel iets specifieker, lieverd,' zei Keizer. En tegen Job: 'Als ik jou was zou ik niet met Hazel gaan, ze gaat altijd vreemd.'

'Dat wist ik al,' lachte Job ongemakkelijk.

'Dat vind ik een interessant gegeven,' zei Keizer. 'Want hóézo wist je dat al en hóézo zit je dan toch weer met ons Hazellotje op de bank?'

Ik zei tegen Job dat hij Keizer maar beter kon negeren, dat wij dat allemaal hier in huis deden.

'Ik ken Hazel al heel wat jaren,' zei Job tegen Keizer. 'Toevallig kwam ik haar vanavond in de trein tegen. We raakten in gesprek en van het een kwam het ander.'

'Mmm,' zei Keizer en hij gaf me een knipoog.

'En er was een akkefietje met een paar dronken studenten waar we last van hadden,' zei Job. 'Dus we zaten als het ware met elkaar opgescheept.'

'Maar vertelt ze jou weleens wat?' vroeg Keizer. 'Hazel vertelt ons nooit iets over zichzelf. Wij moeten het allemaal uit haar trekken, het is heel vermoeiend om met zo iemand samen te leven hoor. En dan proberen wij ons nog in haar te verdiepen, maar je krijgt er zo weinig voor terug.' En tegen mij: 'Jij zou ons weleens wat dankbaarder mogen zijn.'

'Misschien vertrouw ik jullie gewoon niet,' zei ik tegen Keizer.

'Schattebout, daar reageer ik niet eens op.'

Het paard werd van het veld gedragen en afgetuigd. Naakt en zonder zadel stond hij te wachten tot hij met de trailer zou worden weggevoerd. Ik stond op van de bank en greep een pakje sigaretten van de tafel. Ik stak een peuk op, inhaleerde en gaf hem door aan Job. Ik wilde dat hij zich weer naar mij vooroverboog en zijn lippen op mijn mond drukte.

'Das, alsjeblíéft!' schreeuwde Keizer plotseling. 'Mag er een andere zender op?'

Zonder naar de televisie te kijken zette Das een andere zender op. Het gaykanaal. Hij nam nog een hap van zijn eten.

'Die Tjauw Fan maakte het gerecht af,' zei Das, 'zonder smaakt het nergens naar.'

Toen ik midden in de nacht wakker werd was het al licht. Mijn hoofd was mistig en mijn keel droog. Mijn hart pompte als een bezetene. Ik had uren geslapen, leek het. Uiteindelijk kwam ik overeind en zag Job aan de andere kant van de bank liggen, met zijn gezicht op de armleuning en zijn mond licht open. Ik bestudeerde zijn slapende gezicht, de donkere wenkbrauwen, zijn borst die langzaam op en neer bewoog, de zachte regelmatige ademhaling. De stoppels van zijn baard. Hij draaide zich grommend van me weg, alsof hij doorhad dat ik hem bekeek. Ik keek de huiskamer rond.

Keizer was in de Chesterfieldstoel in slaap gevallen. Das sliep opgekruld in zijn bidet.

Door een kier in het gordijn scheen het ochtendlicht lafjes naar binnen, alsof de zon nog in cellofaanpapier zat, en ik leunde met mijn ellebogen op de leuning van de bank, trok het gordijn nog wat verder open om de straat beneden mij te kunnen zien waar het leven al op gang was gekomen. Een veegwagen kwam voorbij, een paar toeristen liepen zoekend rond. Tussen de planten in de vensterbank trok ik een halfleeg flesje bier vandaan. Ik nam een slok van het lauwe spul en spuugde het weer uit. Ik wreef de mascara uit mijn ogen.

Ik begreep niet wat er was gebeurd, niet wat de oorzaak was van het feit dat Job weer in mijn leven was teruggekomen en nu bij mij op de bank lag te slapen, zwaar in- en uitademend, alsof er nooit enige tijd tussen had gezeten, alsof wij gewoon voor altijd samen waren geweest. Of wat de oorzaak was dat ik mijn moeder in haar oog had getrapt en haar had verlaten zonder nog één keer achterom te kijken? Wat als er nu iets zou gebeuren en ik haar nooit meer zou zien, zou ik mezelf dat kunnen vergeven? En waarom drong Mart zich alsmaar opdringerig op in mijn geheugen?

Waar kwam toch dat idee vandaan dat een leven maakbaar was door de juiste keuzes te maken? Ik maakte continu de juiste keuzes, maar vooralsnog leverde het weinig op. Misschien had zich in mijn hoofd een beeld van mijn toekomst gevormd die er op dit moment niet al te voordelig voor mij uitzag, en waarmee de tijd niet voor mij lag, of achter mij, maar de tijd naast mij liep; als een loopse hond die niet te leiden viel. Er bestond geen geordend verleden. Of een toekomst van chaos. Alles was chaos.

Met de onderkant van mijn voet drukte ik tegen Jobs voet, maar hij had het niet door. Moeizaam stond ik op van de bank en liep naar de keuken. Met één hand hield ik mijn haar vast en trok het in een staart naar achter, liet het koude water over mijn gezicht stromen en langzaam via mijn hals verspreiden. Voor het openstaande keukenraam keek een mus naar binnen. Hij wipte heen en weer en bleef dan weer even stilstaan om mij te bekijken, met zijn kop scheef, alsof hij zich een voorstelling van mij probeerde te maken. Wanneer ik mijn arm opzij bewoog, sprong hij een paar stappen opzij, en als ik wegkeek sprong hij weer een paar passen terug. Het was een heel mooi beestje, met een dikke glanzende vacht en heldere ogen, niet een van die stadsmussen die je hier normaal zag, met van die magere lijfjes en kromme poten. Ik pakte een paar chipskruimels van het aanrecht, legde ze in de smalle strook van de raamopening en wachtte net zolang tot de mus op mij af kwam, haastig pikte hij de kruimels weg terwijl hij mij met een schuin oog in de gaten bleef houden. Alsof ik het alsnog van hem zou kunnen afpakken. Ik legde nog een paar kruimels neer, en hij kwam nu dichterbij. Ik dacht aan Jaris en hoe hij vroeger het geluid van een duif nadeed door twee handen voor zijn mond te vouwen. Hoe prachtig ik het vond als we samen zo in het open veld stonden, deden alsof we vogels waren, en onze stemmen die ergens in de verte wegstierven, seconden later.

Ik sloot het raam.

'Dus daar ben je,' zei Job toen we elkaar passeerden van en naar de keuken. Onwennig bleven we tegenover elkaar in de deuropening staan.

'Volgens mij slapen die huisgenoten van je,' zei Job en knikte richting de huiskamer.

Ik leunde met mijn rug tegen de deurpost, probeerde met mijn handen houvast te zoeken. 'Heb je goed geslapen?'

'Onrustig,' zei hij.

Ik glimlachte. 'Ik ook.'

Job deed een stap naar voren en legde zijn handen op mijn heupen. Zonder te weten wat ik moest doen bleef ik voor hem staan. Maar toen hij zijn lichaam tegen mij aandrukte legde ik mijn handen op zijn rug waarna hij mij naar zich toetrok, en net als vannacht bracht hij zijn gezicht weer naar mij toe. Ik voelde het trillen tussen mijn benen, een heel aangenaam gevoel dat steeds heviger werd, en ik sloot mijn ogen.

'Volgens mij gaat je telefoon over,' zei Job en ik keek hem weer aan. Pas toen voelde ik dat het mijn mobiel was die op trilfunctie stond. Geïrriteerd trok ik het ding uit mijn broekzak. 'Mart' stond er in het schermpje. Jezus. Snel drukte ik hem weg, maar hij ging meteen nog een keer over. Ik liet hem maar overgaan, ik wist niet wat ik moest doen.

'Moet je hem niet opnemen?' vroeg Job.

'Nee,' zei ik en stopte mijn telefoon in mijn broekzak. 'Dat heeft geen zin.'

Verdomme, wat moest Mart nou van me, ik was toch niet

voor niets helemaal naar hem toe gereisd om hem persoonlijk te vertellen dat het over was, om van dit hele gedoe af te zijn? Waarom liet hij me nog steeds niet met rust, waarom bleef hij almaar in mijn hoofd cirkelen als een irritante wesp rond een zoetgeurende ontbijttafel, continu mijn smaak bedervend?

Toen mijn telefoon uiteindelijk stil bleef ging ik weer dichter tegen Job aanstaan. Zijn handen wreven over mijn blote benen, omhoog, tot ze onder mijn korte broekje verdwenen. Stevig hield hij mijn billen vast. Ik balanceerde op mijn tenen, legde mijn handen rond zijn nek, en met mijn vingers wreef ik over de kleine stoppelhaartjes in zijn hals, tegen de groeirichting in.

'Dit kan niet,' zei Job.

Ik schudde van nee maar cirkelde mijn blote been om zijn been, en als een slang krulde ik me tegen hem op, krulden we tegen elkaar op, tot hij me verder naar achter duwde tegen de deurpost en ruw mijn gezicht met beide handen vastgreep. Al die tijd bleef hij me maar aankijken, alsof hij mijn gezicht nog eenmaal in zich wilde opnemen, alsof dit misschien wel de laatste keer zou zijn dat we samen waren. Pas daarna kuste hij me. Zoekend voelde ik zijn tong in mijn mond bewegen, van zo lang geleden, en meer dan ooit voelde ik hoe erg ik hem had gemist, en ik wilde, ik mócht er niet bij stil blijven staan waarom we al die jaren aan ons voorbij hadden laten gaan. Het enige wat nu belangrijk was waren zijn vingers die langzaam verder over mijn benen omhoog gleden, zijn handen die me volledig omklemden, zijn gezicht dat zo ongelooflijk dichtbij was en zo ongelooflijk mooi dat er buiten hem niks meer kon bestaan. Hij tilde me een stuk van de grond. We stonden nog altijd op de drempel in de deuropening. Ik hield me vast aan zijn gespierde lichaam, de sterke armen die me optilden. Voordat ik het wist liet hij zijn hand tussen mijn benen glijden, onder mijn slipje, en hij moest voelen hoe hevig ik naar hem verlangde. Ik luisterde naar zijn zware ademhaling. Ik voelde de koude lucht langs mijn huid trekken. Ik voelde zijn handen onder mijn shirt richting mijn borsten omhoog bewegen. Hij trok zijn broek naar beneden. Ik voelde hoe hij zijn stijve hard in mij duwde. Hard en stotend, verlangend naar elkaar toe bewegend, met het hout van de deurpost steeds pijnlijker tegen mijn blote rug schurend.

Misschien daarom drong het niet meteen tot me door dat verderop in de gang de bel van de voordeur klonk, misschien omdat ik niet wilde dat er iets aan dit moment veranderde, omdat ik onbewust al wist dat het over was, terwijl het enige wat ik wilde was Job in mij voelen. Maar toen het geluid zich herhaalde, duwde ik Job geschrokken van me af en keek de gang in, of er misschien iemand aankwam om de deur te openen. Snel trok ik mijn broek en mijn shirt aan, wachtend tot het geluid verdween. Wat was dit verdomme voor slechte grap?

Maar de bel bleef rinkelen en na een tijdje kwam Keizer slaperig de woonkamer uitgelopen; zijn legging hing bijna op zijn knieën en zijn blouse was scheef dichtgeknoopt.

'Ik verwacht een pakketje,' zei hij geeuwend en drukte automatisch op de knop van de intercom.

Ik trok niet-begrijpend mijn schouders op naar Job die ook zijn broek weer had aangetrokken.

'Dé Keizer,' zei Keizer door de intercom. Hij bleef even stil terwijl hij mij aankeek. 'Wie zeg je dat er is?'

Toen drukte Keizer op de oranje knop van de intercom.

'Bezoek voor je,' zei hij en verdween weer in de huiskamer. Van beneden kwam iemand de trap opgelopen.

DEEL IV

STUKJES CHOCOLADE EERLIJK VERDEELD

Zeventien dagen nadat Jaris is meegenomen door de politie mogen we hem opzoeken in het ziekenhuis van Alkmaar. Een gelige zomerwaas hangt over de weilanden die het gras in hooi doet veranderen. Ik zit op de plek waar Jaris altijd op de achterbank zat, met Mensje aan de andere kant. In de afgelopen weken zijn papa en mama een paar keer in het ziekenhuis bij hem op bezoek geweest maar wanneer ik voorstelde of ik mee mocht dan antwoordden ze dat het daarvoor nog te vroeg was of dat er onderzoeken gedaan moesten worden, dus wat ze eigenlijk wilden zeggen is dat ze me er gewoon niet bij wilden hebben. Soms, op de momenten dat er niemand thuis was, probeerde ik mij een voorstelling van Jaris te maken, liggend met mijn hoofd tegen Atlas' slapende buik.

a) Hij weet niets meer van wat is geweest, van alle dingen die zijn gebeurd. Het enige wat hij nog weet is van het witte hemd dat hij dagenlang in de isoleercel droeg, zoals mama had verteld.

b) Hij gelooft dat de aarde in miljoenen jaren is ontstaan en niet in zeven dagen, waarmee hij de Bijbel als ongeloofwaardig ziet, want anders zijn we weer terug bij af.

c) Hij heeft zijn baard afgeschoren en ziet ons liever dan de hele wereld. De wolken in zijn ogen zijn voorgoed verdwenen.

Omdat de parkeergarage vol is moeten we de auto helemaal aan de andere kant van het ziekenhuis neerzetten, aan het begin van het hertenkamp, en als we de rolstoel van Mensje uit de achterklep halen en in elkaar zetten – eerst de zitting, dan de rugleuning en de voetenplanken – komt een van de herten dichterbij. Hij kijkt me aan, maar zodra ik terugkijk, kijkt hij weg. Mama duwt de weekendtas met kleren in mijn handen, het Herman Brood T-shirt dat Jaris de laatste jaren nog altijd als slaapshirt gebruikt, steekt eruit. Over het grindpad, onder de hoge bomen, lopen we richting het ziekenhuis. Mensje zegt: 'Daar is het revalidatiecentrum waar ik vorig jaar nog voor mijn rug heb gezeten.'

Mama antwoordt niet maar wrijft met de onderkant van haar arm de zweetdruppeltjes van haar voorhoofd. 'Wat duwt die rolstoel toch vreselijk zwaar in dat grind,' mompelt ze voor zich uit.

Als we de blauwe lijnen op de vloer volgen dan komen we er vanzelf, werd er gezegd. Haastig lopen we door een doolhof van lange smalle gangen en bij elke afdeling die we passeren controleer ik de bordjes – orthopedie, bijzondere tandheelkunde, oogheelkunde, cardiologie, oncologie – maar daar moeten we allemaal niet zijn. De banden van Mensjes rolstoel kraken over het grijze zeil, net als mama's hoge hakken die ze alleen voor speciale gelegenheden aantrekt. Ze ziet er heel mooi uit, maar dat durf ik niet te zeggen. Ik plaats mijn voeten kaarsrecht voor elkaar, mijn gympen precies op de blauwe lijn.

Als ik op de blauwe lijn blijf staat Jaris ons op te wachten.

Als ik buiten de blauwe lijn stap wil Jaris ons nooit meer zien.

Hoe verder we lopen, hoe minder mensen er zijn, en we slaan nog een gang in en nog een naar rechts tot we alleen maar rechtdoor kunnen lopen, de lange smalle gang uit waar geen einde aan lijkt te komen. De tl-lampen doen pijn aan mijn ogen. Het is hier vreselijk stil. Het is hier zo stil dat het lijkt alsof we een doodlopend pad zijn ingeslagen, en de weg niet meer terug weten. Aan het einde van de gang blijven we voor een glazen deur staan. Als er na een tijdje nog steeds niemand verschijnt tikt mama met de bovenkant van haar trouwring tegen het glas. Mensje drukt op de rode knop naast de deur. Na een paar minuten komt aan de andere kant van de glazen deur een vrouw in een lange witte jas op ons afgelopen. Wanneer ze haar hoofd door een kier in de deuropening steekt lacht ze kleine rimpeltjes rond haar ogen en vraagt: 'Voor wie bent u hier?'

'Voor Jaris,' zegt mama zenuwachtig. 'Voor Jaris Friedland. Mijn zoon. Mijn man kon er niet bij zijn want het lukte niet met zijn werk dus we zijn met zijn drieën gekomen want het is natuurlijk ook hun broer maar dat is toch geen probleem denkt u?'

Gelukkig mogen we meteen doorlopen, want ik schaam me totaal kapot als mama zo doet, en de sandalen van de vrouw kraken op dezelfde manier op het zeil als de rolstoel van Mensje, die ik met tegenzin voor mij uitduw.

'Volgens mij zijn jullie hier nog niet eerder geweest,' zegt de arts terwijl ze met stevige passen voor ons uitloopt en Mensje en mij in zich opneemt.

Ik schud van nee, en de arts vertelt dat dit de open afdeling is waar de patiënten gewoon van binnen naar buiten mogen lopen maar dat Jaris op de gesloten afdeling zit waar de bewegingsvrijheid is beperkt om de patiënten tegen zichzelf in bescherming te nemen. Ik word afgeleid door de rij schilderijen aan weerszijden van de hal; met woeste penseelstreken en in donkere kleuren is de verf op de schilderijen aangebracht, als kindertekeningen die allemaal op elkaar lijken. Helemaal aan het einde van de rij hangt een schilderij met een blauw meer en een zwarte rots daarboven. Het meer stopt precies in het midden en meteen daarboven begint de lucht. Nergens zijn vogels of vissen of wolken. De lucht en het meer zijn precies allebei even diep en leeg. Als je het schilderij om zou draaien dan zou de grijze lucht voor altijd in het blauwe meer veranderen.

'Het bezoekuur is wel al bijna voorbij,' zegt de vrouw als ze een sleutelbos uit haar jaszak pakt en een van de sleutels in het slot steekt.

'Wij hebben begrepen dat het bezoekuur van half vier tot

half zes is,' antwoordt mama verbaasd.

De vrouw probeert een andere sleutel die ook niet past. 'Voor de psychiatrie gelden weer andere tijden,' zegt ze en dan springt de deur alsnog van het slot. We lopen langs een deur waarop staat: 'De psychiater wenst niet gestoord te worden'.

'Jullie broer zit al vanaf half twee op jullie te wachten,' fluistert de vrouw. Dan wijst ze in de verte.

Aan een klein tafeltje in de hoek van de zaal zit Jaris, starend uit het raam naar de binnentuin. Hij staat meteen op als hij ons ziet. Zijn baard is weggeschoren en hij draagt een schoon wit T-shirt. Als hij op ons af komt lopen zegt hij: 'Ik had al een tafeltje gereserveerd' en hij geeft mama een kus, en Mensje en pas daarna mij, en voor heel even blijf ik tegen hem aanleunen als hij zijn armen om mij heen slaat, met mijn neus tegen zijn borst gedrukt, stiekem de geur van zijn T-shirt inademend. Zijn zachte regelmatige ademhaling in mijn nek. Ik voel mijn keel dik worden, maar ik heb geen zin om te huilen dus ik slik het meteen weer weg.

Er staan drie stoelen rond de tafel en in het midden een pot thee naast een vaasje met gele bloemen. Mensje schuift naast mij, mama op de kleine stoel aan de andere kant, en Jaris tegenover mij, en iedereen zit precies op dezelfde plek zoals thuis aan onze eettafel. Jaris pakt een briefje van tafel, een dubbelgevouwen A4'tje waarop in grote houterige letters met potlood staat geschreven DEZE TAFEL IS GERESERVEERD DOOR JARIS FRIEDLAND. Hij heeft het briefje als een bordje op tafel gezet, zoals ze ook in restaurants weleens doen.

Hij grapt: 'Ik heb hem zelf gemaakt, voor de zekerheid.' Daarna schenkt hij onze glazen tot de rand vol met thee en breekt een reep hazelnootchocolade in kleine stukjes, die hij eerlijk verdeelt, en voor de tweede keer voel ik mijn keel dik worden.

Ik neem een slok van mijn thee en kijk om mij heen. Het licht van buiten is gefilterd door de vitrage waardoor het lijkt alsof het buiten al schemert. Vanuit de keuken aan de andere kant van de zaal kijkt een vrouw mij aan; ze draagt haar haren in een vettig staartje en heeft een smal gezicht en pluchen koeiensloffen aan haar voeten. Als ik van haar wegkijk en meteen daarna weer terug, geeft ze mij een knipoog. Het is heel rustig in de zaal en alles is licht en wit. Langs de wand met de verwarmingsbuizen loopt een dikke man met een baard. Met zijn vingers strijkt hij over de verwarmingsbuizen, terwijl hij telkens heen en weer langs de wand loopt, dezelfde route volgend. Zijn ogen zijn half gesloten. Hij praat in zichzelf.

'En, lieverd?' vraagt mama aan Jaris. 'Ben je hier al een beetje gewend?'

Jaris kijkt even peinzend in de verte, naar de binnentuin die door de vitrage bijna niet zichtbaar is. 'Ik ga hier zo snel mogelijk weg,' zegt hij. Zijn stem trilt. 'Dat hebben ze mij ook gezegd, dat het heel goed met mij gaat.' Met zijn hand krabt hij aan de bovenkant van zijn arm waar een pleister zit en dan staart hij opnieuw zwijgend voor zich uit. De man met de baard loopt nog altijd langs de verwarmingsbuizen.

'Heb je ook een beetje contact met de andere mensen hier?' vraagt mama. 'Heb je een beetje aanspraak?'

'De mensen die hier zitten sporen niet,' zegt Jaris terwijl hij op zijn stoel verzit. 'Je moet ze in de gaten houden. Ze jatten alles onder je kont weg, die lui zijn niet te vertrouwen. Iemand had al gezegd dat zijn portemonnee was gestolen.'

'Maar mag je hier nou helemaal niet naar buiten?' vraag ik Jaris.

'Ze willen dat ik hier binnen blijf tot ik beter ben of zoiets,' zegt Jaris en hij pauzeert even. Met zijn hand wrijft hij over zijn voorhoofd en hij slikt een paar keer. 'Met mij is er helemaal niks aan de hand, dat heb ik ze ook gezegd. Als ik gewoon de regels volg denk ik dat ik hier met een paar dagen vertrokken ben.'

Ik vraag hem wat de regels zijn maar hij zegt dat het niet belangrijk is, als je maar gewoon de regels volgt.

Mama tilt de weekendtas met kleren op tafel. 'Ik heb wat extra kleren voor je meegenomen,' zegt ze en ritst de tas open om te controleren of ze niet per ongeluk de verkeerde kleren heeft meegenomen. 'Denk je dat je het daar de komende weken mee redt?'

'Heb je ook een scheermes voor me meegenomen?' vraagt Jaris.

Mama aarzelt even en kijkt in haar theeglas. 'Waar heb je dat voor nodig?'

Jaris zegt niks maar strijkt met zijn vingers langs zijn gladde kin. 'Staat het een beetje, zo kort?'

'Ach natuurlijk,' antwoordt mama afwezig.

Verderop in de huiskamer zet een jonge vrouw de televisie aan, en zonder ons te begroeten gaat ze op de groene stoel zitten; ze steekt een sigaret op en trekt haar benen op in kleermakerszit. Volgens mij is ze pas twintig, en ze heeft lang golvend donker haar dat zo mooi is dat ik er met mijn vingers doorheen zou willen strijken. Het geluid van de televisie staat keihard, en omdat ik niet kan zien naar welk programma ze kijkt probeer ik te raden wat het is, maar zelfs als ik heel nauwkeurig naar de stemmen luister kan ik nog altijd niet horen wat het is.

'Ik heb een cadeautje voor je gekocht,' zegt Mensje. 'Een kleinigheidje,' en ze grabbelt tot helemaal onder in haar rugtas maar ze kan het natuurlijk niet vinden en duikt er bijna met haar hele hoofd in, tot ze onder uit haar tas een glimmend pakje tevoorschijn haalt. 'We dachten dat je dit misschien wel nodig zou kunnen hebben,' zegt ze stralend. 'Het is een notitieblokje. Omdat je schrijver wilt worden. Die hebben allemaal notitieblokjes.'

'Dan moet je het niet meteen verklappen,' zeg ik kwaad, 'hij heeft het nog niet eens uitgepakt.' Het enige wat ik wil is dat ik er zelf aan had gedacht om een cadeautje voor Jaris te kopen. Wanneer Jaris het papier eraf trekt en zegt dat hij er heel blij mee is komt de vrouw met de pluchen koeiensloffen vanuit de keuken aangelopen. Bij elke stap die ze zet schudt ze met haar been, alsof ze door een mug wordt gestoken. Ze blijft me de hele tijd aankijken, zonder met haar ogen te knipperen.

'Je moet oppassen voor die kleine,' zegt ze tegen Jaris als ze naast ons tafeltje staat. Ze wijst naar mij. 'Het is een lesbo, een pot. Die pluk ik er meteen uit.'

Ongemakkelijk schuif ik heen en weer op mijn stoel maar de vrouw blijft naast me staan. Als ik haar weer aankijk trekt ze met een korte ruk aan mijn haar en voordat ik het weet grist ze mijn stukje chocola van de tafel. 'Vuile pot!' schreeuwt ze terwijl ze kauwend de zaal uitloopt.

'Zie je wel dat ze hier niet te vertrouwen zijn,' zegt Jaris en hij kijkt over zijn schouder.

De arts die ons de weg had gewezen komt weer de zaal binnengelopen en net als de vrouw die mij een pot noemde blijft ze naast ons tafeltje staan.

'Smaakt het een beetje?' vraagt ze en legt haar hand op de reep chocolade. 'Jaris had vanochtend al tegen de leiding gezegd dat jullie langs zouden komen en dat hij jullie wilde trakteren. Die reep chocolade heeft hij met zijn leven bewaakt.'

Ze glimlacht naar Jaris maar hij kijkt van haar weg.

Dan buigt de arts zich voorover naar mama en zegt: 'Ik wil jullie niet opjagen, maar het bezoekuur is bijna voorbij.'

Zwijgend neem ik piepkleine slokken van mijn thee om de tijd op te rekken. Ik denk aldoor aan de middag dat ik Jaris' Bijbel heb verscheurd en ik als de kleine wijzer van de klok om hem heen heb gerend. Ik zou willen dat ik de andere kant was uitgelopen om voor altijd de tijd terug te draaien en opnieuw te laten beginnen, zodat het nooit was gebeurd. Net zoals de natuurkundige die gisteravond op de televisie had gezegd dat er voor de *big bang* geen tijd bestond maar dat de tijd het resultaat was van het universum zelf, weet ik dat de tijd pas is begonnen vanaf het moment dat de ruimte begon uit te dijen als een ballon.

Ik kijk naar Jaris' gezicht en zijn ogen die licht en zacht

staan. Zijn hand ligt heel rustig op tafel, zonder hem tot een vuist te knijpen.

16.15

Als de arts is verdwenen zegt mama zacht tegen Jaris: 'We hoorden van de artsen dat het goed met je gaat.' Ze opent haar tas en sluit hem dan weer. 'Ze vertelden dat je medicijnen krijgt en dat ze goed zouden werken.'

Jaris zegt niks.

'Merk je al verschil?' vraagt mama. 'Ik bedoel, heb je zelf ook het idee dat het voor jou goed werkt?'

'Nee,' zegt Jaris, 'voor mij maakt het geen verschil. Maar het zijn de regels waaraan ik mij moet houden, zodat ik hier zo snel mogelijk weg kan.'

'Zodat je weer naar buiten kunt,' vul ik hem aan. Hij legt zijn hand op mijn hoofd en voor een ogenblik kijken we elkaar aan. Hij is weer zoals hij altijd was. Waarom moet hij hier blijven als wij straks weer naar huis gaan? Waarom doen ze alsof hij ziek is of net zo raar is als de man die langs de verwarmingsbuizen loopt? Iedereen kan toch zien dat het goed met hem gaat?

Als Jaris vraagt hoe het met mij gaat moet ik alsnog huilen, daar kan ik helemaal niks aan doen.

Vooral 's avonds wanneer ik niet kan slapen denk ik aan het zwarte gat waar Jaris mij ooit eens over had verteld, en ik stel me voor hoe het Melkwegstelsel als een draaikolk om het zwarte gat draait, dat niks kan ontsnappen, zelfs het licht niet, en alles voor eeuwig verdwijnt in wat we niet kunnen zien.

Ik droom over de blauwe lijnen in de lange gang.

Of over de wand met schilderijen die allemaal op elkaar lijken.

Ik loop langs het laatste schilderij, van de lucht en het meer.

Jaris en ik staan samen op het water, wegdrijvend met onze gekleurde surfzeilen.

De dromen gaan door tot Job een week later zijn telefoonnummer op de achterkant van een tentamenblad schrijft en zegt dat ik hem moet bellen.

Bijvoorbeeld als ik een keer bij hem wil langskomen op de boerderij, of iets anders samen doen, eerlijk gezegd maakt het hem niet zoveel uit, maar ik zeg hem dat de boerderij prima is en dat ik hem zal bellen. Nadat ik drie dagen voorbij heb laten gaan omdat Jelka me op het hart heeft gedrukt om *hard to get* te spelen, bel ik hem. Als hij vraagt of ik zin heb om aan het eind van de middag bij hem langs te komen, wacht ik uiteraard geen seconde langer.

Het is een lichte zomerdag, die me aan donsdekbedden doet denken.

Ik heb wind mee. Ik suis tussen de hoge grassen van de maisvelden door, en voel de warme lucht onder mijn T-shirt opbollen. Ik hoef nu alleen maar de lange polderweg tot aan het eind te volgen. Ik kijk naar de akkers die verderop worden beregend en naar de zon die regenbogen maakt van zwevende druppels en telkens verspringen van groen, geel, blauw, rood naar oranje. Een boer komt van zijn erf gelopen en steekt zijn hand op. Langs de sloten staan de koeien als roddelzieke buurvrouwen in groepjes bij elkaar, en ik volg de Veenhuizerweg naar het Frik, met aan mijn rechterhand de Schapenweg passerend, tot over het bruggetje bij de smalle dorpsstraat. En terwijl ik daar fiets maak ik mij een voorstelling van mijn Amourette 11 met Job, hoe we straks met zijn tweeën over het land zullen lopen tot we niet meer verder kunnen en hij zegt: 'Ik-wil-voor-altijd-proeven-hoe-het-puntje-van-je-tong-smaakt.' De weg gaat dwars door het dorp en aan weerszijden staan oude boerderijen. Aan de rechterkant van de weg blaft een hond en aan de linkerkant zitten mensen op plastic meubels in hun voortuin. Als ik voorbij fiets zwaaien ze. Ik zwaai maar terug, ook al ken ik niemand.

Drie kwartier later fiets ik het knisperende grindpad van Jobs erf op.

Ik parkeer mijn fiets tegen de oude stal en fluister de koeien gedag, die mij vanachter een hek aanstaren. Omdat ik niemand zie loop ik een rondje over de rommelige binnenplaats, langs de houten hokken met krielkippen, de hoog opgestapelde kisten met bloembollen, onder de ladder door omdat dit geluk brengt, tot aan de kleine moestuin waar alleen een paar tomatenplantjes tussen het onkruid groeien. Job is nergens. Voorzichtig open ik de hordeur van de bijkeuken en steek snel mijn hoofd om de hoek.

'Daar ben je al,' zegt Job. Hij staat aan het einde van de gang. Zijn haar hangt voor zijn ogen en hij glimlacht.

Voor een paar seconden weet ik niet wat ik moet doen.

'Daar was ik al,' zeg ik en loop op hem af. Ik geef hem een hand en als hij me een zoen geeft buk ik me snel om mijn gympen uit te trekken, maar er zit een irritante knoop in mijn linkerveter die ik er met geen mogelijkheid uit krijg en terwijl ik daar gebukt sta voel ik al het bloed naar mijn kop stijgen. Waarom heb ik hem niet gewoon teruggezoend?

'Je mag je schoenen anders wel aanhouden,' zegt Job en legt zijn hand op mijn rug.

Geschrokken schiet ik overeind en zeg: 'Laat ik dat maar doen'.

Samen lopen we naar een deur die Job triomfantelijk opent.

Vanachter een grote houten tafel staart een groep mensen mij aan.

'Dus jij bent Hazel,' zegt een vrouw met een gek knotje op haar hoofd en helderblauwe ogen. Krassend schuift ze haar stoel naar achter, loopt weg, en komt terug met een bord voor mij.

'Hou je van witlof?' vraagt zijn moeder als ze weer de keuken is in gelopen en ik roep 'ja perfect' terwijl ik het zo ongeveer het goorste vind wat je kunt eten, en als ze het bord voor me neerzet prak ik alles door elkaar, met appelmoes en wat aardappels met jus tot een taartje. Van de zenuwen krijg ik bijna niks door mijn keel, vooral niet als ik naar Job kijk om te zien of hij ook naar mij kijkt.

Job.

Job.

Job.

Ik ga nog liever dood als ik je nu niet meteen kan zoenen.

Zwijgend staar ik om mij heen, naar zijn ouders, broer en zus, hoe iedereen op zijn eigen plek rond die grote tafel zit. Ik denk weer aan hoe Jaris en ik vroeger tegenover elkaar aan tafel zaten, met onze voeten tegen elkaars knieën om de ander een trap te verkopen als hij daarom vroeg, of elkaar oogsignalen gaven als ons codewoord was gevallen. Ik luister naar het gekras van het bestek over de borden, de smakkende geluiden van iedereen om mij heen. Het ruikt zuur in huis, naar karnemelk en oude yoghurt.

'We hebben al veel over je gehoord, Hazel,' zegt Jobs moeder met een lach.

Ik knik.

Onder mijn stoel kruipt een hond. Uit zijn bek hangt een stuk aardappel. Omdat hij me blijft aanstaren aai ik hem ruw over zijn kop.

'Geef hem maar geen aandacht,' zegt Job en knipt met zijn vingers naar de hond die onmiddellijk gaat liggen. 'Gewoon negeren. Dat beest loopt altijd te bedelen.'

'En uit wat voor nest kom jij?' vraagt zijn vader die met zijn hand de jus langs zijn kin wegveegt. Hij heeft grote handen, met resten modder langs de randjes van zijn nagels en ruwe plekken op zijn knokkels. Ook heeft hij een rommelige grijze baard en een kaal hoofd dat glimt door de avondzon die via het raam naar binnen valt. Ik schuif wat ongemakkelijk op mijn stoel en neem een hap van mijn witlof. Uit wat voor nest ik kom?

'Mijn moeder werkt in een parfumeriezaak en mijn vader is schilder,' zeg ik uiteindelijk en pauzeer even. 'Mijn vader maakt dodedierenschilderijtjes. Van de tureluur of de tjiftjaf, afhankelijk van het seizoen.'

'Waarom dood?' vraagt Jobs broer en buigt zich nieuwsgierig over zijn bord. Hij is denk ik vier jaar ouder dan Job en bijna net zo woest aantrekkelijk. 'Moet je pa ze niet levend?'

'Het gaat hem om de vergankelijkheid van de natuur,' zeg ik nadenkend, 'dat niet altijd alles blijft zoals het is.'

Niemand zegt wat.

'Maar geen beesten?' vraagt zijn vader na een paar seconden. Hij houdt vragend een maatbeker met verse melk boven mijn glas. 'Heeft je pa geen stal?'

'Graag,' zeg ik en wacht tot mijn glas tot de rand is gevuld. 'We hebben wel een hond en een konijn. Maar geen stal, als u dat soms bedoelt.'

Door het raam zie ik iemand over het erf lopen. Buurman Stoop, volgens Jobs vader. Hij zwaait kort als hij ons binnen ziet maar kijkt daarna meteen weer strak voor zich uit. Op zijn wollen sokken komt hij de keuken binnengelopen, met in zijn hand een emmer waar de kop van een dode haas uitsteekt.

'Smakelijk,' zegt hij na een korte hoofdknik.

Iedereen aan tafel mompelt wat, intussen gewoon dooretend, maar dan draait Jobs vader zich om op zijn stoel en vraagt de buurman wat hij daar bij zich heeft. Aan zijn oren tilt de buurman de haas uit de emmer en houdt hem hoog in de lucht, alsof hij moet worden geveild.

'Ik had hem over,' zegt de buurman, 'jullie mogen hem van me hebben. Ik heb er nog zes geschoten.'

Als ik me verslik kijkt iedereen me lachend aan en Jobs broer zegt: 'Misschien wil je pa hem wel gebruiken voor zijn schilderijtjes?'

Ik lach krampachtig mee. Job legt zijn hand op mijn hand zonder mij aan te kijken.

'Het is een mooi beest,' zegt Jobs moeder en ze staat op van haar stoel. Ze pakt de haas bij zijn oren en bekijkt hem bedachtzaam in zijn dode glazige ogen. 'Een heel mooi beest. Die zal ons goed smaken.'

Zwijgend lopen we achter elkaar aan door het hoge gras, dwars door het land, de zon staat zo laag dat er van Job niets meer overblijft dan een zwarte schim die ik tot het einde toe moet blijven volgen.

Het is bijna windstil.

Vanuit de verte verschijnen rode luchten.

We lopen door tot aan de sloot die we via een smalle houten balk oversteken, en als Job zijn hand naar mij uitsteekt bots ik alsnog tegen hem op.

Hij legt zijn arm rond mijn middel.

'Ik vang je wel op,' zegt hij glimlachend. Hij ademt zwaar, trekt me nog dichter naar zich toe en zegt: 'Dat weet je toch wel.' Ik knik en voor ik het weet kussen we weer; met onze tongen ruw om elkaar heen draaiend, precies zoals ik me van de vorige keer had herinnerd. Ik laat mijn armen langs mijn lichaam hangen omdat ik niet weet waar ik ze anders moet laten, maar als Job mij nog dichter naar zich toetrekt leg ik mijn handen eerst op zijn rug en later op zijn schouders, met de toppen van mijn vingers over de kleine haartjes in zijn nek wrijvend, tegen de haargroei in. Ik gluur onder mijn wimpers om te zien hoe we zoenen. Om te zien of we bestaan.

Er schieten duizend gedachtes door mijn hoofd maar één gedachte blijft zich herhalen, namelijk dat alles is gegaan zoals ik had verwacht. Ook al heeft Job niet gezegd: 'Ik-wil-voor-altijd-proeven-hoe-het-puntje-van-je-tong-smaakt', maar wat niet is kan nog komen.

Het zoenen stopt net zo abrupt als het is begonnen.

Zonder dat ik weet waar ik moet kijken doe ik een paar stappen achteruit maar dan trekt Job me nog een keer naar zich toe en zoenen we opnieuw, maar nu nog vuriger en harder. Ten slotte lopen we weer door het land terug, achter elkaar aan en met dezelfde afstand als een paar minuten daarvoor, alsof er nooit iets is gebeurd. Achter de schuur, bij een opgehoogde heuvel van mest en overwoekerd door paardenbloemen blijven we staan en Job vertelt me dat dit vroeger zijn geheime plek was, en hij kijkt voor zich uit en snuift de lucht als een hond op. Ik kijk om me heen naar het vlakke land dat voor ons ligt, naar de rechthoekige patronen met die vreemde rode schemerlucht erboven, en luister naar het gekwaak van de padden in het kleine slootje voor ons. Job wijst naar de boom verderop in het land en zegt dat zijn vader daar ooit begraven wil worden. Hij wijst het punt aan tot waar het land loopt, helemaal aan het einde, ergens bij de autoweg.

Afwezig blijft Job in de verte staren, tot hij zegt: 'Kijk, een buizerd wordt achternagezeten door een kieviet.'

We kijken omhoog naar de hemel, waar een klein vogeltje kwetterend een roofvogel achterna vliegt.

'Dat doet hij om zijn nest te beschermen,' zegt Job. 'Zodat het nest kan blijven waar het is.'

'Zodat ze kunnen blijven waar ze zijn,' vul ik hem aan.

Met Amourette 11 nog vers in mijn geheugen, besluit ik de volgende dag in mijn eentje naar Jaris af te reizen en niemand daar iets over te zeggen, omdat mama anders maar blijft aandringen dat het beter is als ze meegaat terwijl ik gewoon alleen met Jaris wil zijn. Met zijn tweeën, net zoals vroeger.

Op het station koop ik een retourtje bij het loket. Ik loop helemaal door tot het einde van perron 1 en ga op een bankje zitten waar ik wacht tot de trein richting Alkmaar binnenkomt, die om heel en half gaat.

Er is hier bijna niemand. Alleen een duif die tussen de bielzen van het spoor resten patat wegpikt en bijna te laat wegvliegt als de trein om 14.29 uur met een hoop geraas tot stilstand komt.

Ik zoek een plekje bij het raam, tegenover een oude man die ik voor even met Jaris verwar, maar dat gebeurt de laatste tijd wel vaker, en met mijn hand steunend onder mijn kin staar ik naar buiten. Eerst rijden we heel traag, langs de bouwmarkten, de vervallen boerderij aan de linkerkant, maar dan steeds sneller, voorbij de lange achtertuinen waar de witte was wapperend aan de lijnen hangt, dan de molen op rechts, de dijk met de boterbloemen langs de ringvaart, tot we met een hoop geraas de ijzeren spoorbrug passeren en de trein naar de overkant van het water verdwijnt. Over mijn schouder kijk ik terug naar de polder. Opnieuw valt het me op dat ik eigenlijk naar de bodem van een meer kijk.

Er zijn zoveel dingen die er niet zijn maar er toch zijn.

Als de trein vaart mindert neem ik alles in mij op alsof ik het voor de laatste keer zie, ik weet niet waarom. Ergens in een voortuin springen kinderen op een trampoline en op de ramen van de naastgelegen boerderij reflecteert de zon. Een bootje drijft tussen de rietkragen van een slootje. Iemand slaat met een peddel op het water en maakt ronde kringen rond het bootje. Een schaap ligt op zijn rug tussen de andere schapen. Er is niemand om hem om te draaien.

Vanaf het perron kijk ik de trein na, hoe hij in een bocht naar niks verdwijnt. Aan de binnenkant van de stoep loop ik door de stad, met het drukke verkeer langs mij heen, en ik bedenk waar ik het straks allemaal met Jaris over wil gaan hebben. In ieder geval over Job en mijn Amourette i en ii, maar ook dat het me spijt dat ik zijn Bijbel heb verscheurd, hoewel ik er feitelijk niks aan kon doen omdat het buiten mijzelf om gebeurde, en over mijn droom van het schilderij met de lucht en het meer of de blauwe lijnen in de lange gang.

De hele weg naar het ziekenhuis verzin ik nieuwe dingen die ik aan Jaris moet vertellen, tot ik door de schuifdeuren naar binnen loop en opnieuw de blauwe lijnen op de grond volg. Steeds sneller loop ik door de lange smalle gangen. Net als de vorige keer controleer ik de bordjes, hoewel ik precies weet waar ik moet zijn. Vanuit het niets slaat aan het einde van de gang een deur open en zonder me aan te kijken komt een arts als een schim voorbij gerend, zijn witte jas wapperend om zich heen, tot ik hem niet meer kan zien. Met mijn ogen knijp ik tegen het scherpe tl-licht.

Als ik op de blauwe lijn blijf staat Jaris mij op te wachten.

Als ik buiten de blauwe lijn stap wil Jaris mij nooit meer zien.

Het lijkt hier nog stiller dan de afgelopen keer, en ingespannen luister ik naar het gekraak van mijn gympen op het grijze zeil, het zachte gezoem van een mug die langs een raam een weg naar buiten zoekt. Ik sla nog een gang in en nog een naar rechts tot ik alleen maar rechtdoor kan lopen. Ik blijf voor de glazen deur staan en druk op de rode knop.

Er komt niemand.

Ik druk nog een keer, kijk om me heen.

Na een paar minuten komt vanuit de verte een arts in een witte jas aangelopen. Het is dezelfde vrouw van de vorige keer, zie ik, en ik steek snel mijn hand naar haar op. Ze opent de deur en steekt voorzichtig haar hoofd door een kier in de opening.

'Ja?' zegt ze.

'Ik kom voor Jaris,' zeg ik en als de arts niet meteen reageert vervolg ik haastig: 'Ik ben zijn zusje. Hazel. Ik was hier een week geleden ook.'

De vrouw knijpt haar ogen tot spleetjes alsof ze me nog vaag kan herinneren. Dan opent ze de deur wat verder, maar als ik al naar binnen wil lopen vraagt ze me of ik nog even wil blijven wachten.

'Ik zal aan Jaris doorgeven dat je er bent,' zegt ze bedachtzaam. 'Om hem te vragen of hij iemand wil zien.'

Ik knik, ook al begrijp ik het niet.

Onrustig blijf ik voor de gesloten deur staan. Hoezo moet ze eerst Jaris op de hoogte brengen om te vragen of hij me wil zien? Natuurlijk wil hij me zien! Vertrouwt ze me niet omdat ik alleen ben? Hij is toch helemaal niet ziek meer, er is toch totaal niks met hem aan de hand? Wat is dan het probleem dat ik hem kom opzoeken?

Als de arts weer terugloopt probeer ik uit haar gezicht af te leiden wat het antwoord is, maar ze geeft geen krimp.

Dan opent ze de deur en blijft met haar schouder tegen de deurpost leunen.

'Hazel is het toch?' vraagt ze.

Ik knik.

Ze duwt een pluk haar achter haar oor. 'Je broer Jaris is de laatste dagen een beetje somber.' Ze kijkt recht in mijn ogen. 'Daarom wil hij op dit moment liever alleen zijn.'

Ik kijk naar haar witte sandalen.

Ze haalt diep adem. 'Maar ik heb hem gezegd dat je bent langs geweest, ik heb hem de groeten van je gedaan.'

Een bandje van de sandaal is bijna helemaal uitgescheurd, nog even en ze heeft er niks meer aan.

'Maar waarom wil hij me niet zien?' vraag ik. 'Kan ik hem dat zelf niet vragen?'

Ze schudt haar hoofd. 'Nee.'

Verloren blijf ik voor die halfopen glazen deur staan waar ik niet doorheen mag en kijk om mij heen.

Ik wil dat Jaris een tafeltje voor ons reserveert.

Ik wil dat hij thee zet en een stuk chocolade breekt, in eerlijke stukjes verdeelt.

Ik wil hem alle dingen vertellen die ik op weg hier naartoe heb bedacht.

DE DRAMADRIEHOEK

'Maar waarom ben ik hier dán?' vroeg Mart.

Hij stond nog altijd bij de voordeur, met zijn hand op onze Chinese kalender, het jaar van de aap. Het licht vanuit de keuken viel in een schuine streep op zijn gezicht.

Ik keek langs hem heen, het donkere trapgat in. 'Ik weet niet waarom jij hier bent.'

Het was stil in huis, steeds stiller, met alleen het zachte getik van de klok in de gang. Als de klok twaalf uur slaat blijft je gezicht voor altijd zo staan.

Mart wreef met zijn hand over zijn voorhoofd, zijn wenkbrauwen hoog opgetrokken alsof hij een akelige hoofdpijn voelde opkomen, en inhaleerde diep. Hij droeg glimmende bruinleren schoenen en zijn goede jas, dat lange waxgeval dat hij ook weleens tijdens wandelingen op de zondagmiddag droeg – een erfstuk van zijn opa. Ik rook de scherpe lucht van zijn aftershave.

Toen Mart zag dat ik naar zijn schoenen keek, bukte hij zich voorover en vroeg: 'Moet ik ze uittrekken?'

'Alsjeblieft zeg,' antwoordde ik.

Mart deed een stap achteruit. 'Ik begrijp het niet,' zei hij nadat hij een tijdje zwijgend voor zich had uitgekeken. 'De laatste keer zei je dat het probleem was dat ik nooit bij je in Amsterdam was langs geweest. En nu ben ik hier en dan is het weer niet goed.'

Zijn vinger wees naar de zes maar ik kon er niks uit afleiden, mijn geluksgetal was allang niks meer waard. Uit zijn broekzak stak een stadsplattegrond van Amsterdam.

'Ik verzon maar wat,' antwoordde ik. Ik plaatste mijn handen in mijn onderrug, rekte me op.

'Waarom verzin je zulke dingen?'

'Gewoon. Om je een reden te geven.'

'Om mij wat voor reden te geven?'

'Omdat het uit is.'

We keken elkaar zwijgend aan. Hij moest weten dat ik de waarheid sprak. Dat ik helemaal nooit om hem had gegeven. Dat onze hele relatie was gebaseerd op niks dan angst. Net als de vorige keer toen we aan de slootkant hadden gezeten bewoog de adamsappel in zijn keel heftig heen en weer, en het leek alsof hij zich plotseling herinnerde dat ik het met hem had uitgemaakt, hoewel dat al zeker een dag geleden was. Ik voelde hoe Job zijn arm om mijn middel sloeg en zijn greep verstevigde. Hij blies de rook van zijn sigaret uit.

'En wie is dat?' vroeg Mart verbaasd.

'Job,' zei ik haastig. 'Een oude kennis.'

Ik keek weg, frummelde wat aan de knopen van mijn broek om te controleren of ik er niet per ongeluk eentje open had laten staan, en voelend aan die knopen dacht ik weer terug aan hoe Job mij tegen de deurpost had geduwd. Opnieuw voelde ik het gloeien tussen mijn benen.

'Aangenaam,' zei Job en stak zijn vrije hand uit naar Mart. Hij weigerde.

Vanuit de woonkamer klonken voetstappen en Das kwam aangelopen, de roze slaaprimpels nog in zijn gezicht, en zwijgend liep hij naar het toilet waar hij zonder de deur te sluiten zijn ochtendurine klaterend liet lopen.

Ik kon nooit plassen als er andere mensen in de buurt waren.

Das werd op de voet gevolgd door Keizer, nog altijd in zijn afgezakte zilverkleurige legging en de blouse scheef dichtgeknoopt. Midden in de gang bleef hij staan, schoof zijn hand onder zijn legging tot ergens bij zijn kruis en trok een zakje coke naar boven. Terwijl hij een tikkie van het bankpasje snoof en Mart nauwkeurig in zich opnam, zei hij: 'Mag ik hier misschien iets over zeggen?'

Met zijn wijsvinger gebaarde hij naar ons drieën.

'Als je het maar laat,' zei ik pissig en trok Jobs arm los van mijn middel.

Onverstoorbaar nam Keizer nog een snuif door zijn andere neusgat, inhaleerde diep met zijn hoofd achterover waarna hij een paar keer overdreven met zijn ogen knipperde, alsof hij net zijn mascara had aangebracht.

Toen hij het zakje terug in zijn legging verborg, zei hij tevreden: 'Wat leuk dat ik er weer ben.'

Niemand zei iets. Ik draaide mijn rug naar Keizer en keek opnieuw de kring rond, van Mart naar Job en terug, naar mijzelf. Terwijl ik het gespierde lichaam van Job en het smalle bleke gezicht van Mart met elkaar vergeleek, vond ik het bijna éng hoe mijn tegenstrijdige gevoelsleven hier voor mij stond uitgestald. Misschien was dit wel romantiek, dacht ik, als lust en afgrijzen zij aan zij stonden, wanneer je alleen kon genieten van een prachtig uitzicht boven een diepe afgrond.

Het was onbegrijpelijk hoelang ik erover had gedaan om me te realiseren hoezeer ik Mart haatte. Had ik uit angst al die jaren mijn woede onderdrukt? En waarom had hij me verdomme laten geloven dat ik hem nodig had, terwijl het wel duidelijk was dat ik ook zonder hem op een fantastisch uitzicht kon rekenen?! Blijkbaar leefde er een drang tot lijden in mij, een drang tot vernietiging van geluk.

Keizer was naast me komen staan. Hij zei: 'Volgens mij is hier sprake van een "probleem".' Ter accentuering kromde hij zijn wijsvingers naast zijn oren.

Hij liep naar voren. 'Jij bent toch Mark?' vroeg Keizer met zachte stem. Hij legde voorzichtig zijn hand op Marts rug.

Mart draaide zich om. 'Mart,' verbeterde hij.

'Mark, wat léúk om je nu eindelijk eens in het echt te ontmoeten!' riep Keizer en gaf hem een klap op zijn rug. 'Wij hebben al zoveel goede dingen over je gehoord!'

Verward keek Mart om zich heen en vroeg ten slotte: 'En wie ben jij dan?'

'Keizer is mijn huisgenoot,' onderbrak ik hem. 'Maar probeer hem vooral te negeren, dat doen wij hier allemaal in huis.'

Keizer greep me bij mijn arm en zei: 'Doe niet zo vals jij, Hazelnoot. Ik probeer hier alleen maar kennis te maken met je verkering, Mark.'

'Mart is mijn verkering niet,' zei ik en trok mijn broek recht. 'Het is uit.'

Ik zag dat Mart iets wilde zeggen, dus ik beet hem onmiddellijk toe: 'Hoewel dat misschien niet helemaal duidelijk is overgekomen.'

Opnieuw keek Mart mij aan en met een geknepen stem zei hij: 'Ik begrijp gewoon niet waarom je niet eerlijk tegen mij bent geweest. Waarom je hebt gezegd dat het probleem was dat ik nooit bij je in Amsterdam ben langsgekomen. Want nu bén ik hier en nou is het weer niet goed.'

'Omdat het uit is!' schreeuwde ik. Ik legde mijn handen in mijn nek, staarde naar het plafond. Hard blies ik mijn adem uit. 'JEZUS!'

'Ze is heel lastig, Mark,' zei Keizer, ondertussen mij verwijtend aankijkend. 'Wij begrijpen heel goed hoe moeilijk jij het hebt met Hazel. Het ís me een portret.'

Mart deed een paar passen opzij en keek schrikkerig om zich heen, als was hij een van de paarden uit zijn stal die naar de wasplaats werd gebracht. Mart keek van Job naar mij en weer terug naar Job.

'Ik begrijp het niet,' zei Mart achterdochtig en hij wees naar Job. 'Wie is hij? Wat moet hij hier? Waarom staan jullie hier samen?'

Keizers gezicht lichtte op en hij riep richting de wc. 'Dáá-háás! Kom je er zo ook even bij?'

Het geklater in de wc was gestopt en Das was met de deksel naar beneden op de toiletpot gaan zitten om een stripboek te lezen, zoals hij wel vaker deed.

'Waarom geef je geen antwoord?' vroeg Mart en hij keek me recht in mijn ogen. 'Waarom zeg je me niet wie hij is?'

Ik staarde naar het donkere trapgat achter Mart, hoe al het licht daar was verdwenen, en ik kreeg zin om hem tegen zijn schouders naar achter te duwen, gewoon een klein zetje, mijn voet achter zijn enkel gehaakt, om hem voorgoed in het zwarte gat te laten verdwijnen. Tot hij niets meer was dan een vlek in mijn geheugen. Een overgeslagen seconde op de klok. Maar natuurlijk zou Mart vlak voor zijn val omhoog grijpen, mijn enkel beetpakken, zijn vingers stijf om mijn huid gekronkeld, en me meesleuren tot we uiteindelijk samen die trap aflazerden. Want er was niks wat zomaar uit mijn leven verdween.

We waren in de huiskamer gaan zitten, volgens Keizer praatte dat gemakkelijker. Met een joyeus gebaar had hij Mart en Job uitgenodigd om bij hem op de bank te komen zitten. Ik bleef staan, met mijn elleboog leunend tegen de schouw van onze dichtgemetselde openhaard. Ik jatte een sigaret van Das en keek naar buiten. Het licht was scherper geworden, het maakte de lijnen van onze gezichten hard en hoekig, alsof we door een kleuter waren gekleurd. De zon scheen loodrecht naar binnen, maakte het opgehoopte vuil op de ramen zichtbaar, de stofvlokken op de vloer. Onder de bank zag ik een haarspeldje liggen dat ik een paar dagen geleden was kwijtgeraakt.

'Dus hier woon je?' vroeg Mart beleefd maar ik negeerde hem. In zijn hand hield hij een doosje bonbons, met een strikje erom. Zwijgend bleef ik Mart aanstaren. Hoe hij daar zat, zijn benen over elkaar geslagen, de zenuwtrek rond zijn mond. Misschien was een zwakke aantrekkingskracht in de liefde vergelijkbaar met de groei van het heelal, dat alleen uitdijt op de plekken waar de zwaartekracht het zwakst is en misschien lag daarin een oorzaak waarom onze relatie zo lang had voortgekabbeld.

Ik stond op en vroeg aan Job of hij ook een sigaret wilde. Voor een ogenblik voelde ik zijn perfecte hand langs mijn vingers glijden. Ik zag hoe zijn perfecte ogen me bleven aanstaren en hoe perfect we eigenlijk tegenover elkaar stonden, zoals ook de zon op de perfecte plek tegenover de aarde stond.

Keizer begon te kuchen.

Het kon me niks meer schelen of Mart vermoedde dat er iets tussen Job en mij was; of hij wist dat Job en ik net samen in de deuropening hadden gestaan en hij me met mijn rug tegen die houten deurpost omhoog had geduwd. Hij moest maar voor zichzelf uitmaken in welke werkelijkheid hij wilde geloven.

'Zal ik de stilte maar even doorbreken?' vroeg Keizer. Hij trok het strikje van Marts bonbons los en stak er een in zijn mond.

Niemand reageerde.

Keizer maakte zijn borstkas breed. 'Volgens mij hebben we hier te maken met een transactionele analyse,' zei hij met volle mond.

'Een wat?' vroeg ik.

'Volgens de transactionele analyse zijn er drie types te onderscheiden,' zei Keizer en hij begon op zijn vingers af te tellen. 'Eén: de winnaar. Twee: de niet-winnaar. Drie: de verliezer.' Hij observeerde ons voor een paar seconden om te zien of we hem wel goed hadden verstaan.

'De winnaars leveren een actieve bijdrage aan hun eigen leven en de wereld,' ging Keizer verder. 'De niet-winnaars worden geleid door hun omgeving. En de verliezers brengen actief schade toe aan zichzelf en hun omgeving.'

Ik blies de rook voor me uit en vroeg: 'Wil er nog iemand koffie?'

'Heb je ook thee?' vroeg Mart.

'Nee,' antwoordde ik.

'Volgens mij hebben we nog wat yogithee staan,' zei Das en hij wilde al opstaan maar ik zei dat hij moest blijven zitten.

Toen Keizers blik op mij bleef rusten zei hij: 'Hazel, wat denk jij? Ben jij een winnaar of een verliezer?'

Ik drukte mijn sigaret uit, liep om Keizer heen en wrikte het raam open. Met opgetrokken benen ging ik in de raamopening zitten. Zwijgend keek ik naar de straat onder mij. Naar de opgejaagde kerels die 'How much?' riepen toen ze me zagen zitten, het kleine bestelbusje dat voor ons huis stond geparkeerd en de kleine mollige man die telkens met een steekwagentje heen en weer liep om de peeskamers te bevoorraden met flesjes cola en AA Energy Drink.

Ik sloot mijn ogen.

Ik voelde de zon in mijn gezicht, de zachte wind in mijn haren.

Ik luisterde naar het carillon van de Oude Kerk.

'Dit gaat allemaal van jouw tijd af, Hazel,' hoorde ik Keizer zeggen.

Geïrriteerd keek ik op en vroeg wat hij van me moest.

'Misschien probeer ik hier anders wel jóúw leven te reorganiseren!' riep Keizer. Er vlogen kleine stukjes chocola door de lucht. 'Dus een beetje medewerking kan geen kwaad.'

Aan het einde van de straat kwam een man haastig op zijn wielrenfiets de hoek om en stak zijn hand op naar Katinka, die waarschijnlijk alweer aan het werk was, en routinematig zette hij zijn fiets tegen het muurtje waarna hij op zijn noppenschoenen over de grote keien liep en naar binnen verdween.

'Ik ben altijd zo geil als ik een kater heb,' hoorde ik Das zeggen vanuit zijn bidet. Hij boog zich voorover en opende één voor één de plastic bakken van de Chinese rijsttafel. Hij rook er even aan.

'Dit ruikt helemaal niet verkeerd,' zei hij en trok een vork uit zijn broekzak, 'dit ruikt helemaal niet verkeerd,' en hij begon weer te eten.

Ik voelde Jobs hand stiekem langs mijn benen strijken, onze blikken kruisten elkaar weer. Mart keek strak voor zich uit. Zijn jas lag dubbelgevouwen op zijn schoot, zijn knieën tegen elkaar aangesloten alsof hij moest plassen. Als ik maar niks zou toegeven dan zou hij hem alsnog smeren, voorgoed uit mijn leven verdwijnen.

'Mark, laten we anders bij jou beginnen,' zei Keizer en tikte met zijn wijsvinger op de bovenkant van Marts hand. 'Vertel me. Hoe zie jij jezelf? Als een winnaar, een niet-winnaar of een verliezer?'

Geschrokken keek Mart op. 'Dat weet ik niet echt,' zei hij, 'maar ik ben hier ook eigenlijk voor Hazel.'

'Laten we Hazel maar even vergeten,' antwoordde Keizer, 'die heeft zo haar eigen agenda.'

Mart keek achterom naar mij.

'Ik weet het niet,' zei Mart twijfelachtig, 'misschien een niet-winnaar?'

Zuchtend legde ik mijn hoofd weer tegen het raamkozijn en sloot mijn ogen.

Het bleef even stil.

'Als je het mij vraagt zitten we hier vast in een dramadriehoek,' zei Keizer en hij nam nog een bonbon. 'Er is geen sprake van liefde, maar van conditioneringen en patronen. Jullie gebruiken elkaar om jullie eigen behoeftes mee op te vullen.'

'Hoelang gaat dit nog door?' vroeg ik. 'Met die pseudo psychoanalytische wijsheden van je?'

'Dit is gewoon relatiemanagement hoor,' zei Keizer en hij veegde het kwijl van zijn kin.

'Ik hoef helemaal niks te weten van die dramadriehoek van je,' zei ik en stond op van de vensterbank. Met mijn handen op mijn heupen bleef ik voor hem staan.

'Er hangt hier anders iemand behoorlijk de dramaqueen uit,' zei Keizer. Hij stond op en hees zijn legging tot over zijn buik, strak om zijn ballen. Hij was net een balletdanser, maar dan een zonder dansgezelschap.

'Jij zou je angst eens moeten transformeren in vertrouwen,' vervolgde Keizer terwijl hij het zakje coke uit zijn kruis viste, 'daar zou jouw positie in de dramadriehoek een stuk van verbeteren.'

'Ik wil niks meer over die dramadriehoek horen!' schreeuwde ik.

Mart stond op van de bank, vouwde zijn jas uit en wierp een vluchtige blik om zich heen. Das gebaarde met zijn wapperende hand dat hij voor de televisie stond.

Nadat hij benauwd om zich heen had gekeken zei Mart: 'Ik denk dat ik maar eens mijn trein ga opzoeken.'

Ik zei niks, ik trok mijn schouders op.

Mart bleef even staan, dralend, alsof ik me nog ineens zou kunnen bedenken, maar het enige wat ik deed was naar zijn gezicht kijken dat nog bleker was dan toen hij hier binnenkwam. Toen hij blijkbaar ook voor zichzelf had verzekerd dat het voorgoed over was tussen ons, draaide hij zich om en liep weg. Maar in plaats van de voordeur trok hij per ongeluk de deur van de kast open. Verbaasd staarde hij in de kast die stond volgestapeld met Das' verzameling postzegelboeken en stapels oude kranten.

Keizer verslikte zich in zijn bonbon en schreeuwde: 'Ik doe er al mijn hele leven over om uit de kast te komen en hij loopt de kast ín!'

Das en Keizer kwamen niet meer bij van het lachen. Ook Job kon zijn lach niet onderdrukken. Mart sloot de kast weer. Zonder om te kijken liep hij weg en trok de voordeur achter zich dicht. Ik hoorde hoe het geluid van zijn voetstappen wegstierven op de trap.

Met een schok schoot ik overeind.

Haastig griste ik een plastic tas uit de gang en rende over de trap naar beneden. Ik opende de voordeur en aan de overkant zag ik Mart lopen, kromgebogen.

'Mart!' riep ik over straat. 'Wacht even!'

Op mijn blote voeten rende ik over de koude straatstenen achter hem aan.

'Mart,' riep ik opnieuw. Hijgend bleef ik voor hem staan.

Geschrokken keek hij me aan. 'Wat doe jij nou?'

Ik overhandigde hem de plastic tas en zei: 'Ik heb de laarzen van je vader nog.'

Zwijgend nam hij de tas van me aan, keek of de laarzen er inderdaad in zaten.

'Er zit wel nog wat modder aan,' zei ik zacht.

Toen ik terug de trap opliep voelde ik pas hoe moe mijn lichaam was. Hoe zwaar mijn benen waren, hoe mijn borst op mijn hart drukte. Met elke stap nam de druk alleen maar toe, alsof iemand zijn vuist tegen mijn borst hield en mij terug het donkere trapgat in probeerde te duwen.

Het was dat Job mij boven in de woonkamer stond op te wachten en er blijkbaar dus alsnog een reden was om die hele godvergeten klotetrap op te lopen.

Keizer hing uitgeteld voor de tv toen ik de woonkamer binnenliep. Das zat nog altijd voorovergebogen van zijn Chinese rijsttafel te eten. Niemand keek op toen ik vroeg waar Job was, alleen Das wees omhoog richting mijn torentje, en ik slofte de laatste trap omhoog.

Het stoffige licht viel door het kleine dakraam op mijn gezicht. Ik luisterde naar mijn blote voeten op de houten treden.

Hoe hoger ik liep, hoe angstiger ik werd.

Ergens tussen die twee verdiepingen bleef ik staan. Zwaar ademde ik in en uit en keek omlaag. Het was alsof ik me tussen twee werelden begaf; het gevoel wakker te schrikken wanneer je bijna slaapt, de spieren in je lichaam die zich vanuit het niets ontspannen, een vrije val te maken.

Job.
We moeten samen zijn.
Ons in de wereld zijn is eindig.
We bestaan door schuldig te zijn.
We zijn schuldig aan het niets.

'Ben jij dat, Hazel?' hoorde ik Job roepen.
Ik liep verder omhoog en trok de deur achter mij dicht.

We stonden tegenover elkaar toen ik Jobs hand van mijn buik richting mijn rug voelde glijden. De hele tijd bleef hij me aanstaren, terwijl hij mijn shirt uittrok, en voor de tweede keer die dag mijn broek losknoopte. De kamer was verduisterd en de zwarte gordijnen hingen halfgesloten voor het raam. Het was hier vreselijk benauwd. Het zolderraam was al dagen niet meer open geweest en alle zomerhitte lag hier opgesloten, oud en bedompt, als een oude verkleedkist die na jaren weer van het slot sprong.

Er was niet genoeg lucht voor ons tweeën.

Job stond bewegingsloos voor me. Hij leek het beste moment af te wachten, zoals een valk doodstil boven het land kan hangen, zwevend en biddend, om vanuit het niets een duikvlucht naar beneden te nemen en toe te slaan. Het schemerige licht maakte zijn huid donker en korrelig, net als zijn bruine ogen, en het halflange haar waar hij een hand doorheen haalde. Zijn borst bewoog krachtig op en neer. Ik trok zijn gulp los, hij liet mijn slipje naar beneden glijden.

Volledig naakt bleven we tegenover elkaar staan, elkaar nog altijd strak aankijkend. Ik voelde zijn ademhaling in mijn nek verzwaren.

Waar dacht hij aan?

Wat verwachtte hij wat ik dacht?

Wat verwachtte ik wat hij dacht?

De stem in mijn hoofd werd luider, alsof het een stem was van een vreemde, en al die tijd bleef ik mijzelf kwellen met de vraag waarom we zo weinig van elkaar wisten, waarom zijn Zijn alleen voorstelbaar was vanuit mijn Zijn, waarom we ons hele leven vreemden waren voor de gedachtewereld van de ander.

Ik ben alleen, dacht ik.

Ik ben alleen, ook al voel ik zijn ademhaling in mijn nek.

Daarna boog hij zich voorover en ik bestudeerde de zweetdruppeltjes op zijn huid, glinsterend als kleine sterren, en hij trok me naar zich toe, drukte zijn grote zware lichaam tegen me aan, wreef tussen mijn benen. Ruw kuste hij me op mijn mond. In een reflex greep ik hem stevig vast, voelde de spieren van zijn billen onder mijn handen aanspannen. Ik zoende hem terug. Hij tilde me op, legde me op bed. Hijgend bleef hij boven me hangen; met zijn handen naast mijn hoofd, zijn brede borstkas op en neer bewegend in het ritme van zijn hart.

Het zweet gutste over mijn hele lichaam. Job legde zijn armen rond mijn nek, zijn vingers streken achter mijn oren, en hij drukte zijn warme lichaam nog steviger tegen me aan. Zijn bewegingen waren traag en bedachtzaam, en ik verlangde naar hem. Ik verlangde zo vreselijk naar hem. Maar elke beweging werd onderbroken door die stem die alsmaar luider klonk, de stem waarvan ik niet meer zeker wist of hij van binnen of van buiten kwam.

Ik duwde Job van me af. 'Ik krijg geen lucht,' zei ik.

Verbaasd keek Job me aan. 'Wat is er?'

Op mijn knieën strompelde ik over het matras en trok het kantelraam met een ruk open. Opgelucht inhaleerde ik de frisse lucht, voelde de zon prikken op mijn gezicht. De geluiden van de straat drongen de kamer binnen. Voor een halve minuut bleef ik voor het open raam zitten, haastig de koude lucht inademend, tot Job me bij mijn middel greep en me naar achter trok.

Maar toen hij weer boven op me lag wist ik al dat het over was, dat ik het niet kon.

Op het moment dat Job van me wegliep kon ik me al niet meer herinneren hoe hij eruitzag. Niet hoe het haar over zijn ogen viel, hoe de lijnen van zijn gezicht liepen, wat de vorm van zijn mond was. Zonder om te kijken was hij van me weggelopen en toen hij de hoek van de straat omsloeg, voor de zoveelste keer uit mijn wereld verdween, wist ik al niet meer waarom ik hem had weggestuurd.

Het omgekeerde vergeten begon weer van voren af aan.

Ik bleef in de deuropening staan, mijn hoofd leunend tegen het hout en starend naar buiten. Ik dacht terug aan hoe ik Job van me had afgeduwd, hoe hij daarna ruw mijn gezicht had vastgepakt, kwaad bijna, en had gezegd dat ik er spijt van kreeg als we niet hier en nu samenbleven, waarom ik nooit iets zeker wist, dat ik na al die jaren toch moest weten dat we niet zonder elkaar konden. Maar ik had gezegd dat ik alleen wilde zijn. Misschien wel omdat ik dat altijd al was geweest. Kwaad was hij opgestaan, had een sigaret opgestoken en zijn kleren aangetrokken. En nu was hij verdwenen.

In de dagen die volgden kwam ik niet meer buiten. Onder een dun laken, met het raam dicht en de gordijnen gesloten lag ik zwetend van de koorts in bed. Het enige geluid kwam van een druppel die uit mijn lekke douche om de halve minuut naar beneden viel, op de tegels uiteenspatte, en weer opnieuw aangroeide. De zomerhitte schroeide dwars door mijn gordijnen mijn kamer binnen en bleef in de ruimte hangen alsof ik onder een plastic regenjas lag. Een spin bungelde aan een dunne draad langs het raam, kroop daarna weer terug omhoog en liet zich weer naar beneden zakken. Op mijn telefoon stonden twaalf gemiste oproepen, maar ik was te moe om te kijken wie er had gebeld. In al die dagen had ik bijna niks gegeten. Mijn kamer was als een grafkamer zo donker en enige wat ik kon doen was luisteren naar mijn eigen ademhaling, het trage raspend in- en uitademen.

De stem in mijn hoofd werd alsmaar luider.

Ik begreep niet wat er werd gezegd. Het was de stem van een vreemde, ik wilde dat het stopte, dat het voor altijd stil in mijn hoofd bleef. Het enige waar ik aan kon denken was waarom iedereen uit mijn leven verdween, waarom ik alleen was, waarom ik hier lag te draaien in mijn eigen vieze zweet, wat al deze benauwde zuurstofarme lucht hier eigenlijk in mijn longen deed, waarom ik in al deze dagen geen reden had gevonden om deze rotkamer te verlaten.

Toen ik in slaap viel kwam dezelfde droom weer terug.

Ik drijf op mijn rug in het midden van een meer. Het regent. Jaris zwaait vanaf de waterkant. Ik draai me op mijn buik en kijk in het water. Op de bodem van het meer zitten mijn ouders en Mensje in een roeibootje, ze gebaren me naar beneden te komen. Ik probeer de diepte in te zwemmen maar mijn zwemvest trekt me telkens omhoog. Jaris duikt in het water, zwemt naar me toe, trekt de gespen los. Achter elkaar aan zwemmen we naar de bodem, het water is troebel en zanderig. Het roeibootje met Mensje en mijn ouders vervaagt. Als Jaris en ik op de bodem staan zijn ze weg. We graven in de modder, er komt steeds meer aarde in mijn mond. De modder wordt zwaarder. Jaris kruipt in de bodem. Hij verdwijnt in de grond. Ook ik zak weg en mijn mond stroomt vol modder. Haastig zwem ik omhoog. Boven water spuug ik de aarde uit mijn mond. Als ik opzij kijk zie ik Jaris weer staan, hij zwaait naar me. Hij heeft geen gezicht meer.

Ik werd pas wakker toen Keizer het laken van me afrukte, over mijn bed klom om het raam open te doen en schreeuwde. 'En nou is het over met dat pathetische gedoe!'

Slaperig keek ik naar Keizer die op de rand van mijn bed plofte. Hij droeg een mal geruit vissershoedje, een grote bril met groen getinte glazen en zijn lange regenjas. Das stond verveeld tegen de sjoelbakken naast mijn boekenkast geleund. Zoals altijd was hij in het zwart, alleen droeg hij nu ook een leren jack dat zeker drie maten te groot was.

Om de beurt keek ik van Das naar Keizer. 'Wat zien jullie eruit,' zei ik.

'Dat moet jij zeggen,' antwoordde Keizer. Hij greep mijn kin vast en bestudeerde mijn gezicht. 'Zelfs een necrofiel zou jou nog niet opgraven.'

'We hebben een themafeest,' zei Das verveeld. Ik vroeg hem maar niet wat het thema was.

Uitgeput legde ik mijn hoofd weer op mijn kussen. Mijn keel was droog en ik had honger, ik had in geen dagen meer iets fatsoenlijks gegeten. Van buiten hoorde ik de straatgeluiden, en het gebeier van de kerkklokken.

Keizer trok me aan mijn schouders omhoog. 'Jij gaat met ons mee. Je moet eruit,' zei hij. 'We gaan jou onder de douche stoppen.'

'Ik ga helemaal nergens heen,' antwoordde ik en draaide me grommend weg, rolde me als een rups in mijn laken. Het interesseerde me geen reet als ik hier nooit meer wegkwam, als ik voorgoed mijn dromen zou verwarren met paniekaanvallen.

Maar Keizer trok me opnieuw aan mijn schouders omhoog. 'We houden niet van je, maar dit slaat nergens op.'

Toen ik niet meewerkte sleepte hij me onder mijn armen over de grond uit bed.

'Ik ben ziek!' schreeuwde ik en spartelend probeerde ik me los te rukken. 'Laat me liggen!'

'Daar hebben we wel medicijnen voor,' antwoordde Keizer en met mijn hoofd onder zijn arm geklemd liep hij de trap af. Zacht sloot Das de deur achter ons.

De douche was ijskoud, het water gleed als een mes over mijn rug.

Mijn hoofdhuid deed pijn, nee, mijn héle huid deed pijn, op welke manier ik het ook aanraakte, en ik was te moe om mijn haar te wassen of om me überhaupt te bewegen. Doodstil bleef ik boven het afvoerputje staan, het water stromend over mij heen, tot Keizer met een hand voor zijn ogen de deur opende. Op de tast draaide hij de kraan uit en hield een handdoek voor me omhoog. Nadat ik me had afgedroogd gaf Das me een oud shirt van De Heideroosjes 'I'm not deaf I'm just ignoring you', en trok een spijkerbroek uit de wasmand die ik weken geleden voor het laatst had gedragen. Hij rook naar havervlokken en muggenspray. Mijn haar hing in lange natte plukken voor mijn gezicht.

Op mijn badslippers strompelde ik naar de keuken, terwijl Keizer op het aanrecht een stuk parelkandijkoek met boter besmeerde en een glas water en een dampende kop koffie inschonk. Ik dronk in één keer een glas water leeg, schrokte de koek naar binnen, en liet mijn glas nog een keer met water vollopen. Keizer legde een pilletje voor mij op het aanrecht – 'Vergeet je medicijnen niet, lieverd' – en uiteindelijk slikte ik het door, ook al was het xtc. Daarna dronk ik de koffie. Keizer sneed nog een stuk koek voor mij af en toen ik zei dat het wel weer ging, trokken we onze schoenen aan en gingen naar buiten.

Das' fiets was gejat, voor de zoveelste keer. Hij keek om zich heen alsof het onze schuld was dat het kreng was verdwenen.

'Had je hem wel op slot gezet, Das?' vroeg ik voorzichtig.

'Nee, natuurlijk niet!' schreeuwde hij giftig.

Nadat we eerst nog een broodje kipcorn voor Das hadden gehaald – 'voor de schrik' – klom ik achterop bij Keizer. Das mocht op mijn fiets, want volgens Keizer was ik nog te zwak om zelf te fietsen. Achter op die bagagedrager zag ik hoe de avondzon glinsterend over de grachten bewoog, de zomerwind langs mijn gezicht, mijn natte haren opgetild, en de zachte stadsgeluiden om mij heen.

Ik legde mijn hoofd tegen Keizers warme rug.

Onder het luide gehijg van Keizer liet ik me vervoeren, zigzaggend door de stad, tot we onze fietsen voor een bejaardentehuis op de Overtoom parkeerden en het naastgelegen kraakpand binnenliepen, de OT301.

Het feest was al in volle gang. Volgens de jongen van de garderobe was het thema televisiehelden. Ik wist niet welke held ik was, dus het enige wat ik kon doen was mijzelf zijn. Er was weinig waar ik minder zin in had.

We zochten een plek op een soort vide, opgevuld met grote glimmende kussens, waar we het beste uitzicht over de danszaal hadden. Ik stak een sigaret op en staarde naar de mensen die uitgedost aan ons voorbij liepen. Jongens met opplakbaarden en opengewerkte hemden. Meisjes in glimmende jasjes en bruin geschminkte gezichten, flirterig om zich heen kijkend.

Iedereen stelde een andere persoonlijkheid voor, behalve ik. Ik blies de rook voor me uit en dacht aan de tekst die op de muur van mijn basisschool stond geschreven, een citaat van Multatuli. 'Van de maan af gezien zijn we allen even groot.'

Keizer boog zich voorover, naar een jongen in een glitter-jasje. Nog altijd droeg hij het vissershoedje, de bril met de ge-kleurde glazen en zijn lange regenjas, zoals Das nog altijd zijn te grote zwarte leren jack droeg.

Ik hoorde hoe Keizer zichzelf voorstelde als De Cock. 'De Cock met c.o.c.k,' verduidelijkte hij.

Ik keek opzij naar Das. 'Wat moet jij eigenlijk voorstellen?'

'Fladder,' zei Das, onverstoorbaar aan zijn joint verder draai-end.

Zuchtend staarde ik weer naar de dansvloer. Met mijn vin-gers streek ik langs mijn huid die nog altijd gevoelig was, van de drugs of van de koorts, en stelde me weer voor hoe Jobs han-den langzaam langs mijn lichaam gleden, hoe hij mij naar zich toetrok, de zweetdruppeltjes glinsterend op zijn huid en het gewicht van zijn grote zware lichaam boven op mij met zijn handen naast mijn hoofd, hijgend boven mij hangend. En de stem in mijn hoofd klonk alsmaar luider, de stem waarvan ik niet meer zeker wist of hij van binnen of van buiten kwam.

Je bent alleen. Je bent alleen. Je bent alleen.

Ik moest weg van hier en met mijn zieke, koortsige lichaam wurmde ik me door de dansende massa. De muziek knalde naar binnen. Alle kleuren waren vlijmscherp en duidelijk omrand. Ik moest weg van de dansvloer waar alles en iedereen elkaar altijd maar aanraakte. Weg van de mensen, de krioelende li-chamen die als sterrenstelsels door aantrekkingskracht tegen elkaar opbotsten en het universum imiteerden. Weg van ieder-een die zich God waande, maar waar God zelf was verdwenen.

Weg van de wereld.

Benauwd staarde ik om me heen en plotseling kon ik mij precies voorstellen hoe iedereen er dood uitzag; de dood was overal. Het enige wat ik zag waren dansende lijken met inge-vallen gezichten, de wijd opengesperde ogen, de benige vin-gers die me vastgrepen en me naar beneden trokken, de diepte in sleurden. Vanuit de verte zag ik de man in het zwart op mij afkomen, hij kwam alsmaar dichterbij.

Zou hij mijn angsten voelen? Was dit echt of een illusie? Waarom trok ik alles wat ik bedacht weer in twijfel, want als ik het dacht dan moest het toch de waarheid zijn?

Uitgeput smakte ik tegen de grond.

Ik viel voorover en kotste over mijn gympen.

Duizelig keek ik omhoog naar de benen die om mij heen stonden, bewegend in het ritme, en ik dacht terug aan hoe Job jaren geleden tijdens het schoolfeest naast mij was geknield, en had gezegd: 'Je verstaat elkaar beter als je laag bij de grond zit.'

Put me up, put me down. Put my feet back on the ground.

Hoe hij had gezegd: 'Dat komt omdat het geluid gedempt wordt, door de mensen boven ons.'

Omdat wij onder de mensen zitten, wist ik. Omdat wij onder de mensen zitten.

De man in het zwart stond voor me, knielde. Ik vroeg hem of hij wist waar Jaris was, maar hij antwoordde niet. Hij legde zijn magere hand op mijn gezicht, drukte met zijn vingers langzaam mijn ogen dicht, tot het zwart werd. Waar is Jaris, schreeuwde ik, waar is Jaris. En daarna Niets.

WACHTEN TOT DE KOFFIE KLAAR IS

We slepen de stoelen naar buiten en maken een kring in de binnentuin. De taart wordt op tafel gezet, er zweven ballonnen aan de stoelen. De man van het weerbericht voorspelt dat het een mooie dag wordt, ik kijk omhoog naar de strakblauwe hemel en zie dat het waar is.

Maar dan nog, denk ik, maar dan nog.

We vieren vandaag onze gezamenlijke verjaardag, maar er is weinig waar ik meer tegenop heb gezien. Ik heb Jaris gefeliciteerd en hij heeft mij gefeliciteerd en nu zitten we zwijgend naast elkaar, op de plastic stoelen in het gras. Zijn schouders staan licht voorovergebogen en hij staart voor zich uit. Hij is zwaarder; zijn gezicht is bleek en opgezwollen, bijna onherkenbaar.

We wachten tot de koffie klaar is.

Zoals altijd probeer ik te raden waar hij aan denkt: of het de zwaluwen zijn die als slingers in de lucht bewegen, het gerinkel van de koffiekopjes die naar buiten worden gebracht, of hij net als ik lang-zal-ze-leven in zijn hoofd heeft, wat de stemmen op de radio vertellen, of er een geheime boodschap is. Ongeduldig tikt Jaris met het lepeltje tegen de rand van het tafelblad. We staren naar hetzelfde uitzicht, maar dan anders. Het grote grasveld is omringd door keurige perkjes, en de grote grijze tegels vormen een paadje naar buiten, tot het hek waarachter de tuin van het ziekenhuis begint. De prunus, het pasgemaaide gras, het gesloten hek – hoelang moet je naar iets blijven kijken tot je hetzelfde ziet?

Ik kijk weer opzij naar Jaris. Ik bestudeer zijn hand, het lepeltje dat tegen de tafelrand de tijd wegtikt.

'Voor we het vergeten,' zegt mama en ze tilt een pakketje uit een plastic tas. 'We hebben nog iets voor je.'

Als ze Jaris het cadeau overhandigt schrikt hij op uit zijn gedachten. Voor even houdt hij het pakketje stil in zijn handen, alsof hij niet weet wat hij ermee aan moet, maar ten slotte trekt hij moeizaam het papier eraf. Het is een discman, metallic grijs en in glimmend karton verpakt.

'Hij is schokvrij,' zegt papa trots en hij draait de doos om, wijst het aan.

Jaris bekijkt de discman nauwkeurig en kijkt ons dan weer aan.

'Dat jullie dat nou voor mij hebben gedaan,' mompelt hij in zichzelf. Hij zegt het op een manier alsof hij dit cadeau niet waard is, alsof hij zichzelf helemaal niet de moeite waard vindt. Zijn vingers glijden zacht over het harde metaal van de discman.

Bij binnenkomst had de arts verteld dat Jaris zich vanochtend echt een beetje jarig heeft gevoeld want er was een verjaardagsontbijt en iedereen heeft voor hem gezongen, maar terwijl die arts dat vertelde dacht ik de hele tijd: geef me één goede reden waarom hij hier bij jullie moet blijven.

Ik kijk weg van Jaris, naar het koffiezetapparaat, hoe de druppels één voor één door het filter naar beneden vallen. Tot ze in het donkere water verdwijnen.

Ook nu, een jaar later, kan ik nog altijd niet begrijpen waarom Jaris hier moet zijn. Niet waarom hij alsmaar trager loopt. Niet waarom zijn lichaam zo zwaar is geworden door de medicijnen, ook al is hij er al voor maanden mee gestopt omdat hij zegt niet ziek te zijn. Niet waarom zijn ogen zo droevig staan.

Soms lig ik thuis op mijn bed, met het zolderraam open en Atlas aan mijn voeteneinde, en dan speel ik alle beelden in mijn hoofd als een film weer terug, op zoek naar details die mij misschien zijn ontgaan. Ik zie ons in surfpakken door het hoge gras lopen, en Jaris die aanwijst waar de wind vandaan komt.

Ik zie hoe hij op bed ligt met zijn armen uitgestrekt naast zijn lichaam, starend naar het plafond, en ik met mijn vinger tegen een van de marsmannetjes op zijn behang druk om te zien of hij in beweging komt. Ik zie hoe we met de auto en de aanhanger naar Groningen rijden, de meeuwen cirkelend boven de Afsluitdijk, en de lift omhoog nemen waar Jaris de smalle kamer met de wasbak binnenloopt. Mijn voetstappen die echoën door de gang. En we rijden van Jaris weg, de straat uit, en zonder om te kijken loopt hij naar binnen. Ik zie hoe hij in zijn oude slaapkamer zit, gebogen over zijn bureau, de teksten uit de Bijbel nauwkeurig overschrijvend. Dan staan we in de tuin, ik hou de Bijbel achter mijn rug, en blijf maar rondjes om hem heen rennen, als de kleine wijzer aan een klok. De agenten die achter elkaar de trap oplopen, zijn slaapkamerdeur openbreken. Hem als een wild dier tegen de muur drukken. Ik zie hoe Jaris naar mij kijkt, zijn gezicht rood van het huilen en de wolken in zijn ogen donkerder dan ooit. Ik hoor hoe hij zegt: 'Ik zal mijn best doen om mij goed te gedragen. Dat moet ik beloven.' De zwaailichten van de politiewagen die de straat uit verdwijnen. Uit. Aan. Uit. Aan. Dan niets.

Uit de grote rieten tas pak ik ons cadeau, het zilverpapier glimt in de zon.

'Gefeliciteerd, broertje,' zegt Mensje opgewekt als we het samen overhandigen, maar wanneer ze hem een kus wil geven zie ik dat ze voor heel even, misschien een seconde, twijfelt. 'We dachten dat je dit wel mooi zou vinden.'

Ik zeg niks maar omhels Jaris. Ik voel hoe hij van zijn hand een vuist maakt en die op mijn rug legt.

Het is een cd van The Cardigans, *Gran Turismo*, en we stoppen hem in de discman. Om de beurt houden we het oordopje in.

Ingespannen luistert Jaris naar de muziek, en ik bestudeer hoe hij zijn ogen toeknijpt, zijn mond langzaam ontspant. Plotseling realiseer ik me dat sinds de dag dat Jaris zijn stereotoren naar beneden had gegooid ik hem niet meer naar muziek had horen luisteren.

'Het is een mooi apparaat hè?' zegt papa en hij wrijft Jaris liefdevol over zijn rug. Ook mama wrijft met haar vingers over zijn arm.

Jaris knikt, zijn ogen nog altijd toegeknepen.

Stil blijven we met z'n allen rond de tafel zitten terwijl we om de beurt naar de muziek luisteren. De ballonnen bewegen in de wind, de laatste druppels in het koffiezetapparaat vallen naar beneden.

Ik stel me voor dat het water in het koffiezetapparaat achterstevoren zou bewegen.

Dan zou het water eerst donker zijn, en pas dan in druppels één voor één omhoog zweven. Elke druppel zou door het filter naar boven sijpelen en dwars door de koffieprut steeds hoger kruipen, tot hij naar beneden borrelend weer tussen de rest van het water zou verdwijnen.

Het water zou stilstaand en doorzichtig zijn. Ik zou alles nog begrijpen.

Jaris schrikt op en trekt het dopje uit zijn oor. 'Ik ben het vergeten.'

Afwezig kijk ik hem aan terwijl ik met tegenzin nog een stuk taart doorslik.

'Ik ben het vergeten,' herhaalt hij en kijkt me aan. 'In mijn kamer ligt nog een cadeau. Voor je verjaardag.'

Ik schuif mijn taart opzij en zeg dat ik wel even met hem meeloop en samen wandelen we de tuin uit, de lange hal van het ziekenhuis door. Ik kijk hoe hij traag voor me uitloopt, zijn voeten moeizaam voor elkaar plaatsend, op de hiel van zijn afgesleten sloffen. Zoals altijd – om de zoveel weken dat we bij Jaris op bezoek komen – volg ik de grijze gang naar zijn kamer, die helemaal aan het einde van de afdeling ligt.

Sinds een half jaar zit Jaris op de open afdeling, zodat hij af en toe naar buiten mag.

Volgens de artsen heeft Jaris geen ziektebesef en slikt hij daarom al bijna een jaar lang zijn medicijnen niet meer, en iedereen blijft maar herhalen dat het zo kwalijk is, hoewel ik eerlijk gezegd nog altijd niet precies begrijp waarom dat nou helemaal zo verschrikkelijk is. Ze zeggen dat hij altijd droomt, ook wanneer hij wakker is, en denkt dat het de werkelijkheid is.

Maar ik weet dat zoveel dingen die er niet zijn er toch zijn.

We lopen langs de wand met de schilderijen en naast het schilderij van het meer, de lucht en de rots hangen portretten die Jaris heeft geschilderd van de andere patiënten. De arts heeft ons eens verteld dat Jaris ervoor betaald krijgt, omdat hij talent heeft. Ik bestudeer de schilderijen aandachtig. Het valt me op dat over alle portretten een blauwe waas hangt, alsof de gezichten hun warmte hebben verloren, en waar ik ook loop blijven de ogen me achtervolgen.

Aan het einde van de gang, naast de gezamenlijke badkamer, opent Jaris de deur van zijn kamer. Onwennig blijf ik in de deuropening staan. Op een stalen nachtkastje naast zijn bed ligt de Bijbel en daarnaast zijn notitieblokjes in een keurige stapel, en ik herinner me weer dat hij altijd schrijver wilde worden, of journalist, maar de laatste tijd hoor ik hem daar bijna nooit meer over. Op het prikbord boven zijn bed hangt naast de teksten van Jehova een foto van het meer waar we altijd surften en die ik voor hem had meegenomen, omdat hij daarom had gevraagd.

Voor het kleine raam hangt vitrage om het licht tegen te houden.

Jaris haalt een pakketje onder zijn matras tevoorschijn. Als hij het mij overhandigt geef ik hem een kus, en ik voel weer hoe hij van zijn hand een vuist maakt en op mijn rug legt. Voor even hou ik het cadeau in mijn handen, draai het om en om, voel hoe zacht het is. Het is slordig ingepakt en er zit een stickertje van de cadeaushop van het ziekenhuis op. Ik trek het papier eraf.

Het is een paar groene sokken met een figuurtje van een vogel erop.

Ik stel me voor hoe Jaris deze sokken in de cadeaushop van het ziekenhuis voor mij heeft uitgezocht, ze heeft laten inpakken, en hij ondanks alles heeft onthouden dat ik jarig ben. En wanneer Jaris vraagt of ik mijn cadeau mooi vind, knik ik dat het zo is, dat dit misschien wel mijn mooiste verjaardagscadeau is.

Met de sokken in mijn handpalm verborgen wacht ik tot de koffie op is en de zon boven het zesde raam van rechts staat. Ik zit op het puntje van mijn stoel en staar omhoog. Overal om mij heen zie ik de ramen van het hoge ziekenhuis, als ogen die op ons neerkijken, sommige gordijnen halfgesloten. Ik kijk naar het grasveld, de pluisjes van de uitgebloeide paardenbloemen, de overvliegende zwaluwen. Naar mevrouw Van Schutten die in een rechte lijn op ons afloopt, haar langgerekte schaduw op de tegels. Als ze naast ons staat legt ze een krans van madeliefjes op tafel, naast de taart. Onbewogen blijft ze bij ons staan. Het is een magere vrouw met rood haar en ze heeft een tic met haar oog; telkens wanneer ze praat knijpt ze hem dicht. Ze is verliefd op papa, sinds die ene keer dat hij een dodedierenschilderijtje voor haar heeft gemaakt. Altijd als papa er is noemt ze hem haar mus en trekt haar rok tot boven haar knieën.

Papa neemt een slok van zijn koffie en zegt beleefd: 'En hoe is het met u, mevrouw Van Schutten?'

Ze antwoordt niet, knippert met haar ogen.

Als het stil blijft zegt papa: 'Onze zoon Jaris is vandaag jarig,' en kijkt omhoog naar de blauwe hemel. 'Vindt u ook niet dat hij een prachtige dag heeft uitgekozen?'

'Ik ben zo blij mijn mus weer te zien,' mompelt mevrouw Van Schutten.

In de verte komt een arts in een lange witte jas naar buiten gewaaid. Wanneer hij bij ons staat en vraagt of we een gezellige dag hebben, neemt hij mevrouw Van Schutten bijna onzichtbaar aan de hand mee. Vlak voor ze naar binnen loopt trekt ze heel even haar rok omhoog, tot op haar onderbroek.

Papa zwaait haar na, en intussen foetert mama dat het een onwaarschijnlijke aandachtstrekker is.

'Ik had nog zo graag een keer in de zon willen liggen,' zegt Jaris als hij de tuin in staart. Maar als mama aan Jaris vraagt waarom dat niet zou kunnen, dat de zomer toch nog lang niet over is, begint hij weer te kuchen zoals hij altijd doet wanneer hij zich onprettig voelt, en ik realiseer me ineens dat Jaris het helemaal niet tegen ons heeft. Dat het iemand anders is tegen wie hij praat.

Vanaf het moment dat ik vanochtend wakker werd gemaakt voor onze verjaardag en mama hoorde roepen: 'Verslaap je niet!', wilde ik niets liever dan deze dag overslaan en gewoon meteen door naar de volgende. Ik had me op mijn rug gedraaid, het dekbed over mijn hoofd getrokken en gezegd dat ik alleen wilde zijn, maar mama had mijn ramen opengetrokken omdat het volgens haar muf rook in mijn kamer. Het licht knalde in mijn ogen. Ik bleef op mijn bed liggen, starend naar het plafond, luisterend naar de voetstappen die wegstierven op de trap. Ik dacht aan alle dingen van de afgelopen weken die ik zou willen omdraaien, alsof het nooit was gebeurd, zodat ik weer helemaal opnieuw zou kunnen beginnen.

De wolken waren nooit mijn ogen binnengedreven.

Viktor en Jelka hadden me nooit naar een feestje meegenomen, omdat ze vonden dat ik somber was, en mijn zinnen moest verzetten.

Ik had niet op het feestje in de oude schuur gestaan waar ik niemand kende en me nog eenzamer had gevoeld.

Ik had niet te veel gedronken van de bessenlikeur, en ik was geen jongen tegengekomen die me aan Job deed denken.

Ik had nooit de stem in mijn hoofd gehoord die zei dat ik alles zou verliezen wat belangrijk was, en met de onbekende jongen gezoend.

Job had mij niet gebeld met de vraag of het waar was.

Ik had nooit geantwoord dat het inderdaad waar was.

Er was geen stem geweest die door de telefoon zei dat hij me nooit meer wilde zien.

Job en ik zouden nog altijd samen zijn.

Ik was nooit alleen geweest.

Voordat het bezoekuur voorbij is zegt Jaris dat hij liever alleen wil zijn, dat hij op zijn bed wil liggen. Om de beurt staan we op en vertwijfeld blijven we even voor hem staan, misschien omdat het nog geen tijd is om te gaan.

Jaris blikt schuin omhoog naar de zon.

'Jullie staan te veel in mijn licht,' zegt hij. Verbaasd kijk ik omhoog naar de zon die loodrecht in Jaris' gezicht schijnt en weer terug. Ik vraag hem wat hij bedoelt.

'Zie je het niet?'

'Wat moet ik zien?'

'Er lopen blauwe mannen op het dak,' zegt Jaris en wijst omhoog. Hij praat geconcentreerd maar grimmig, alsof zijn woorden als stukjes koffiebonen onverwacht door de kleine gaatjes van het filter meekomen.

Ik staar naar de blauwe hemel boven het ziekenhuis, probeer de blauwe mannen over het dak te zien lopen.

Maar het lukt me niet om iets te zien wat er niet is.

Draaierig blijf ik in de binnentuin staan met de muren van het ziekenhuis om mij heen, de ogen die ons in de gaten houden en de blauwe mannen die over de dakrand lopen, tot de aarde onder mij steeds sneller lijkt te draaien, bijna in beweging komt.

Ik voel de hand van papa op mijn schouder: 'We moeten gaan, Hazel.'

Ik luister naar het krakende geluid van de bomen die zacht bewegen in de wind. Het gerinkel van de koffiekopjes die door mama naar binnen worden gebracht.

Dan draai ik me om en volg automatisch de voetstappen van Jaris, die traag voor mij uit weer het ziekenhuis binnenloopt.

In een rechte lijn langs de verwarmingsbuizen loopt meneer Kooimans. Met zijn linkerhand strijkt hij over de aluminium buizen en hij telt hardop, maar als we hem gedag zeggen reageert hij niet op onze stemmen. Zwijgend lopen we langs elkaar, alsof we hebben afgesproken dat de ander niet bestaat. In het voorbijgaan trek ik stiekem de vitrage van de ramen opzij en gluur naar buiten. In de binnentuin staat de tafel waar we net nog aan hebben gezeten, en de lege stoelen in een rommelige cirkel eromheen.

Hoe langer ik kijk, hoe minder ik me kan voorstellen dat we daar net hebben gezeten.

Vanuit de kleine woonkamer aan de linkerkant van de hal klinkt het geluid van de televisie, en ervoor, op de groene stoel, zit dezelfde jonge vrouw met het mooie haar als altijd, in kleermakerszit en de rook van haar sigaret traag in- en uitademend. Ze zapt de beelden weg, zonder echt te kijken.

Ik loop verder en volg de kromgebogen rug van Jaris, zijn afhangende schouders en de dik geworden voeten die moeizaam vooruit sloffen. Aan het einde van de hal komt meneer Schuttevaer heel haastig aangelopen.

'Vieze vuile klootzakken,' zegt hij wanneer hij ons passeert. Hij heeft zijn zakdoek tot een prop fijngeknepen en houdt hem voor zijn mond. 'Gore hufters zijn jullie. Vieze flikkers.'

Het valt me op dat hij op blote voeten loopt, en automatisch kijk ik weer naar de afgetrapte sloffen van Jaris en ik vind het raar dat hij nog nooit om nieuwe heeft gevraagd. Bij de kamer waar de artsen altijd vergaderen blijven we staan en Jaris klopt op de deur om toestemming te vragen voor een sleutel, maar als er iemand naar buiten komt begint hij te kuchen en maakt hij van zijn hand een vuist.

'Zit de verjaardag er weer op?' vraagt de arts vriendelijk, een lange benige man met een baard. Hij kijkt ons indringend aan, en terwijl ik zijn blik probeer te ontwijken denk ik opnieuw: geef me één goede reden waarom hij hier bij jullie moet blijven.

Met de sokken in mijn hand blijf ik achter Jaris staan.

Ik wil mijn hoofd op zijn schouder leggen, de geur van zijn oude T-shirt opsnuiven en in zijn oor fluisteren: 'Laten-we-vluchten-voor-het-te-laat-is.'

De arts loopt met de sleutel in zijn hand voor ons uit en het valt me op dat hij mij langer aankijkt, in zich opneemt. Strak kijk ik terug tot hij uiteindelijk weer van me wegkijkt.

Zo dicht mogelijk probeer ik tegen Jaris aan te lopen en ik vraag hem zacht of hij het niet erg vindt dat hij op de rest van zijn verjaardag alleen moet zijn, of hij niet liever met ons mee-gaat, ook al weet ik dat het niet mag.

'Soms moet je keuzes maken,' antwoordt Jaris. Met zijn hand wrijft hij over de verpakking van de discman. Ik zeg hem niet dat ik zijn antwoord niet begrijp, dat ik zijn antwoorden bijna nooit meer begrijp, en dat ik hem alleen maar vraag of hij niet liever met ons mee naar huis gaat.

De arts probeert de eerste sleutel.

We staan met z'n allen voor de glazen deur te wachten, en mama omhelst Jaris maar meteen omdat ik weet dat ze net zo'n hekel heeft aan afscheid nemen als ik. Ze fluistert dat als het de komende tijd goed met hem gaat hij misschien een keer bij ons in de tuin kan komen barbecueën, wanneer het mooi weer is.

Vreemd genoeg drukt Jaris zich heel dicht tegen mama aan en wanneer hij opkijkt is het of hem de tranen in de ogen staan. Ik vraag me af wat hem zo verdrietig maakt, maar de deur springt al van het slot, en ik zeg hem snel gedag.

Met de sokken verborgen in mijn handpalm volg ik zoals al-tijd de blauwe lijnen terug.

Als ik me nog een keer omdraai zie ik de glazen deur ach-ter hem dichtslaan en Jaris bij ons vandaan lopen. Zijn trage voetstappen over het zeil, het zachte namiddaglicht door de vitrage.

Als hij niet omkijkt is hij me vergeten.

Als hij wel omkijkt denkt hij aan me.

Zonder om te kijken loopt hij van ons weg, de lange gang uit, tot hij niet meer is te zien.

Precies zes dagen na onze verjaardag, op tweede pinksterdag, word ik opnieuw ruw wakker gemaakt. Maar deze keer is het niet mama maar papa die mijn gordijnen opentrekt en me aan mijn schouder wakker schudt, en dat gebeurt bijna nooit. Slaperig kom ik overeind in bed en knijp mijn ogen dicht tegen het felle licht dat mijn kamer binnenvalt. Het valt me op dat papa zijn gestreepte badjas draagt. De laatste keer dat ik papa in dat ding had gezien was toen ik te laat van het uitgaan thuiskwam en hij me op straat in diezelfde badjas stond op te wachten met zijn groene kaplaarzen eronder. Papa's gezicht staat zorgelijk en ik vrees dat het is omdat ik gisteravond zonder iets te zeggen naar bed ben gegaan, omdat ik gewoon alleen wilde zijn.

'Er is iets gebeurd,' zegt papa zonder me aan te kijken. Hij wrijft met zijn hand over zijn ongeschoren wang en staart uit het raam.

Ik vraag wat er is gebeurd, of dat nou helemaal zo belangrijk is, en of ik niet nog even kan blijven liggen tot ik echt wakker ben. Met een schuin oog kijk ik op mijn wekker.

07.35

'Je kunt beter even mee naar beneden lopen,' antwoordt papa en draait zich al om.

Ik wrijf de slaap uit mijn ogen en op mijn blote voeten loop ik achter papa aan, het donkere trapgat in. Ik voel hoe het zachte katoen van mijn nachtjapon om mijn benen beweegt. Terwijl we de trap aflopen kijkt papa niet één keer achterom, alsof hij iets voor me achterhoudt, en ik begrijp niet waarom hij dat doet of waarom ik daar zo'n raar gevoel van in mijn buik krijg.

De deur van de huiskamer slaat open en als ik de hoek omloop zie ik op de bank voor het grote raam twee onbekende mannen in het zwart. Ze zitten voorovergebogen, met hun ellebogen leunend op hun knieën.

Eén voor één kijken ze me aan.

Mama zit op de andere bank, in haar zijden nachtjapon en haar hele lichaam opgekruld. Wanneer ze me aankijkt zie ik dat haar ogen rood van het huilen zijn. Papa legt zijn hand op mijn rug en haalt diep adem.

'Hij is gesprongen,' zegt hij dan. 'Van het dak van het ziekenhuis.'

'Wie?' vraag ik niet-begrijpend.

De mannen in het zwart kijken me aan.

'Wie is gesprongen?' vraag ik nog een keer en draai me om.

Duizelig blijf ik midden in de huiskamer staan. Ik staar naar de onbekende mannen in het zwart, voel de warme hand op mijn rug.

Onder mijn voeten komt de grond langzaam in beweging. De platen van de aarde schuiven van elkaar vandaan, als continenten die uit elkaar bewegen en nooit op een en dezelfde plek blijven liggen. En ik hoor hoe de stem in mijn hoofd telkens de woorden herhaalt als iemand die me iets probeert duidelijk te maken, niet zeker weet of ik het wel begrijp.

Maar ik begrijp het niet.

Ik zie Jaris weer voor me, hoe hij zonder om te kijken door de glazen deur bij ons vandaan loopt.

Ik hoor de stem op de radio.

Ik zie de blauwe mannen die op het dak van het ziekenhuis lopen.

Ik zie de ogen van de ramen, de blauwe hemel daarboven.

Tot ik de grond onder mijn voeten voel wegschuiven.

Tot

het

zwart

wordt.

En al het geluid en al het licht verdwijnt in iets waar niks meer is.

OVERSTAPPEN OP LIJN ZEVEN EN TIEN

De wereld lag aan mijn voeten, en ik moest hier zo snel mogelijk zien weg te komen.

Met mijn wang tegen de vloer gesmakt en mijn knie in een vreemde hoek verdraaid lag ik tussen een stapel jassen in een halfduistere ruimte.

Waar was ik in godsnaam? In een kleedkamer? Garderoberuimte?

Met een halfgeopend oog nam ik de omgeving koortsachtig in me op, probeerde te achterhalen wat de schaduwen om mij heen moesten voorstellen, of ik dood dan wel levend was. Ik proefde bloed op mijn bovenlip, hoorde het zachte geknisper van de jassen onder mij, stemmen van heel ver weg, en langzaam veranderden de schaduwen om mij heen in een kapstok, een stoel, een kast.

Ik bestond nog. Alles bestond nog.

Vreemd genoeg vond ik het irritant dat alles er nog altijd was, alsof mijn black-out irrelevant was voor het voortbestaan van de wereld. Ook al wist ik niet precies waar ik me bevond. Ik gooide de stapel jassen van mij af en steunend op mijn ellebogen krabbelde ik overeind. Het duizelde in mijn hoofd. Ik leunde achterover, met mijn rug tegen een of ander rek dat met een hoop kabaal omlazerde. Haastig stapte ik over de klerenhangers heen maar terwijl ik me uit de voeten probeerde te maken vlijmde er een pijnscheut door mijn knie, en ik greep naar mijn been. Godverdomme! Wat had ik gedaan? Wat deed ik hier? Waar waren Das en Keizer? Uiteindelijk strompelde ik in het halfdonker de trap af, mijzelf als een bejaarde aan de trapleuning naar beneden slepend.

Midden op straat bleef ik staan. Ik deed een paar passen achteruit.

Alles draaide, overal was licht en kleur. Het blauwwit van de trams vermengde zich met het glimmende zilvergrijs van de fietsen, het groen van de bomen langs de straat en de blauwe hemel daarboven. Het uitzicht vanaf hier, vanaf deze stoep, had het effect alsof iemand een beker water over mijn hersens had geknoeid en alle kleuren als een aquarel in elkaar liet overlopen, een impressionistisch schilderij, en zijn oorspronkelijke vorm deed verliezen.

Het was alsof ik de wereld weer voor de eerste keer zag. Zonder verwachtingen. Zonder een structuur, een snelheid, een kleur, een betekenis.

Met mijn hand greep ik naar mijn broekzak. Mijn portemonnee? Ja. Telefoon? Ja. Sigaretten? Ja. Sleutels? Kut, waar waren mijn sleutels?

Toen ik opkeek was alles weer normaal. Ik had geen zin om weer naar binnen te gaan om mijn sleutels te zoeken. Ik moest weg van hier, dacht ik, weg van deze klerezooi, en ik zocht naar mijn fiets, die er natuurlijk niet meer stond.

'Als je hem niet kan vinden moet je gewoon lappen, mop.' Verveeld staarde de tramconductrice voor zich uit en knipte kort met haar vingers.

Ik schudde mijn hoofd en antwoordde dat ik zeker wist dat ik mijn OV-jaarkaart bij me had, dat ik hem alleen even niet kon vinden maar als ik nog...

'Loop maar door!' schreeuwde ze en boog zich meteen daarna voorover en knipte het knopje van haar microfoon aan. 'Jan Pieter Heijestraat. Halte Jan Pieter Heijestraat.'

Terwijl de tram schokkerig in beweging kwam bleef ik draaierig ergens tussen de kinderwagens voor de uitgang staan. Een baby huilde. Naast me stond een jongen met een opgeschoren kapsel en een glimmende trainingsbroek, die me broeierig bleef aanstaren.

Ik keek van hem weg, fatsoeneerde mijn haar in de spiegelende ruit en staarde naar buiten. Een straaltje zweet liep over mijn rug, langs mijn blote benen steeg warme lucht omhoog. De verwarming in de tram stond aan, ook al was het hoogzomer. We remden. We trokken weer op. We stopten overal.

Overstappen op lijn drie en twaalf.

Opnieuw voelde ik me misselijk worden. Ik probeerde me op een punt in de verte te concentreren, maar alles kwam razendsnel dichterbij, alsof er geen heden was. Dwars door het drukke verkeer van buiten kwamen flarden van het verleden voorbij – de dansende lijken met ingevallen gezichten, de dood die overal was, de man in het zwart die mijn ogen dichtdrukte – en van de toekomst, die niet meer was dan een donkere leegte waar al het licht in verdween.

Overstappen op lijn twee en vijf.

We bleven staan voor het Leidseplein, met in de verte coffeeshop The Bulldog en ik zag die Australische gast weer zitten, zijn hand tussen mijn benen geschoven, roerloos op mijn slipje. En hoe ik me had voorgesteld dat het Job was, en we samen in een trein zaten die traag op gang kwam, dat we de stad achter ons lieten en alleen nog de donkere weilanden konden zien.

Overstappen op lijn zeven en tien.

Ik veegde met de mouw van Das' Heideroosjes-shirt het zweet van mijn voorhoofd, rook de lucht van de verwarming. Waarom kon ik niks vergeten, of zonder angst de toekomst afwachten? Waarom schoot het heden, een ogenblik in de tijd, aan me voorbij zonder dat ik een beslissing kon nemen? Ik moest verdwijnen van hier, dacht ik. Ik moest verdwijnen van mijzelf.

Weg.

Haastig rende ik de trap van mijn zolder op. Onder mijn bed trok ik de weekendtas vandaan waarmee ik zoveel maanden geleden naar Amsterdam was vertrokken, propte hem vol met kleren die ik zo gauw kon vinden, drukte hem aan met mijn knie en trok de rits dicht. Ik schoot mijn oude leren jas aan, mijn gympen, en toen ik me al wilde omdraaien zag ik op een omgedraaid bierkrat, mijn nachtkastje, de groene sokken liggen die ik ooit van Jaris had gekregen.

Ik pakte ze op, voelde de zachte stof.

Met mijn vinger wreef ik over het plaatje van de vogel.

Daarna stopte ik ze in mijn binnenzak, ritste mijn jas dicht, en sleepte de tas over mijn schouder de zoldertrap af. De deur naar de slaapkamer van Keizer was dicht, evenals die van Das, en voor even bleef ik twijfelend in de hal staan – kon ik niet beter meteen vertrekken voordat ik spijt kreeg? – maar uiteindelijk liep ik toch onze huiskamer binnen en zocht tussen alle rotzooi naar een stuk papier en een pen. Met mijn tas nog bungelend aan mijn schouder trok ik met mijn tanden het dopje van een vulpen los en krabbelde wat op de achterkant van een supermarktbon. 6-pack *Amstel*, melk, *Glassex*, witbrood, cola.

Glassex? Wat was dat voor onzin?

Oké, ik moest iets schrijven. Snel. Iets waaruit bleek dat ik ze niet zou vergeten, maar niet te sentimenteel of te dramatisch, waar daar konden ze niet tegen. Ik wist eigenlijk niet of ze me nou geholpen hadden in de afgelopen maanden, of dat ze me alleen maar hadden tegengewerkt. Het was meer dat ze er waren, en dat ik niet om ze heen kon. Misschien was dat ook wel vriendschap, wist ik veel.

'~~Lieve Das en Keizer.~~'

'Das en Keizer.'

Kauwend op mijn pen staarde ik ongeduldig uit het raam. De kerkklok sloeg twaalf. Kut. Ik boog me voorover.

'Als jullie dit lezen, ben ik weg. Ik weet niet waarheen, dat maakt ook niet zoveel uit. Het gaat erom dat ik weg ben en jullie misschien nooit meer zie. Dat is jammer, maar misschien ook wel een opluchting. Ik hou het kort, want ik moet mijn trein halen. Het ga jullie goed.

Groet, Hazel.

p.s:

O ja, de huur van de laatste maand maakt mijn vader wel naar jullie over.

p.s.p.s:

Keizer, volgens mij heeft Amsterdam er een icoon bij.

Das, jij bent de grootste geile neukbeer, wat ze ook zeggen.'

Ik legde het briefje op het vissershoedje van Keizer, dat naast het zwarte jack van Das op tafel lag, keek nog een keer achterom en trok toen de deur achter me dicht.

Een kwartier later rende ik met de zware tas om mijn schouder door de drukke stationshal. Alles vloog voorbij, maar vreemd genoeg zag ik de beelden duidelijker dan ooit. De kleuren van de sokken van de zwervers bij de kiosk. De symmetrische vormen van de platgelopen patat bij de snackbar. Een overgebleven boeket in een zwarte emmer bij de bloemenstal. De lange schaduwen in de stationshal die elkaar achterna zaten.

Ik graaide mijn laatste geld bij elkaar, kocht een kaartje, propte hem in mijn jaszak. Haastig rende ik de roltrap omhoog, maar halverwege werd ik gedwongen te wachten door een paar mensen die onbeweeglijk voor me bleven staan, hun brede ruggen naar me toegedraaid. Ik probeerde me erlangs te wurmen, tikte iemand op zijn rug, maar er gebeurde niks.

Geïrriteerd keek ik opzij. In de zwarte marmertegels langs de wand zag ik mijzelf weerspiegeld, traag omhoog bewegend als een vogel die opsteeg zonder zijn vleugels uit te slaan. Ondanks dat opgejaagde gevoel – mijn hart dat onrustig tegen mijn borst dreunde, het bloed dat naar mijn hoofd steeg – kon ik niets anders doen dan mijzelf nauwkeurig in die marmeren tegels bestuderen. Mijn smalle gezicht, de afhangende schouders, de rook van mijn sigaret die langzaam boven mij uitsteeg.

Verdomme, naar wie keek ik eigenlijk? Wie was dit met wie ik telkens werd lastiggevallen?

Ik rende het perron op en zag dat... mijn trein vertraging had. Jezus, waar had ik me nou helemaal voor lopen haasten. Zeulend met die tas, inmiddels over de grond achter me aan slepend, liep ik verder over het perron. Ik probeerde de blikken van de mensen die aan mij voorbijschoven te ontwijken. Een duif vloog paniekerig omhoog. Aan het glazen dak van het stationsgebouw hing een doek met de afbeelding van een zwart figuur erop, een kunstwerk of iets dergelijks. Het moest de suggestie wekken of de zwarte figuur zich met zijn handen aan het dak vasthield, zijn lijf bungelend naar beneden, hangend boven de diepte.

Ik keek weer voor me uit, liep zoals altijd door tot het einde van het perron. Vreemd genoeg kreeg ik het gevoel dat iedereen me in de gaten hield, me nakeek. Dat er over me werd gesproken. Bij het laatste bankje bleef ik staan en stak nog een sigaret op. Schokkerig inhaleerde ik de rook, mijn adem hoog in mijn borst. Ik probeerde me een houding te geven door me te spiegelen aan de mensen om me heen, maar ik wist niet hoe, en voelde me plotseling heel bewust van mezelf. Zouden ze mijn angsten voelen? Of was dat slechts een illusie? Wisten ze wat ik dacht?

Toen ik de sigaret weer naar mijn mond bracht zag ik hoe mijn hand trilde. Ik inhaleerde nog een keer maar het was of de hand die ik van zo dichtbij zag, de hand die met trillende vingers de sigaret vastklemde, de hand van iemand anders was. Vanuit de verte kwam de trein aanrijden en ik gooide mijn brandende sigaret op het spoor, greep mijn tas van de grond en bleef wachten tot ik als laatste de trein kon binnenstappen. Net als in de tram was het hier snikheet, de hete verwarmingslucht trok als een klamme hand langs mijn lichaam, en opgepropt op een treinbankje naast een vadsige kerel met een zure lichaamsgeur zag ik Amsterdam verdwijnen.

Ik reed achteruit, net zoals de laatste keer met Job.

Zonder de kerel die naast me zat te zuchten aan te raken probeerde ik mijn leren jas uit te trekken, maar het kreng bleef natuurlijk vastzitten, en ten slotte verdraaide ik mijn halve arm door me nogal omslachtig voorover te buigen. Ik legde de jas op mijn schoot en checkte mijn telefoon, hoewel ik toch wel wist dat er geen berichten waren. Toen ik opkeek voelde ik weer de starende ogen van de mensen om me heen, hoe ze mij in zich opnamen, de pupillen als zwarte gaten waar het oogwit als draaikolken omheen draaiden. Ik hoorde het zachte gefluister van de stemmen. Mijn naam erdoorheen.

Je verstaat elkaar beter als je laag bij de grond zit.
Omdat het geluid gedempt wordt door de mensen boven ons.
Omdat wij onder de mensen zitten.
Omdat wij onder de mensen zitten.

Met het zweet in mijn handen staarde ik uit het raam. Een verlammend gevoel trok door mijn lichaam, en ik zat daar maar, uitgeput, naar buiten te kijken hoe de laatste resten van de stad aan mij voorbij schoten. Elke beweging werd onderbroken door de stem, waarvan ik niet zeker wist of hij van binnen of van buiten kwam.

Was wat ik dacht de waarheid, alleen omdat ik degene was die het dacht?

De trein boog af naar rechts, wisselde met een slijpend geluid van spoor. Ik pakte nog een keer de telefoon uit mijn jaszak en aarzelend zocht ik door mijn telefoonnummers, tot ik bij *thuis* uitkwam. Automatisch liet ik hem overgaan. Meteen daarna drukte ik hem uit. Ergens verlangde ik ernaar een bekende stem te horen, maar wat moest ik in godsnaam zeggen? Ik twijfelde. Nog een keer liet ik hem overgaan, langer nu, ondertussen een reden bedenkend als ze me vroegen... Er werd weer niet opgenomen. Ik belde nog een keer, liet hem eindeloos overgaan. Nog een keer. Maar er was niemand aan de andere kant van de lijn.

Waar was ik mee bezig?

Haastig doorzocht ik nog een keer mijn telefoonnummers,

en tussen alle nummers zag ik het nummer van mijn moeder. Ik belde al voor ik er erg in had.

'Hazel?'

Shit.

'Mam?'

'Hazel,' zei mijn moeder nog een keer. Ik wist niet of ze enthousiast was, of het tegenovergestelde.

'Ik belde omdat...,' zei ik voorzichtig. '...Om te zeggen dat ik in de trein zit.' De vent naast mij zuchtte.

'Denk jij dat wij ons soms geen zorgen maken, Hazel?' vroeg mijn moeder. 'We hebben al dagenlang niks meer van je gehoord.'

'Nee, maar...'

'Hoe denk je dat het voor ons is? Nou? Om ons altijd maar zorgen om jou te moeten maken?' Haar stem klonk hol, alsof ze in een zwembad stond.

'Het spijt me maar....' Ik bleef even stil. 'Waar zit je eigenlijk?'

'Hoe bedoel je?' vroeg mijn moeder.

'Je klinkt hol.'

'Ik zit op de wc.'

'Thuis?'

'Nee.'

'Waar dan?'

'Op het kerkhof.'

'Jezus!' zei ik. 'Zit je nou te bellen op de wc op het kerkhof?'

Een vrouw op een bankje schuin tegenover mij keek me aan.

'Ja, ik geloof het wel.'

'Waarom neem je dan je telefoon op?!'

'Ik werd zenuwachtig van dat ringtoontje dat je vader heeft ingesteld. Dus ik heb hem maar opgenomen.'

Vermoeid zakte ik achterover in mijn stoel. Ik wilde dat ze daar wegging. Ik wilde niet dat ze daar zat.

'Maar waar bel je voor?' vroeg mijn moeder.

Voor even bleef ik stil. Ik wreef met mijn hand over mijn

voorhoofd. 'Ik weet het niet,' zei ik zacht. 'Ik weet niet waar ik voor bel.'

Ik wilde zeggen dat het me speet, van het feit dat ik haar in haar oog had getrapt en niet wist waarom, dat ik al die jaren niet wist waarom ik zo had gedaan maar dat ik niet anders kon, omdat ik niet begreep waar die haat vandaan kwam of waarom ik liever alleen wilde zijn. Ik wilde zeggen dat ik naar huis kwam en dat ze me moest vergeven, dat het móést, en ik wilde haar omhelzen, zeggen dat ik haar miste. Dat ik papa miste. En Mensje. Dat ik niet zonder ze kon, dat ik van ze hield, hoe vreselijk veel ik van ze hield.

'Hazel?' vroeg mijn moeder.

Ik zei niks.

'Hazel?'

Ik drukte mijn telefoon uit en stond op. Ik moest die trein uit.

SAMEN MET AL HET LICHT EN ALLE LUCHT EN ALLE STERREN

Elke keer als iemand de hoek omloopt probeer ik te raden wie het is, maar ik herken niemand. De oudtante van mijn moeder, de collega's van de parfumeriezaak, een groepje studiegenoten uit Groningen, een neef van mijn vader met zijn slechte adem, de vader van een klasgenoot van tien jaar geleden, allemaal komen ze schichtig voorbij, ons mompelend de hand schuddend en hun armen als monniken over elkaar geslagen wanneer ze verder door de kleine donkere zaal lopen. We staan allemaal in een rij – papa, mama, Mensje, ik – en met Jaris voor ons, liggend in de beukenhouten kist.

Ik heb er nog geen een keer in durven kijken.

Gister zag ik Jaris voor het eerst, nadat hij een week geleden door de glazen deur in het ziekenhuis verdween, en toen hij daar opgebaard voor me lag – zijn gezicht strak en wit, de handen voor zijn borst gevouwen, een pleister op zijn wang, het zwarte maatpak – klapte ik gelijk door mijn benen en sloeg mijn adem naar binnen. Sindsdien durf ik hem niet meer aan te kijken, ook al zegt mama de hele tijd dat hij er zo vredig bij ligt.

Naast mij staat oom Gerbrand. Telkens als iemand me condoleert geeft hij me een por in mijn zij en fluistert in mijn oor wie het is, of wie het zou kúnnen zijn. Maar de meeste mensen stellen zichzelf meteen voor.

'Kijk uit voor die ouwe gek,' fluistert oom Gerbrand in mijn oor. 'Die heeft nog eens een slof sigaretten van me gejat.'

De rij loopt door tot aan het einde van de straat en de uitvaartondernemer had gezegd dat dit uitzonderlijk was, ook voor een jong iemand. Van de zes redenen die ik probeer te bedenken waarom de mensen ons komen condoleren, kom ik niet verder dan *nieuwsgierigheid* en *leedvermaak.* De mensen die ik de hand schud hebben geen namen en gezichten. Als opeengepakte wolken drijven ze aan me voorbij, tot ze weer verdwijnen door de deur waar het licht vandaan komt. Ik staar naar de voeten die rakelings langs de kist schuiven, eromheen bewegen, en telkens vrees ik dat iemand er tegenaan stoot. Dat de kist omvalt en Jaris in zijn zwarte maatpak tussen de voeten van de mensen over de grond zou rollen, en iedereen verschrikt uiteen zou springen, toekijken, hoe hij ergens voor de ingang moeizaam overeind komt. Hij zou zijn ogen openen en zijn stropdas rechten. Hij zou in lachen uitbarsten dat we er toch maar mooi zijn ingetrapt.

Oom Gerbrand geeft me nog een por in mijn zij. 'Gert de Jong. Achterneef van je vader. Charlatan.'

Ik schud de onbekende man de hand.

Hij knipoogt naar me.

Daarna zeg ik per ongeluk gecondoleerd tegen iemand die ik de hand moet schudden.

Papa kijkt me van opzij aan en trekt zijn wenkbrauwen naar me op, vraagt of ik het nog even volhoud, en ik zeg van jawel. Daarna legt hij zorgzaam zijn hand op de rolstoel van Mensje. Ik zie hoe ze opgewekt de mensen de hand schudt, alsof we op een verjaardag staan.

Ik voel een steek in mijn maag.

Ik luister naar het zachte geroezemoes van stemmen, het geschuifel van schoenen.

En wanneer mijn hand wordt beetgepakt en ik iemand hoor zeggen 'gecondoleerd' herken ik niet eens meteen de stem. Pas als ik opkijk zie ik tot mijn verbazing dat het Job is die mijn hand vasthoudt.

'Je staat te trillen op je benen,' zegt hij terwijl ik hem geschrokken aanstaar.

Ik voel zijn warme hand in mijn hand liggen. Geconcentreerd kijkt hij me aan. Niet van me weg, zoals de rest van de mensen. Wat zeggen zijn ogen? Dat het hem spijt dat we niet meer samen zijn? Of dat hij net als iedereen gewoon medelijden met me heeft? Ongemakkelijk schud ik hem de hand, en zeg dat mijn benen misschien trillen omdat ik hier al een hele tijd sta.

'De rij staat tot helemaal aan de overkant van de straat,' zegt Job en knikt naar buiten. 'Er komen steeds meer mensen bij.'

'Ik had al zoiets gehoord,' zeg ik zacht.

Zwijgend blijven we tegenover elkaar staan.

Ik wil niet dat hij weggaat. Ik wil dat hij warme lucht in mijn nek blaast en zijn wang tegen mijn wang legt, dat hij in mijn oor fluistert: 'Het-is-niet-waar-wat-ze-ook-zeggen' en 'Laten-we-vluchten-voor-het-te-laat-is.'

'Ik vind het heel erg wat er is gebeurd,' zegt Job. 'Ik wist helemaal niet dat je broer zo ziek was.'

Ik staar naar de grond, doe mijn best om niet te huilen.

'Sterkte,' zegt hij. Vlak voordat hij zich omdraait geeft hij vluchtig een kus op mijn wang.

'Was dat je vrijer?' vraagt oom Gerbrand die samen met mij richting de uitgang staart.

Ik antwoord niet maar schud de hand die wordt uitgestoken. Mijn benen trillen inderdaad.

Wanneer alle mensen weg zijn mogen we aan de binnenkant van de kist iets voor Jaris schrijven. De uitvaartondernemer heeft allerlei kleuren stiften op een tafel voor ons neergelegd en me al een paar keer gevraagd welke kleur ik wil, alsof ik een kleuter ben, en ik blijf met mijn armen over elkaar voor hem staan terwijl ik zeg dat ik niks hoef op te schrijven, dat Jaris het toch niet kan zien.

'Het is symbolisch,' zegt de uitvaartondernemer, een lange magere man in het zwart die traag en bedachtzaam praat. 'Een boodschap voor in het hiernamaals.'

Liever wil ik hem zeggen dat er helemaal geen hiernamaals is, alleen maar een universum dat uit imperfectie is geboren en met de snelheid van donkere energie uit elkaar drijft tot over dertig miljoen lichtjaar alles begint te krimpen en alle sterren in het laatst overgebleven zwarte gat zullen verdwijnen, waarna met het sterven van het universum de tijd voor eeuwig stil zal blijven staan.

Maar ik zeg: 'Ik heb geen bericht voor het hiernamaals.'

De uitvaartondernemer schuift de viltstiften naar me toe. Twijfelend kijk ik toe hoe papa en mama en Mensje hun boodschappen voor Jaris op de onderkant van de houten deksel schrijven, die straks boven op de kist zal worden gelegd. Dan gris ik een blauwe viltstift van tafel en schrijf mijn boodschap boven de rode letters van papa.

'Ik heb de blauwe mannen ook over het dak zien lopen.'

Als alle boodschappen zijn opgeschreven tilt de uitvaartondernemer de deksel van de tafel en draagt hem naar de kist. Ik kijk een andere kant uit wanneer het beukenhout langzaam over Jaris heen wordt geschoven.

'Wil je echt geen afscheid van je broer nemen, lieverd?' vraagt mama nog. 'Hij ligt er heel mooi bij.'

Maar ik zeg van nee, dat hij er helemaal niet mooi bij ligt.

De uitvaartondernemer geeft ons allemaal een houten schroef, voor ieder een, die we bij wijze van laatste eer in de kist mogen draaien. Ik kijk hem aan of hij niet wijs is geworden maar iedereen begint al die schroeven erin te draaien, en misselijk sta ik boven de kist terwijl ik er niet aan probeer te denken dat Jaris hier nooit meer uitkomt, dat hij voor altijd in het donker onder die deksel opgesloten zal blijven liggen en de wereld nooit meer zal zien. Met een trillende hand pak ik de schroef op en zonder nadenken draai ik hem diep in het beukenhout.

Ik heb een zwarte synthetische blouse van Jelka geleend omdat ik niet wist wat ik aan moest trekken, misschien omdat ik nog nooit eerder een begrafenis had gehad, en met vlechten in mijn haar geslapen zodat mijn lange haar krult. Tijdens de uitvaartdienst in de kerk speelde een pianist de lievelingsnummers van Jaris, hoewel niet die van Pearl Jam en Nirvana, en ik droeg een kort gedicht voor. Het ging over de dingen die er niet zijn maar er toch zijn maar ik vrees dat er niemand was die het echt begreep, en ik keek telkens naar papa die op het voorste bankje zat en vreselijk moest huilen, waardoor het uiteraard voor geen meter ging.

Na de dienst zijn we in de auto gestapt en nu rijden we achter de lijkwagen aan richting de begraafplaats, heel traag, alsof snelheid iets is waarvoor je je moet schamen. Mijn haren ruiken nog altijd naar de wierook. Steunend met mijn kin op mijn hand staar ik uit het autoraam, de groene sokken van Jaris in mijn hand gefrommeld.

Volgens oom Gerbrand is de dood bordeauxrood en ruikt het naar jonge jenever. Ik geloof dat de dood zwart is en dat er niet aan te ontsnappen valt.

Sinds de ochtend dat ik uit bed werd gehaald en hoorde dat Jaris van het dak van het ziekenhuis was gesprongen lijkt het alsof iemand alle dingen in de wereld over heeft geschilderd maar dan in de verkeerde kleur. Over alles hangt een blauwe waas en de gezichten van de mensen hebben hun warmte verloren, terwijl hun ogen me blijven achtervolgen, precies zoals in de schilderijen van Jaris.

Stapvoets rijden we door de straten.

De auto maakt geen geluid.

De mensen stappen van hun fiets, kijken ons na.

Ik knijp de sokken tot een prop en staar omhoog naar de hemel boven de daken, die net zo blauw is als met onze verjaardag, en ik stel me voor dat Jaris over de daken met ons meeloopt en naar ons zwaait. Dat er niemand ligt in de kist voor ons, die we moeten volgen.

De mannen in het zwart dragen Jaris op hun schouders. We lopen over het grindpad van de begraafplaats, helemaal vooraan in de stoet, en met de dwarrelende pluisjes uit de iepen om ons heen en Mensje die ik voor me uitduw. Ik luister naar het zachte gehuil van mama en het gezoem van de hommels die van bloem naar bloem vliegen. Het geruis van de boomtoppen, de wind uit het zuidoosten. Het is een dag om naar het zwembad te gaan, denk ik, en ik trek aan de blouse van Jelka die onder mijn oksels plakt en aan mijn rug kriebelt. Oom Gerbrand rookt traag zijn sigaar en staart somber voor zich uit.

Ik kijk naar de hoge hoeden en de kromgebogen ruggen.

Ik denk aan de laatste keer dat Jaris op dezelfde manier voor me uitliep, door de gangen van het ziekenhuis.

Zijn afhangende schouders, de voeten moeizaam voor elkaar plaatsend.

Aan het einde van een rij grafzerken, bij een uitgegraven kuil, blijven we staan. De mannen in het zwart tillen de kist van hun schouders en hangen hem met een paar touwen boven de grond. Er worden bloemen bovenop gelegd. En het enige waar ik aan kan denken is hoe Jaris in zijn zwarte maatpak in de kist ligt, met onze boodschappen op de binnenkant van de deksel.

Ik heb de blauwe mannen ook over het dak zien lopen.

De man in het zwart neemt zijn hoed af en praat.

Ik zie alleen zijn mond bewegen.

De schep die de aarde op de kist gooit.

De mensen lopen aan ons voorbij en nemen afscheid, sommige met een korte knik en andere met een zakdoek voor hun ogen, en plotseling herken ik Viktor en Jelka achter in de rij. Als ze voor me staan omhelst Jelka me heel aanstellerig en barst in snikken uit, terwijl Viktor alleen maar naar de grond kijkt en me daarna een cassettebandje met zijn muziek geeft. 'Ik denk dat je deze nog niet hebt,' zegt hij zacht.

Oom Gerbrand legt een doosje sigaren op de kist en verdwijnt.

We blijven staan tot iedereen verdwijnt.

En terwijl de kist langzaam in de bodem zakt kijk ik weg, omhoog naar de lucht.

Ik zie Jaris in slow motion door de lucht zweven, zijn handen naast zijn lichaam en de benen licht gebogen.

Het T-shirt opbollend in de wind, de wolken in zijn ogen voorgoed weggedreven.

En terwijl hij door de lucht naar beneden zweeft, vraag ik me af wat er gebeurt als er een bodem bestaat waarin je nooit kunt verdwijnen.

Dat boven ons alleen maar water is waarin hij voor altijd kan blijven drijven, en dit nog gewoon de bodem van een meer is.

Dat wij in het diepste van het diepe staan, en niemand onder ons zou kunnen verdwijnen.

Dat er geen zwarte gaten zouden zijn.

En ik blijf maar omhoog kijken hoe Jaris door de lucht naar beneden zweeft.

Het T-shirt omhoog bollend in de wind,

maar ik weet dat er niks is dat hem kan tegenhouden, alleen de donkere aarde onder hem die steeds dichterbij komt.

En met de snelheid van de donkere energie die alles uit elkaar drijft

zie ik hem samen met al het licht

en alle lucht

en alle sterren

en al het geluid

in iets verdwijnen waar niks meer is, en de tijd voor eeuwig stil zal blijven staan.

ALS IK NIET KEEK BESTOND HET NIET

Bij het eerstvolgende station sprong ik met de tas over mijn schouder uit de trein. Ik kroop onder de spoorbomen door naar de overkant, bleef even hijgend staan en keek hoe de trein van me wegreed, en ik begon te rennen langs het spoor, eerst rustig maar daarna steeds sneller. Mijn veters zaten los, mijn jas hing slordig om me heen.

Ik volgde een weg die ik niet kende.

Voor me lagen de weilanden en de bossen – Wat moest ik hier? Waar wilde ik heen? – maar ik kon niet terug naar waar ik vandaan kwam of verder op weg waar ik naartoe moest en ik voelde mijn adem hoog in mijn borst, mijn haar waaide in lange slierten voor mijn gezicht.

Ik moest kiezen. Maar ik kon het niet, ik kon het niet, ik kon het niet.

En terwijl ik daar langs het spoor bleef rennen zapte iemand de beelden als een gek door mijn kop, vergeten herinneringen, en ik rende in het midden van het niets waar ik kon verdwijnen en het iets waar ik nog altijd bestond. Overal waar ik keek zag ik wel iets terug van wat ik had achtergelaten.

Jaris.

Zelfs wanneer ik door het opengeslagen raam van een huis naar binnen keek, zag ik weer voor me hoe je met opgetrokken benen op je bed een boek zat te lezen en nauwelijks opkeek wanneer ik jouw slaapkamer binnenkwam en naast je op bed kroop. Ik leunde tegen je aan, met mijn duim in mijn mond, en las mee in je boeken over de ruimtevaart of over het ontstaan van de wereld, zonder dat ik het echt begreep.

'Snap je wat er staat?' vroeg je dan.

'Niet helemaal,' zei ik dan.

Uit jezelf begon je me dingen uit te leggen, bijvoorbeeld over een topgeheime basis, Area 51, in de Nevadawoestijn van Amerika waar volgens jou onderzoek werd gedaan naar de ruimtevaart en nog nooit een buitenstaander toegang tot had gehad. Of over de supernova die ongeveer eens per eeuw zichtbaar was, en waarbij een ster explodeerde en alle sterrenstof door de ruimte bleef zweven tot er weer een nieuwe ster uit werd geboren. En dan legde ik mijn hoofd op je schouder, drukte mijn duim dieper in mijn mond, en stelde me voor dat uit de gele sterren op mijn katoenen pyjama weer nieuwe sterren werden geboren en alles oneindig lang voortduurde.

Ik hoefde maar naar de bomen te kijken of ik zag je al terug.

We stonden op de vlonder en ik moest jouw surfzeil vasthouden maar het irritante ding klepperde telkens terug de verkeerde kant uit, en dan wees je omhoog naar de takken en wist ik alweer waar de wind vandaan kwam. Ik had over het water uitgekeken hoe je van me verdween, het gekleurde zeiltje schoot over het meer, maar uiteindelijk kwam je altijd bij me terug.

Al keek ik maar naar íéts dan was het er al, die herinneringen waarvan ik dacht dat ik ze vergeten was. De trucs van mijn geest, het omgekeerde vergeten. Ik had de tijd niet verzonnen. Hij rende met me op.

De zon brandde in mijn gezicht, de tas hing zwaar aan mijn schouder.

Ik dacht erover om mijn spullen in de berm te smijten, om ernaast te gaan liggen in het hoge gras, traag een sigaret rokend en naar de blauwe hemel boven te blijven staren tot het nacht werd, tot alles ophield met bestaan.

Om de strijd maar gewoon op te geven.

Ik sloeg een bospad in, een lang pad omgeven door hoge dennenbomen, en ik hoorde mijn gympen stampen over de stenen. Met de mouw van mijn jas veegde ik het zweet van mijn voorhoofd. Wat was het hier verdomme heet. Ik rende en rende en rende en keek pas achterom toen ik mijn eigen voetstappen achter me hoorde.

Tussen de bomen bewoog een man in het zwart. Hij rende achter me aan, zijn armen in een hoek langs zijn lichaam bewegend, de benen hoog optillend. Toen hij zag dat ik naar hem keek bleef hij voor even staan, stak zijn hand op en verdween in de bossen aan mijn linkerhand. Bijna struikelend over mijn eigen voeten rende ik verder, angstig, en daarna keek ik nog keer snel achterom, om er zeker van te zijn dat ik het goed had gezien. Nu waren er twee mannen in het zwart. Ook zij verdwenen in het bos. Ze vermenigvuldigden zich.

Was dit echt? Nee, dit kon niet echt zijn. Dit moest echt zijn. Waarom twijfelde ik de hele tijd aan mijn eigen gedachten, waarom zou ik twijfelen aan iets wat ik net met eigen ogen had gezien? Als ík het dacht moest het toch de waarheid zijn?

Ik durfde niet meer achterom te kijken, keek strak voor me uit.

Als ik niet keek bestond het niet.

Jaris, op de idiootste momenten voelde ik je afwezigheid, bijvoorbeeld als ik in de kroeg stond, bier bestellend, en een hand op mijn schouder voelde, dan hoopte ik altijd voor een halve seconde dat jij het was. Dat je samen met mijn vrienden achter mij stond, lachend en pratend over de muziek die er werd gedraaid – want ik wist precies welke kroegen, welke muziek, welke mensen je tof had gevonden en welke niet. Je had jouw arm om mijn schouder geslagen, ik had de geur van je wollen trui opgesnoven. We waren op de grote betonnen blokken aan de rand van de danszaal gaan zitten om te discussiëren over wat er om ons heen gebeurde, jouw wereld was mijn wereld geweest en andersom, en de kleuren en het stroboscooplicht hadden alle tijd stilgezet. Ik had je nooit hoeven uitleggen waarom ik iets op een bepaalde manier dacht, of deed, waarom dat zo was, omdat we dat toch wel van elkaar wisten, omdat jouw Zijn voorstelbaar was geweest vanuit mijn Zijn, we waren geen vreemden, maar opgegroeid met de gedachtewereld van de ander.

Jij was er geweest om te bevestigen wat ik zag.

Inmiddels was ik trager gaan lopen. Zwaar ademde ik in en uit, hoestte slijm op. Het pad splitste zich, en waar de bossen zich steeds nauwer om me heen sloten, het groen aan de bomen een ondoordringbaar schild tegen het licht vormde, ging een nieuw pad verder. Ik twijfelde welke kant ik uit moest. Ik zette mijn voeten kaarsrecht op de lijnen van de klinkers die patronen vormden, nog een keer zoals vroeger.

Als ik op de lijn blijf staat Jaris op mij te wachten.

Als ik buiten de lijn stap dan zal ik Jaris nooit meer zien.

Duizelig liep ik verder over een pad dat ik niet kende en door een wereld die ik niet kende, tot alles in beweging kwam, en de lijnen onder mijn voeten zich kronkelend voor mij uit bewogen, veranderden in de blauwe lijnen van het ziekenhuis. Ik moet de lijnen blijven volgen, dacht ik, ik moet de lijnen blijven volgen.

Verdomme Jaris, waarom liet je me alleen? Ook al wist ik dat je móést, dat je niet anders kon?

Elke dag zag ik wel een keer voor me hoe je boven op het dak van het ziekenhuis klom.

Hoe je daar voor even bleef staan, de wind door je haren en starend naar de peilloze diepte onder je. Hoe eenzaam en angstig je moet zijn geweest toen je naar voren liep, tot aan de dakrand. Eerst de ene, daarna de andere voet. Hoe je los van alles kwam. De hallucinatie zich voorgoed aan de wereld vasthaakte.

Er moest een moment zijn geweest dat je twijfelde, dat je had gevoeld hoe de zwaartekracht zich omdraaide en de tijd zich keerde, dat je je voor een laatste keer realiseerde dat er een manier bestond om terug te gaan, om tegen de draaikolk in door het zwarte gat omhoog te zwemmen.

Dat je voelde dat je nog leefde.

Dat de dood niet onvermijdelijk was.

Het pad kwam nergens op uit, ik liep in cirkels. Tussen de bossen doemden kleine huizen op, een soort bungalows die in groepjes bij elkaar stonden. Voor de ramen hingen vitrage en scheefhangende gordijnen, en de vensterbanken voor de grote ramen stonden vol met planten alsof het studentenhuizen waren. De parkeerplaatsen waren zo goed als leeg, net als de bankjes die voor de ingang stonden. Ik staarde naar de vreemde straatnaambordjes, de merkwaardige nummering van de huizen, maar nergens kon ik uit afleiden waar ik was. Verward liep ik verder over de paden die rondjes vormden, een oneindige achtvorm, terwijl ik een weg naar buiten zocht.

Ik was verdwaald, ik had geen idee waar ik was. Verdomme, hoe kwam ik hier uit?

Tussen de bungalows lagen de verlaten binnentuinen. Ik herkende het grote grasveld dat was omringd door de keurige bloemenperkjes en de grote grijze tegels die een paadje naar buiten vormden, tot aan het hek. Het zag er precies zo uit als de binnentuin in het ziekenhuis van Jaris.

De prunus, het pasgemaaide gras.

Het was alsof ik in een wereld binnen mijn wereld was verdwaald.

Bevangen door de schroeiende zomerhitte zwalkte ik verder door het web van paden. Een vliegtuig vloog over. Ten slotte smeet ik mijn tas op de grond, en uitgeput bleef ik midden op de weg zitten.

Ik voelde de tranen over mijn wangen lopen.

En toen ik opzij keek, het lange bospad in, herkende ik je meteen. Je afhangende schouders, de voeten moeizaam voor elkaar plaatsend, op de hiel van je afgesleten sloffen. In een rechte lijn liep je op me af, je ogen strak op me gericht. Ik durfde me niet te bewegen, uit angst dat je verdween. Doodstil bleef ik daar maar boven op mijn tas zitten, kijkend hoe je steeds dichterbij kwam. Ik zag je baard, je donkere ogen.

Pas toen je bijna voor me stond durfde ik overeind te komen.

'Jaris,' zei ik zacht.

En toen je niet reageerde zei ik het nog een keer.

En nog een keer.

Jaris.

Jaris.

Jaris.

Jaris!

Godverdomme Jaris.

Zeg dan wat.

ZEG DAN GODVERDOMME WAT!

Maar je wist niet wie ik was.